Laker

Les neiges de Norvège

traduit par Marie-Pierre PETTITT

Éditions J'ai lu

Ce roman a paru sous le titre original :

THIS SHINING LAND

À mon mari, Inge, du 331ᵉ escadron, qui m'attendait à Bergen avec des fleurs.

En témoignage de reconnaissance à mes amis norvégiens, Liv Bergsholm, Gerda Deverall et Ella Christiansen pour leur aide précieuse dans mes recherches.

1

Ce matin du lundi 8 avril, Johanna Ryen acheta comme d'habitude son journal en se rendant à son travail. Il faisait encore froid pour la saison et un vent fort, soufflant du fjord d'Oslo, annonçait la neige. La venue du printemps était exceptionnellement tardive en cette année 1940 – en Scandinavie neutre comme dans l'Europe déchirée par la guerre. Dans la boutique de fourrures où elle était secrétaire, les affaires avaient en tout cas bien marché.

Son journal sous le bras, Johanna se dirigea vers la Karl Johans Gate, l'artère principale de la ville. Coiffée d'un bonnet rouge, elle marchait à grands pas, ses cheveux blonds flottant sur ses épaules. À vingt-trois ans, grande et mince, l'allure sportive, le visage doré par le soleil des pentes de ski, les yeux bleus pétillants et la bouche gourmande, elle respirait la santé et la joie de vivre.

Elle remonta la large avenue bordée de boutiques de luxe et de grands magasins. Elle longea le Parlement et le parc de l'université. De l'autre côté se trouvait le Grand Hôtel, inchangé depuis l'époque où Henrik Ibsen venait chaque jour y prendre l'apéritif. À l'entrée de la Karl Johans Gate se dressait, majestueux, le palais royal de style néo-classique; ses fenêtres surplombaient le centre de la capitale et donnaient sur le nouvel hôtel de ville, le port et l'immense estuaire du fjord où se croisaient sans cesse des embarcations de toutes sortes, grands transatlantiques ou minuscules bateaux.

Pas de murs autour du palais pour en écarter les curieux. Seules deux sentinelles de la garde royale, en uniforme noir, avec leur couvre-chef en forme de chapeau melon orné d'un plumet sur le côté, surveillaient d'un œil bienveillant la foule qui longeait la résidence royale et déambulait devant la statue équestre d'un ancien souverain du royaume de Norvège.

Johanna avait aperçu le roi Haakon VII à plusieurs reprises. Il se promenait souvent en ville, comme un citoyen ordinaire. Au mois de mai, le jour de la fête nationale, il se tenait au balcon pour saluer les centaines d'enfants et d'étudiants qui défilaient, drapeaux au vent, derrière la fanfare. Très grand, excessivement maigre, le roi donnait l'impression d'être à la merci de la moindre rafale un peu forte. Il avait cependant montré en maintes occasions une grande fermeté de caractère et le respect des plus hautes valeurs morales.

Elle arriva enfin devant la boutique de fourrures. La façade était élégante et donnait sur le Victoria Terrasse, l'un des plus beaux bâtiments d'Oslo avec ses coupoles et ses balcons délicatement ouvragés. Après avoir pris le courrier, elle gagna son bureau. Une certaine effervescence régnait dans le salon d'essayage : les vendeuses commençaient leur journée, la boutique reprenait vie. Installée à son bureau, Johanna jeta un coup d'œil aux gros titres du journal. À part une importante bataille navale et quelques escarmouches aériennes entre l'Angleterre et l'Allemagne, la guerre en Europe semblait stagner.

Johanna était heureuse que son pays ne soit pas mêlé au conflit. La Norvège, la Suède et le Danemark avaient opté pour la neutralité comme pendant la guerre de 14-18. Cela ne signifiait pas pour autant que ces trois nations étaient indifférentes aux épreuves des autres pays européens entraînés dans la guerre par le caprice d'un dictateur fou. Les souffrances du peuple polonais pendant les bombardements qui avaient dévasté Varsovie avaient profondément bouleversé la jeune femme.

Elle repoussa le journal et se mit au travail. Le courrier était abondant, mais il y avait peu de lettres de l'étranger : depuis l'ouverture des hostilités entre les forces franco-britanniques et les forces de l'Axe, les commandes en provenance des pays concernés, notamment des grands couturiers de Paris, se faisaient rares.

Johanna avait accroché aux murs de son bureau des croquis de modèles anciens qui lui rappelaient la jeunesse de sa mère et sa propre enfance. Elle traversa le salon où l'on présentait des modèles à deux clientes. Sonja Holm, première vendeuse et amie de la jeune femme, vint au-devant d'elle en lui tendant une liasse de factures.

– Bonjour ! Tiens, du travail pour toi.

Elle aimait, d'ordinaire, s'attarder dans ce salon feutré. Le renard argenté était alors très en vogue. On ne le portait pas seulement en manteau, on jetait sur ses épaules une ou deux peaux, avec tête et queue, attachées par un cordon de soie. Les capes d'hermine, la spécialité de la boutique, étaient également très prisées par les femmes les plus fortunées. Les stars de cinéma, quant à elles, raffolaient du lynx et du renard bleu. Le renard blanc, en général réservé aux manteaux du soir, était considéré comme une fourrure jeune, interdite aux femmes âgées.

Sur l'un des murs s'étalaient d'épaisses fourrures blanches, dépouilles d'ours polaires, qui n'étaient pas à vendre et que Johanna contemplait toujours avec nostalgie.

Leif Moen, le patron de la boutique, se tenait près de la fenêtre de son bureau et examinait l'une des peaux de renard blanc qu'il venait de sortir d'un carton.

– Bonjour, Johanna. Que m'apportez-vous ? Ah ! oui... cette commande a été différée. Je m'en occupe tout de suite.

Johanna aimait travailler avec lui. C'était un homme consciencieux et d'humeur égale. Il avait hérité de l'affaire de son père quelques années auparavant. Il connaissait tous les employés et la plupart d'entre eux faisaient partie de la maison depuis longtemps. À l'exception de la zibeline russe et du chinchilla d'Amérique du Sud, les peaux qu'il négociait avec habileté étaient toutes d'origine norvégienne. Son grand-père avait été jadis trappeur dans le nord du pays. D'après les photographies, c'était un gaillard barbu, très différent de son petit-fils aux traits bien dessinés et à l'élégance raffinée.

La matinée passa très vite. Quand Sonja entrouvrit la porte, Johanna ne leva même pas la tête et lui tendit d'un geste machinal les talons des factures qu'elle avait enregistrées.

– Voilà, c'est fait, dit-elle.

– Tu sais quelle heure il est ? s'exclama Sonja. Tu viens déjeuner ?

Dans le miroir accroché au mur, Sonja contemplait les courbes agréables de son visage plein de vie. Sa bouche rieuse et les fossettes qui naissaient au moindre sourire étaient autant d'atouts dans son métier : c'était une excellente vendeuse. De cinq ans l'aînée de Johanna, elle était mariée à un officier de la marine marchande qui restait de longs mois en mer. Le travail était pour elle un dérivatif.

Johanna s'appuya au dossier de sa chaise.

– J'ai complètement oublié l'heure. Je n'ai pas le temps de déjeuner, j'ai du travail par-dessus la tête. Je sortirai juste un moment pour faire quelques courses. Ma logeuse et son mari sont partis en vacances.

– Les Alsteen ! Où sont-ils allés ?

– Chez la sœur et le beau-frère d'Anna, à Drammen. Pour elle, ce seront enfin de vraies vacances. Elle en a bien besoin, même si elle ne veut pas l'admettre.

Sonja connaissait bien Drammen, une pittoresque petite ville au sud d'Oslo, avec ses drapeaux multicolores qui claquaient au vent, tout le long du port.

– Viktor Alsteen ne va pas mieux ? demanda Sonja.

– J'ai bien peur que non. Depuis qu'il a eu son attaque, il y a quelques années, il est invalide. Le beau-frère d'Anna est médecin. Si elle veut s'absenter, elle peut compter sur lui. Elle aura enfin un peu de temps à elle, et puis ça changera Viktor.

– Quand rentrent-ils ?

– Pas avant deux semaines.

Johanna ne lui avoua pas qu'elle aimait de temps à autre se retrouver seule dans la maison. Cela lui aurait semblé injuste vis-à-vis des Alsteen. Elle leur portait une grande affection. Quand elle était arrivée à Oslo, seule et sans travail, ils l'avaient accueillie dans leur foyer.

Avant sa maladie, Viktor était un orfèvre réputé, installé sur Princess Gate. C'était un homme de petite taille, calme et très digne. Il ne se plaignait jamais de son infirmité. Quant à Anna, elle se consacrait corps et âme à son mari. N'ayant pas d'enfant, ils avaient loué une de leurs chambres à Johanna, non pour des raisons précuniaires mais parce qu'ils appréciaient la compagnie des jeunes.

À la fin de la journée, Johanna prit le tramway pour rentrer chez elle. Il traversa Stortorvet, la grande place du marché, passa devant la cathédrale et prit la direction du faubourg de Grefsen, le terminus. Les grands magasins firent place aux quincailleries, aux laiteries étincelantes de propreté, aux boulangeries avec leur petit pain rond en laiton doré suspendu au-dessus de la porte, aux confiseries étalant leurs boîtes de chocolat rouge et or à l'effigie du roi Haakon et aux vitrines des modistes remplies de capelines très à la mode. Johanna d'ailleurs en avait acheté une dès son arrivée dans la capitale.

Elle se souvenait de la première fois où elle avait pris le tramway, il n'y avait pas si longtemps. Un véritable événement ! Elle n'était jamais montée dans un train jusqu'au jour où elle avait définitivement quitté sa maison pour venir travailler à la ville. Elle avait traversé le fjord de Romsdal jusqu'à Andalsnes où se trouvait la gare la plus proche. Pour ceux qui vivaient à l'ouest du fjord, sur la rive montagneuse, prendre le bac était aussi normal que de monter dans un tramway pour les gens d'Oslo. Malgré la dureté des temps autour des années 30, elle avait connu une enfance heureuse à Ryendal, vallée parsemée de petites fermes formant une véritable communauté, une sorte de grande famille. L'été elle allait pieds nus, l'hiver elle faisait du ski et du patin à glace. Gâtée par son père et ses deux frères aînés, elle avait été élevée avec sévérité par sa mère. Son père et sa mère étaient très différents et elle se demandait souvent comment ils avaient pu s'entendre. Elle ne les avait jamais vus s'embrasser. Son père était pourtant jovial et chaleureux. Toujours est-il qu'elle avait été très heureuse.

Elle avait quitté sa famille non pour la fuir, mais pour être indépendante comme ses frères et pour se faire une situation. D'abord, elle était allée au collège à Molde, la ville la plus proche, puis cela avait été le grand départ : Oslo ! Pendant quelque temps, un homme avait tenu une grande place dans sa vie, mais ils avaient rompu. Elle n'en éprouvait aucun regret.

Le tramway venait enfin de dépasser les grands immeubles en béton. On arrivait dans la banlieue de Grefsen. On se serait cru à la campagne plutôt que dans les faubourgs d'une grande ville ! Nichées au creux des vallons, les maisons de bois peintes dans des tons pastel étaient entourées de jardins fleuris, de bosquets et de vergers.

– Grefsen ! annonça le conducteur.

Johanna descendit. Elle traversa en courant la route principale et prit le chemin de gravillons qui menait à la maison des Alsteen. C'était une bâtisse vert pomme égayée de rideaux de dentelle à travers lesquels on devinait les plantes vertes que Johanna arrosait consciencieusement en l'absence d'Anna.

Elle ouvrit la porte et s'arrêta un instant sur le seuil, surprise : une odeur de café flottait dans l'air. Elle pensa tout d'abord que ses hôtes avaient écourté leurs vacances. Mais la maison n'étant pas éclairée, elle abandonna aussitôt cette idée. Une seule autre personne pouvait se considérer comme chez elle ici; et cette personne n'était pas précisément la bienvenue en ce moment. Elle alluma d'un coup sec et appela au cas où l'intrus se trouverait en haut.

– Il y a quelqu'un ?

Pas de réponse. Elle se rendit dans la cuisine. Sur la cuisinière, la cafetière, effectivement, fumait encore. Deux tasses avaient été lavées et reposaient sur l'égouttoir. Le visiteur n'était pas venu seul. Elle vit tout de suite le mot sur la table.

Bonjour, Johanna Ryen ! Je suis ici pour quelques jours. Je présume que les Alsteen sont en vacances. Peut-être nous verrons-nous ? J'ai pris le double de la clef sous le paillasson. Steffen Larsen.

Elle soupira et déchira le billet. Fatiguée par sa journée de travail, elle se sentait d'humeur peu accueillante; et il lui déplaisait d'avoir à partager la maison avec celui qu'on appelait « l'Anglais ». L'explication de ce surnom lui avait été donnée par Viktor, peu après son arrivée. Désignant une photo accrochée au mur, il avait dit de sa voix fluette :

– Je l'appelle l'Anglais. Regarde cette photo ! Elle a été prise aux régates de Henley. Pendant ses études en Angleterre, il défendait les couleurs d'Oxford. Tu vois, du thé, des sandwichs au concombre, du gazon, des canotiers et des chapeaux fleuris. Quoi de plus anglais...

Johanna se rendit au salon. Elle rechargea le poêle à bois. Il y eut une flambée soudaine qui éclaira les fines porcelaines anciennes ainsi qu'une collection de coupes en argent du XVIIIe siècle, rassemblées par Viktor du temps où il était orfèvre. Sur le buffet trônait une rangée de trophées de ski gagnés par Anna dans sa jeunesse. Johanna leva la tête et son regard se posa sur la photographie de l'Anglais. Il souriait, assis dans sa yole étroite, ses mains puissantes posées sur les avirons, les muscles saillants sous la chemisette blanche.

Il y avait une autre raison au surnom de Steffen Larsen : sa mère était anglaise et l'avait élevé dans son pays. Son père, lui, était capitaine sur la mer de Bergen. À la mort de ses parents, Steffen avait été recueilli par une riche tante norvégienne. Depuis, il se partageait entre l'Angleterre, où il avait de nombreux amis, et la Norvège où il s'était établi.

Sa tante vivait à Alesund, sur la côte ouest. Johanna connaissait bien cette ville parce qu'elle était facile d'accès depuis la vallée de Ryendal, dont la famille Ryen avait pris le nom des générations auparavant. Pourtant, elle n'avait jamais rencontré le jeune homme, ni à Alesund ni chez les Alsteen. Steffen y avait une chambre qui lui servait de pied-à-terre quand il venait à Oslo pour ses affaires. Il n'aimait pas les hôtels et ne tenait pas à louer un appartement pour quelques jours par an. La chambre confortable qu'Anna mettait à sa disposition et le plaisir de goûter sa succulente cuisine étaient une bien meilleure solution. Il était ingénieur-conseil et voyageait beaucoup, notamment dans le nord de la Norvège, région en voie de développement. Curieusement, Johanna avait toujours manqué ses rares visites. Elle s'était souvent demandé si Steffen ne la fuyait pas. Comme Anna était une marieuse-née, il devait se méfier et téléphonait toujours avant de venir. Il n'avait sans doute pas envie de se trouver dans une situation embarrassante. Son arrivée impromptue aujourd'hui était tout à fait contraire à ses habitudes. Les deux tasses trouvées dans la cuisine pouvaient être la clef de l'énigme. Anna lui avait raconté que l'Anglais avait une petite amie à Oslo, une Anglaise qui travaillait à l'ambassade britannique. Anna ne l'aimait guère.

Sachant qu'Anna rêvait de lui présenter Steffen, Johanna lui avait demandé, pour la taquiner :

– Je me demande pourquoi cette jeune fille ne vous plaît pas ? Vous êtes en général ravie de voir des idylles se nouer ?

– Oui, si elles finissent par un mariage, avait répondu Anna. Mais pas ce genre de liaison qui tourne toujours court. De toute façon, cette fille n'est pas son type. Elle est dure et très déterminée.

– Cela se comprend si elle occupe un poste de responsabilité à l'ambassade. Elle a dû sûrement se battre pour y arriver. Ce n'est pas toujours facile pour une femme. Comment s'appelle-t-elle ?

– Délia Richmond.

– C'est un joli prénom.

Mais Anna n'avait rien voulu ajouter...

Johanna monta dans sa chambre. Elle se changea et brossa sa jupe avant de la suspendre. Elle prenait toujours grand soin de ses affaires; elle avait grandi à une époque difficile où la moindre nouveauté vestimentaire était un événement.

Elle aimait la chambre qu'elle occupait depuis son arrivée à Oslo, ses murs de bois peints d'un ton rose fané, ses rideaux de dentelle et le tapis tressé sur le parquet de pin. L'édredon moelleux était enveloppé de lin blanc, la taie d'oreiller garnie de broderie.

Johanna avait ajouté çà et là quelques touches personnelles : une gravure d'après un tableau d'Edvard Munch, un petit bateau viking en argent offert par sa grand-mère, un fauteuil à bascule, un coffret à bijoux gagné lors d'une compétition de patin à glace, un serre-livres fabriqué par son père et une photo de famille.

Johanna passa la soirée au salon à écouter la radio. À dix heures et demie, elle monta se coucher et se plongea dans un roman de Sigrid Undset.

Quand Steffen arriva, elle dormait à poings fermés. Elle ne l'entendit ni garer sa voiture, ni entrer dans la chambre voisine de la sienne. Il avait emmené

Délia dîner chez Bloom, le restaurant des artistes. Puis, ils étaient allés danser dans un night-club et avaient terminé la soirée en tête à tête dans l'appartement de la jeune femme. Steffen avait un rendez-vous important le lendemain matin et se coucha aussitôt.

À l'embouchure du fjord d'Oslo, une vedette de surveillance luttait contre la mer déchaînée sous une pluie cinglante. Depuis plusieurs jours les orages étaient extrêmement fréquents sur la côte. Soudain, le capitaine, qui observait l'horizon, se figea. Il n'en croyait pas ses yeux... Surgissant de l'obscurité, leurs étraves grises fendant les vagues, de puissants navires de guerre se dirigeaient à vive allure vers le fjord.

C'était l'invasion.

– Mon Dieu ! C'est la flotte allemande !

Il lança ses ordres. L'officier radio envoya immédiatement un message à Oslo pendant que la vedette faisait feu sur la proue du premier navire allemand. Il y eut un temps mort, puis on entendit le sifflement caractéristique d'une torpille lancée d'un aviso-torpilleur. La vedette de surveillance norvégienne, touchée de plein fouet, fut soufflée et coula dans une gerbe d'étincelles. Il n'y eut aucun survivant.

À Oslo, aussitôt reçu le message, on ordonna l'extinction des feux dans toute l'agglomération. Les membres du gouvernement et ceux de l'état-major furent rappelés d'urgence. Au palais, on apprit au roi que des éléments de la flotte allemande s'apprêtaient à pénétrer dans le port.

La plus grande confusion régnait à l'Assemblée, qui avait été convoquée. On tombait des nues. On contacta les Anglais. « Nous sommes en guerre ! » répondirent laconiquement les Britanniques. La Norvège allait devoir prendre les armes. Quand l'ambassadeur d'Allemagne se présenta en personne à quatre heures du matin, sa demande de capitulation fut catégoriquement rejetée. Il se retira, certain qu'à l'aube les troupes de la Wehrmacht accosteraient sans difficulté dans le port d'Oslo et que l'annexion de la Norvège n'était plus qu'une question d'heures.

À Drobak, dans le chenal, la flotte allemande progressait tous feux dehors, comme pour de simples régates. Dans la vieille forteresse d'Oskarsborg, l'officier de commandement ordonna de pointer sur le croiseur de tête les deux seuls canons dont il disposait; ils dataient du début du siècle et n'avaient jamais servi.

Avec un grand boum qui ébranla les vieux murs de pierre, les canons lâchèrent leur bordée au-dessus de l'eau. La cible fut touchée net et coula rapidement, entraînant dans son naufrage des centaines de marins et de soldats. Le commandement allemand changea alors de tactique. Au lieu d'amener leurs soldats jusque dans le port d'Oslo, les navires allemands les débarqueraient en aval du chenal, loin au sud d'Oslo, dans le Vestfold, sur la côte ouest du fjord. La flotte allemande fit donc demi-tour et s'éloigna, laissant les bataillons de la Wehrmacht progresser sous la pluie vers la capitale.

Il faisait à peine jour quand Johanna fut réveillée en sursaut par le hurlement d'une sirène et le bruit sourd de tirs antiaériens. Machinalement, elle appuya sur le réveille-matin avant qu'il sonne : c'était une drôle d'heure pour des essais de tir de routine. Puis elle alla vers la fenêtre sans se presser, attentive au moindre bruit. Elle perçut comme un bourdonnement sourd...

D'un bond, elle fut à la fenêtre. Elle observa le ciel, horrifiée. Des bombardiers allemands, le svastika sur leur empennage, survolaient la ville. La neutralité de la Norvège venait d'être violée ! Elle resta là, pétrifiée, agrippant à pleines mains les rideaux de dentelle.

Soudain, on tambourina à la porte. Une voix d'homme criait :

– Réveillez-vous ! Il faut descendre à la cave vous mettre à l'abri ! Vous m'entendez ?

La porte s'ouvrit violemment. Effrayée, Johanna se retourna brusquement. Une coulée de lumière glissa sur ses cheveux et tomba sur la courbe de sa poitrine à peine voilée par la fine chemise de nuit de coton. Steffen Larsen, lui, était habillé. Il la regarda un instant, comme subjugué. Puis il explosa :

– Sortez de là !

Elle obéit sans protester. Tout en croisant pudiquement les pans de son kimono crème, elle se précipita hors de la chambre. Il la suivit. Elle dévala l'escalier et courut vers la porte de la cave. Elle venait d'arriver en bas quand il alluma la lumière. Elle s'arrêta et regarda le plafond de la cave, terrorisée : au-dessus de leurs têtes, un curieux sifflement se rapprochait...

Steffen hurla :

– À terre !

Il la plaqua au sol contre lui, la protégeant de son corps. La bombe explosa, faisant osciller la maison sur ses fondations et soufflant le petit soupirail de la cave. Des objets entassés là depuis des années dégringolèrent des étagères. Les vibrations décrurent enfin, mais l'ampoule électrique continuait de se balancer avec frénésie.

Quand Steffen estima qu'ils étaient hors de danger, il l'aida à se relever, la fit asseoir et s'accroupit en face d'elle.

Elle était très pâle. Il scruta son visage avec attention.

– Ça va ?

Johanna fit un petit signe de tête.

– Je crois. Tout cela a été si rapide.

– Les avions sont passés. Cette bombe semble être la seule qu'ils nous aient réservée, du moins pour le moment. Mais je crains une seconde vague de bombardiers. Il vaudrait mieux rester ici encore un peu.

Il s'aperçut alors qu'elle tremblait, autant de froid

que de peur. Il enleva sa veste et la posa sur ses épaules.

– Ne restez pas assise sur ces pierres froides, installez-vous sur ce divan.

Elle suivit son conseil et alla se blottir dans un coin du canapé poussiéreux.

– Ça va mieux, dit-elle enfin. J'espère que nous n'aurons pas à rester ici trop longtemps.

Il se pencha sur l'accoudoir du divan.

– Excusez-moi si je vous ai un peu brusquée tout à l'heure. Mais il le fallait.

– Bien sûr... J'ai compris. J'étais comme en état de choc !

Elle nota machinalement que le visage de Steffen avait mûri depuis l'époque où la photo avait été prise. Son visage était un mélange de beauté nordique et anglo-saxonne. Le nez droit, le menton carré, les pommettes saillantes, les yeux bleu clair rappelaient ses origines norvégiennes. Mais il avait hérité de sa mère anglaise son allure, ses cheveux brun foncé, épais et ondulés. Il était sans conteste très séduisant.

– J'ai l'impression d'avoir fait un cauchemar, dit-elle.

– Oui, commenta-t-il. J'étais en bas en train de préparer mon petit déjeuner quand j'ai entendu la nouvelle à la radio. Une minute plus tard, les bombardiers arrivaient.

– Que disait la radio ?

– Eh bien, ce matin à l'aube, sans aucune déclaration de guerre préalable, les Allemands ont déclenché un plan d'invasion de la Norvège et se sont mis en position le long des côtes.

Johanna resta sans voix. C'était encore pire que ce qu'elle avait supposé. Elle avait un instant cru que les bombardiers faisaient une reconnaissance en vue d'une attaque sur la région d'Oslo, alors que c'était la Norvège tout entière qui allait être envahie. Elle se représenta mentalement la carte de son pays : les montagnes escarpées, les hauts plateaux, les glaciers, les épaisses forêts, les lacs ne laissaient que quatre pour cent du sol à la culture. La population était massée essentiellement autour d'Oslo et dans les quelques vallées qui la prolongeaient. La ligne découpée des fjords, tout au long de la côte, s'étirait sur 20 000 kilomètres. C'était un pays impossible à défendre par une petite armée en cas d'invasion massive sur tous les fronts.

Le visage de Johanna s'assombrit. Sa voix soudain se durcit.

– Mais pourquoi ?

– Eh bien, je suppose que, du point de vue stratégique, la Norvège ferait une bonne base pour attaquer les forces franco-britanniques en Atlantique. De plus, les fjords constituent autant d'abris naturels pour les navires et les sous-marins allemands.

– Mais nous devons les en empêcher !

– Je suis bien d'accord. Mais notre situation est critique, extrêmement critique ! Nous n'avons pratiquement pas de défense aérienne. Et il n'y a pas dans notre pays un seul officier, un seul soldat qui ait l'expérience de ce genre de situation. Cent vingt-cinq ans se sont écoulés depuis la dernière guerre, celle où nous avons regagné notre indépendance sur la Suède...

Il serra le poing et en frappa rageusement l'accoudoir.

– Qu'ils aillent au diable ! dit-il. Je dois faire un compte rendu aux autorités militaires. Chaque minute est importante et je perds mon temps ici. Je sors pour voir ce qui se passe exactement.

Il remonta rapidement l'escalier. Elle l'entendit écraser du verre brisé et il réapparut.

– Plusieurs fenêtres ont volé en éclats. Vous pouvez venir, mais faites attention !

Il baissa les yeux sur les pieds nus de Johanna.

– Vous n'avez pas de chaussons ?

– Près de mon lit...

Il revint au bout de deux minutes et les lui lança. Elle les enfila et se leva en frissonnant. Elle avait envie d'un bon bain chaud. Dans l'entrée, elle s'arrêta à la porte du salon. Steffen avait commencé à déblayer les éclats de vitres et écoutait avec attention les dernières nouvelles que débitait la radio. Elle arriva juste à temps pour en entendre la fin. Le Danemark avait été envahi lui aussi, à l'aube de ce sombre mardi 9 avril, et les troupes allemandes déferlaient sur le pays.

Du seuil, elle lui demanda :

– Et en Suède, qu'est-ce qui se passe ?

– Là-bas, ils n'ont pas encore attaqué, répondit-il.

– Vont-ils le faire ?

– C'est peu probable. À mon avis, tout danger est désormais écarté pour les Suédois. Les Allemands n'auraient plus l'avantage de la surprise. Non, s'ils l'avaient voulu, ils auraient attaqué la Suède en même temps que la Norvège et le Danemark.

Il éteignit la radio.

– La mobilisation générale a été décrétée. J'ai une ou deux choses à régler ici avant de me présenter au centre.

Par la fenêtre sans vitre, elle aperçut des voisins rassemblés sur le chemin. Ils regardaient tous dans la même direction. Une bombe avait dû tomber non loin de là.

Elle espéra que personne n'avait été blessé. Il n'y avait aucun objectif militaire dans les environs.

Avant de remonter dans sa chambre, elle essaya de téléphoner à ses parents, mais sans succès. À l'extérieur de la ville, toutes les lignes téléphoniques étaient coupées. Elle réussit à contacter un vitrier local qui s'engagea à remplacer les vitres dans le courant de la matinée. Après avoir pris un bain et s'être habillée, elle descendit pour retrouver Steffen, qui lui offrit une tasse de café. Avant de partir, il voulait installer un abri aussi sûr que possible dans la cave pour Johanna et pour les Alsteen. Il avait déjà fait disparaître la plupart des vieilleries qui s'y trouvaient entassées et il fixa les volets du soupirail en les consolidant de l'intérieur avec des planches.

Il débarrassa ensuite les étagères de tout objet qui, en tombant, pouvait blesser quelqu'un et disposa en bonne place une trousse de premiers secours.

Quand il eut terminé, Johanna l'appela à la cuisine. Elle avait préparé un autre petit déjeuner puisqu'il avait laissé le sien en plan avec le premier bombardement.

– C'est appétissant ! dit-il.

Ils s'assirent devant des œufs durs, du fromage, différentes viandes froides, des conserves faites à la maison, des petits pains chauds et une miche croustillante. Ils mangèrent tous deux de bon cœur et engagèrent une conversation animée sur le temps qu'il faudrait aux forces franco-britanniques pour envoyer des renforts militaires et aériens.

Une sorte d'intimité amicale due probablement à la présence presque palpable du danger s'était installée entre eux. Ils finissaient leur repas quand la sonnette de la porte d'entrée retentit.

– J'y vais, dit Johanna.

Lorsqu'elle ouvrit la porte, elle se trouva face à une jeune femme qu'elle ne connaissait pas. Elle était vêtue d'un imperméable ceinturé, d'une coupe élégante et simple. Elle paraissait anxieuse. Johanna devina instinctivement de qui il s'agissait. Une voiture était stationnée devant la barrière, le moteur tournant au ralenti.

– Je suis Délia Richmond, dit l'inconnue dans un norvégien parfait, sans le moindre accent. Je vois que vous avez été bombardés.

– Ni Steffen ni moi ne sommes blessés, répondit Johanna en la faisant entrer.

Le visage de Délia, auréolé d'une masse de cheveux châtains, présentait le teint rose typique des Anglaises, un nez bien dessiné, une bouche charnue. Johanna la trouva belle.

– Steffen est dans la cuisine, venez !

– Non, je n'ai pas le temps, je suis juste venue lui faire mes adieux.

Steffen s'était mis à faire la vaisselle.

– Délia est ici, cria Johanna.

Son visage se durcit. Il se dirigea vers l'entrée, laissant la porte de la cuisine grande ouverte derrière lui. Il fut donc impossible à Johanna de ne pas entendre ce qu'ils disaient.

– Nous fermons l'ambassade et nous partons, Steffen. On nous a demandé de passer en Suède et, de là, en Angleterre. Nous espérons avoir un bateau. Mes collègues m'attendent dans la voiture et je n'ai que quelques secondes pour te faire mes adieux.

Il l'attira contre lui. Délia s'abandonna.

– As-tu appris quelque chose de plus à l'ambassade ? demanda Steffen.

– Une bonne nouvelle : la demande de reddition de la Norvège faite par le Troisième Reich a été rejetée. Le roi, le prince héritier Olav, les membres du gouvernement viennent de quitter Oslo, en train, pour l'intérieur des terres. Ils vont à Hamar. Les princesses et les enfants sont déjà en route pour la Suède. L'or du pays a été retiré des chambres fortes de l'État et acheminé dans un endroit secret.

– Sage précaution. Mais qu'en est-il de l'invasion elle-même ?

– Les nouvelles sont mauvaises, malheureusement. On s'est battu dans les fjords tout le long de la côte ouest et la marine norvégienne a subi de lourdes pertes. Bergen, Stavanger, Trondheim et Narvik sont aux mains des Allemands. Il y a plus d'une semaine, des soldats de la Wehrmacht se sont glissés dans les principaux ports à bord de navires marchands. Dans beaucoup d'endroits, la population s'est réveillée dans une ville contrôlée par l'ennemi sans avoir eu le temps de comprendre ce qui se passait. Ce n'est que grâce à la destruction du croiseur *Blücher* dans le chenal qu'Oslo n'a pas été envahie et que le roi et le prince héritier ont pu fuir.

Dehors, des coups de klaxon insistants se firent entendre. La voix de Délia faiblit.

– Il faut que je m'en aille. Ce n'est pas facile de partir comme ça...

– Je t'accompagne jusqu'à la voiture, dit Steffen.

Ils s'éloignèrent, main dans la main.

Johanna acheva de débarrasser la table, tout en songeant qu'Anna avait mal jugé la jeune Anglaise : de toute évidence, elle était très éprise de Steffen...

Revenu dans la maison, le jeune homme passa un coup de téléphone pour s'excuser de ne pouvoir honorer un rendez-vous dans la matinée, comme si c'était un jour ordinaire. Puis il monta se changer. Il troqua son costume pour la confortable tenue de sport qu'il avait l'habitude de porter pour visiter ses chantiers. Il ignorait où l'armée allait l'envoyer et se préparait à toute éventualité. Il endossa enfin un anorak chaud et fourra son bonnet de ski dans sa poche. Puis il prit son sac à dos et descendit. Johanna, prête elle aussi, l'attendait dans l'entrée. Il leva les sourcils, étonné.

– Mais où pensez-vous donc aller comme ça ?

– À mon travail. J'ai appelé la boutique pour leur dire que je serais en retard. J'aimerais que vous me déposiez en ville.

– J'ai décidé de laisser la voiture ici et de prendre le tramway. Savez-vous conduire ?

– Oui, bien sûr.

– Je n'aurai pas besoin de ma voiture à l'armée, je vous la laisse. Si la situation s'aggravait, vous pourriez au moins vous enfuir. J'ai fait le plein d'essence hier.

– Merci, dit-elle.

Elle jeta un coup d'œil à la pendule.

– Prenons le tramway ensemble, proposa-t-elle. Il y en a un dans quelques minutes.

Comme elle allait ouvrir la porte, il s'interposa.

– Attendez ! Il serait sans doute plus sage que vous restiez ici aujourd'hui.

– Mais non, le calme est revenu. Il faut que j'aille travailler. Il paraît qu'en ville tout est tranquille. La boutique possède une cave dans laquelle nous serons en sécurité si les bombardements reprennent. Je ne serai pas la seule à arriver en retard aujourd'hui...

– Hum, grommela-t-il.

Ils coururent pour sauter de justesse dans le tramway et s'installèrent côte à côte.

– C'est tout de même une bien curieuse façon de partir à la guerre... En tramway !

– Espérons que vous en reviendrez de la même manière. Il y a quelque chose de comique dans les tramways.

Il voulut à son tour plaisanter.

– Pensez à moi chaque matin quand vous monterez dans cet engin.

Soudain gênée, elle se tourna vers la vitre, puis reprit d'un ton badin :

– Regardez ! Toutes les boutiques sont ouvertes, et même les banques ! Je vous avais bien dit que tout se passerait comme d'habitude.

Sur les visages des passants, pourtant, on pouvait lire une certaine gravité et même de l'anxiété. En attendant la suite des événements, les écoles fermaient leurs portes; on renvoyait les enfants chez eux.

Steffen suivit l'exemple de Johanna et se mit à parler avec insouciance de la côte ouest qu'ils connaissaient bien l'un et l'autre.

– J'ai dû passer bien des fois près de chez vous. Je connais les montagnes de Ryendal comme ma poche et je vais souvent pêcher dans le lac Saeter.

Elle sourit de plaisir :

– C'est l'endroit que je préfère !

Elle aimait particulièrement ce lac où elle allait pêcher avec son père et ses frères ou se promener de longues heures seule.

– Quand nous aurons chassé les Allemands, nous nous retrouverons là-bas. D'accord, Jo ?

Elle sourit parce qu'il venait de l'appeler Jo. Personne, jusque-là, n'avait utilisé ce diminutif. Une habitude anglaise, sans doute.

– Pourquoi pas ? répondit-elle, rêveuse.

La main de Steffen s'avança imperceptiblement vers la sienne. Leurs yeux se rencontrèrent,

– Dites-moi, demanda Steffen, pourquoi avez-vous quitté Ryendal pour Oslo ? Anna m'a souvent parlé de vous, mais j'aimerais en savoir plus.

Elle lui expliqua qu'elle était venue à la capitale pour travailler. Avec chaleur, elle lui décrivit son travail et les satisfactions qu'il lui procurait. Avant qu'ils n'arrivent à destination, il formula une requête.

– J'ai un service à vous demander. Au point où en sont les choses, il est impossible de prévoir le temps qu'il nous faudra pour chasser les nazis de Norvège. Il se peut que je ne revoie pas ma tante avant longtemps. Elle n'a plus que moi, et je serais très touché si vous acceptiez d'aller la voir lorsque vous serez dans la région. Astrid est la sœur de mon père. C'est une grande dame, je suis sûr que vous vous entendrez bien.

– Bien sûr, j'irai la voir. Où habite-t-elle ?

Pendant qu'elle notait l'adresse, la délicatesse de sa requête la frappa soudain. Il se pouvait qu'il ne revienne pas de cette guerre, même si elle ne durait pas longtemps, et son premier souci était de s'assurer qu'Astrid Larsen ne resterait pas seule. Cette prière les avait rapprochés. L'imminence de leur séparation l'emplit de tristesse.

Ils se dirent adieu sur la place du marché, devant la statue de Christian IV. On entendait au loin le grondement de la canonnade. Il se pencha pour examiner son visage, comme s'ils étaient seuls.

– Voilà, Jo. J'aurais aimé avoir plus de temps pour vous connaître...

Son visage était tendu. L'heure n'était plus aux subterfuges. Johanna avait toujours entendu dire que la guerre intensifie les émotions. Elle savait maintenant que c'était vrai.

– Je ressens la même chose que vous, dit-elle simplement.

Il la prit dans ses bras et baissa la tête pour l'embrasser. Elle s'accrocha à lui. Il la serra plus étroitement et l'embrassa avec ferveur.

Puis il lui caressa la joue du bout des doigts. Ses yeux étaient graves.

– Je te retrouverai, Jo

Elle murmura d'une voix étranglée :

– Reviens vite...

Les mots classiques des séparations en temps de guerre. Mais pour eux, tout pouvait finir avant même d'avoir commencé. Elle le regarda se glisser dans les encombrements de la circulation. Parvenu à l'autre coin de la place, il se retourna et la regarda. Puis il lui fit un signe et disparut.

Johanna travailla toute la matinée. Vers midi, elle parvint à joindre sa mère qui lui assura que tout était calme dans la région : les Allemands n'étaient pas arrivés jusque-là. Les navires qui devaient pénétrer dans les fjords de Molde et de Romsdal avaient été coulés au large.

– N'essaie surtout pas de venir : ton père a entendu dire qu'on se battait un peu partout à l'intérieur des terres. Tu pourrais te trouver prise dans un combat...

La communication fut brutalement coupée. Johanna se sentait soulagée maintenant qu'elle savait sa famille hors de danger. Ses pensées revinrent à Steffen.

Personne n'avait jamais pris une telle importance dans sa vie en si peu de temps. Le fait qu'il ait séduit d'autres femmes, et en particulier Délia, n'entrait pas en ligne de compte. Dès qu'il avait poussé la porte de sa chambre, elle avait su qu'elle ne l'oublierait plus.

Steffen découvrit bientôt que rejoindre l'armée était moins facile qu'il ne l'avait supposé. Il avait pensé trouver des centres de mobilisation à partir desquels les volontaires comme lui seraient dirigés vers le front. Mais il n'existait aucune organisation de ce genre. L'état-major et les officiers s'étaient dispersés partout où l'on se battait. Un employé l'informa qu'il recevrait sa feuille de mobilisation par la poste. Il comprit alors que son pays, qui avait connu les douceurs de la paix pendant cent vingt-cinq ans, n'était pas en mesure de se battre. Il rencontra des hommes qui se trouvaient dans la même situation que lui. L'un d'eux possédait une voiture. À quatre, ils décidèrent de se diriger vers Hamar, où le roi et le gouvernement avaient installé leur quartier général. Steffen fulminait d'avoir à quitter Oslo. Il était convaincu qu'il était en train de perdre son temps. Son seul espoir était de rejoindre des troupes norvégiennes et de rentrer avec elles à Oslo.

Le voyage se passa sans incident. Aucun signe du passage des troupes. Soudain, à proximité de Hamar, ils repérèrent au loin les sentinelles d'un régiment norvégien, postées devant un barrage routier. Ils explosèrent de joie.

– Enfin de l'action ! dit Steffen. Nous sommes sur la bonne route.

On les conduisit à l'académie militaire d'Elverum, où s'étaient installés le roi, le prince héritier et les ministres. Un officier les reçut, on leur fournit des uniformes et des armes et on leur servit même un vrai repas. Ils étaient désormais sous les ordres du colonel Ruge – un homme intransigeant et plus très jeune, mais d'une grande intelligence. À la seconde où on l'avait informé de l'approche de l'ennemi, il avait décidé de mettre le roi à l'abri. Depuis il n'avait pris aucun repos. À Elverum, il disposait d'à peine cent hommes.

Steffen et ses trois camarades furent donc accueillis à bras ouverts.

Dans son bureau, Johanna referma ses livres de comptes et les rangea. Il n'était pas encore cinq heures mais Leif Moen avait demandé à chacun de rentrer chez soi. Des rumeurs circulaient : on disait que les environs de l'aéroport de Fornebu étaient tombés aux mains des ennemis. Même si c'était faux, il jugeait plus prudent de fermer la boutique, en prévision d'éventuels raids aériens.

Johanna s'était arrêtée dans la Karl Johans Gate pour acheter un journal quand lui parvinrent les accords lointains d'un orchestre militaire. Il y avait quelque chose d'insolite dans l'allégresse de cette musique et dans la sonorité de certains instruments. Intriguée, elle suivit les passants qui se dirigeaient vers l'endroit d'où provenait cet air. Arrivée aux abords du palais royal, elle vit un orchestre allemand de *Glockenspiel* qui descendait l'avenue : ordre leur avait été donné de compenser le petit nombre d'exécutants par un vacarme assourdissant. Il était suivi d'un contingent de soldats ennemis qui défilaient au pas de l'oie. On ne pouvait mieux proclamer l'occupation de la capitale norvégienne.

– Oh, mon Dieu ! murmura Johanna en serrant son journal sur sa poitrine.

Juste derrière l'orchestre paradaient trois officiers de la Wehrmacht, suivis par trois colonnes de soldats. Leurs bottes martelaient la chaussée en cadence, les pans de leurs longs manteaux se balançaient à l'unisson; malgré le temps couvert, la lumière se reflétait sur le canon des fusils et les casques.

Tous ces hommes, l'air décidé, jetaient de rapides coups d'œil autour d'eux comme pour juger d'un paysage nouveau... Les officiers sourirent même à un photographe qui se détacha soudain de la foule pour immortaliser leur arrivée.

À les regarder passer, si nets, si disciplinés, Johanna devina qu'ils n'avaient pas eu à parcourir une longue distance avant de se livrer à cette parade. Ils venaient probablement d'atterrir à l'aérodrome de Fornebu. Leurs cuirs étaient parfaitement cirés et leurs insignes astiqués comme pour un défilé de fête. Pas une bombe n'avait été lâchée sur Oslo. Pas un coup de feu n'avait été tiré. Pourtant, la capitale était tombée.

La foule restait muette, hébétée, sidérée. Un facteur qui tournait au coin de la rue descendit de sa bicyclette pour regarder lui aussi le spectacle. Il n'en croyait pas ses yeux. Tout près de lui, un vieux monsieur très élégant pleurait. Il n'était pas le seul à montrer ouvertement sa tristesse.

Les soldats allemands continuaient leur défilé. Un grondement, soudain, parcourut la foule. Johanna suivit des yeux la direction qu'indiquait le doigt pointé de l'un de ses voisins : on descendait de son mât le drapeau national pour le remplacer par le symbole de l'occupation nazie. Le svastika, dorénavant, flottait sur Oslo.

Sur le chemin du retour, le tramway croisa de nombreux autobus réquisitionnés par les soldats allemands. Ils se dispersaient visiblement aux quatre coins de la ville pour en prendre le contrôle. Les habitants d'Oslo n'avaient plus qu'à rentrer chez eux à pied.

Ce soir-là, Johanna écouta la radio désormais sous contrôle allemand. Le Danemark s'était rendu. Le roi et le gouvernement avaient accédé aux exigences ennemies. Elle eut de nouveau un choc : on venait d'annoncer que Vidkun Quisling allait s'adresser à la nation. Elle augmenta le son. Elle était inquiète : tout le monde savait que Quisling était le chef du parti nazi norvégien. Jaillissant du poste, la voix brutale de Quisling brisa la quiétude du salon.

Hommes et femmes de Norvège ! Le gouvernement allemand est venu jusqu'à nous pour empêcher que la neutralité de notre pays soit violée par l'Angleterre. Cette protection inespérée a été rejetée de façon irresponsable par notre propre gouvernement qui s'est envolé juste après vous avoir appelés aux armes.

Suivit une tirade énonçant la liste des abus du gouvernement dont il rejetait l'autorité et frappait de nullité les décisions. Il informa solennellement la nation qu'il se nommait Premier ministre et que le parti nazi prenait le pouvoir.

Sa conclusion fut lapidaire :

... En conséquence, je vous ordonne de n'opposer dorénavant aucune résistance aux forces allemandes.

La fureur de Johanna atteignit son comble. Elle éteignit la radio d'un coup sec.

– Le traître ! dit-elle à haute voix.

Avant de monter se coucher, elle ferma à double tour toutes les portes, précaution qu'elle n'avait jamais prise jusqu'alors.

Tout en gravissant l'escalier, elle réfléchit au discours de Quisling. C'était parfaitement clair : la radio se trouvait déjà sous censure allemande. Elle espéra qu'il n'était rien arrivé à Steffen. Cet espoir, elle allait le porter comme un talisman à travers les jours sombres de l'avenir.

Dans la nuit froide, non loin des bâtiments de l'académie militaire, Steffen jeta un coup d'œil au cadran lumineux de sa montre. Il était minuit passé. À plat ventre dans la neige, il montait la garde, fusil pointé. On savait maintenant que les Allemands s'étaient emparés d'Oslo. On avait même prévenu le colonel Ruge qu'ils se préparaient à ramener de force le roi dans la capitale.

Autour de Steffen, sous une rangée de bouleaux, à l'abri d'une tranchée creusée dans la neige, ses compagnons d'armes attendaient, silencieux et tendus. Ils possédaient chacun un fusil et quelques munitions; rien d'autre, ni grenades, ni explosifs... Tout ce que l'on avait pu leur offrir était une mitrailleuse que l'on avait immédiatement mise en position. Derrière eux et sur leur droite se dressaient les bâtiments militaires; devant eux, les terrains neigeux sur lesquels pouvait surgir l'ennemi. Une barricade d'arbres coupés ralentirait peut-être leur avance.

Steffen vérifia sa ligne de mire. Il était de ceux qui avaient été désignés pour couvrir l'officier responsable de la mitrailleuse en cas d'attaque. Il jura doucement, à part lui, car on entendit soudain le ronflement encore distant de véhicules en progression. Bientôt, les phares d'un convoi éclaboussèrent les arbres.

– Halte !

L'ordre fut passé. Sous la lueur blanchâtre de la lune, les camions auraient pu sembler inoffensifs. Mais pas leurs passagers. Dans la lumière des phares, on distinguait nettement leurs casques et leurs fusils, qu'ils n'essayaient même pas de dissimuler. L'arrogance des Allemands, persuadés qu'ils pourraient s'emparer du roi sans qu'on leur oppose la moindre résistance, avantageait ceux qui se trouvaient, comme Steffen, embusqués là. Les camions du convoi s'immobilisèrent l'un après l'autre. Des soldats allemands en sautèrent pour avancer vers l'académie militaire. Leurs silhouettes sombres se détachaient parfaitement sur la neige et faisaient d'eux autant de cibles. Le doigt de Steffen se raidit sur la détente de son fusil.

L'ordre du commandement norvégien déchira le silence : « Feu ! »

La rafale brutale de la mitrailleuse explosa dans la nuit, prenant les Allemands au dépourvu. Il s'agissait d'une compagnie d'élite de la Wehrmacht, parfaitement entraînée. Les Allemands se ruèrent à l'attaque. Ceux qui étaient en première ligne firent cracher leurs mitraillettes. Des cris, des hurlements, des râles dominaient par instants ce vacarme de cauchemar. De tous côtés zigzaguaient des éclairs de feu. Les Allemands entendaient bien remporter l'assaut très rapidement, mais les hommes de Ruge disposaient de deux atouts : leur position et leur connaissance du terrain. Des soldats allemands voulurent s'abriter derrière une cabane pour tenter de riposter. Ils se firent descendre un à un, comme à un tir de foire.

L'officier allemand n'en croyait pas ses yeux. Lorsqu'on lui avait demandé s'il pourrait ramener le roi à Oslo, il avait simplement répondu qu'avec des hommes comme les siens, il ferait sortir le diable de l'enfer. À présent, ses soldats d'élite tombaient comme des mouches autour de lui. Il émergea de derrière une crête neigeuse pour tenter de mener l'assaut final. Une balle l'atteignit; il tomba face contre terre, blessé à mort.

Pour la troupe allemande, ce fut le signal de la retraite : le repli s'effectua rapidement, les blessés furent évacués, les morts laissés sur place... Des traînées sanglantes tachaient la neige.

Steffen se releva lentement et alla jusqu'à la cabane derrière laquelle s'étaient abrités les Allemands. Il récupéra une mitraillette abandonnée dans la neige. Il resta là quelques instants à regarder autour de lui. Il ne ressentait aucun sentiment de triomphe devant ce massacre – simplement, il était fier d'avoir mis l'ennemi en déroute.

Il en serait ainsi jusqu'à ce que soit expulsé du sol norvégien le dernier soldat allemand.

2

Dès l'aube, la panique s'empara d'Oslo. Quelques minutes après le premier bulletin d'information, chacun se répétait la même chose : un bombardement anglais était imminent et ces mêmes Anglais allaient tenter d'atterrir. Du coup, les habitants commençaient déjà à fuir la capitale.

De la fenêtre de sa chambre, Johanna pouvait voir le flot ininterrompu des voitures qui quittaient Oslo, et les files de gens qui partaient à pied. Elle se prépara elle aussi à s'en aller. Elle prendrait la voiture de Steffen et trouverait un endroit suffisamment éloigné pour y attendre la suite des événements.

En l'absence des Alsteen, elle se sentait responsable de la maison. Elle rassembla les objets de valeur et les transporta à la cave où elle les emballa dans des journaux et les entreposa dans des caisses.

Elle remonta ensuite dans sa chambre pour y faire sa valise. Elle y empila des vêtements chauds et confortables; elle ne savait pas quand elle reviendrait, ni même si la maison ne serait pas totalement détruite. Elle décida de ne pas s'encombrer de tenues habillées ni de lingerie fine; elle les rangea donc dans un grand carton qu'elle glissa sous une armoire, à la cave.

Elle venait de remonter quand un coup de sonnette strident retentit. Elle se précipita pour ouvrir la porte. C'était Sonja.

– Viens, Johanna ! Je me suis débrouillée pour trouver un taxi qui va nous emmener chez ma belle-mère à la campagne. Prends tes affaires, il n'y a pas de temps à perdre.

– J'ai une voiture, viens plutôt avec moi !

Sonja courut à la barrière pour renvoyer le taxi qui n'eut aucun mal à trouver de nouveaux clients. Johanna prit sa valise, ferma rapidement la porte à clef et alla au garage. La voiture de Steffen était neuve, elle n'avait pas trois mois.

– Tu ferais bien de ne pas l'accrocher, dit Sonja pour essayer de plaisanter.

Elles empilèrent leurs bagages sur le siège arrière et Johanna démarra.

– Qui aurait jamais imaginé que nous en arriverions là ! dit Johanna. Nous voilà comme des réfugiés dans notre propre pays. Il ne reste plus qu'à espérer que les Anglais vont chasser les Allemands d'Oslo.

La densité de la circulation rendait toute progression difficile. Tous les véhicules qui n'avaient pas été réquisitionnés par l'ennemi étaient dans les rues d'Oslo. Des camions remplis d'Allemands, escortés par des motos, ralentissaient encore le départ des civils. Les soldats regardaient avec indifférence les files de réfugiés. C'était pour eux un spectacle désormais familier, qu'ils n'avaient cessé de voir dans chacun des pays qu'ils venaient d'envahir.

La belle-mère de Sonja vivait à l'extérieur d'Oslo, assez loin pour rester hors d'atteinte de tout combat dans la capitale. Sonja l'avait prévenue de leur arrivée par téléphone. Elle accueillit Johanna avec chaleur. Fru Holm était veuve et vivait seule. Petite, les cheveux gris, elle avait un visage avenant et parlait avec les mains.

Dans la maison, très propre, quantité de photographies couvrait les murs et les meubles. Chaque génération de la famille Holm y était représentée. Ses trois fils étaient marins. Deux d'entre eux naviguaient sur des baleiniers. Sonja avait épousé le plus jeune. Johanna remarqua tout de suite que Sonja et sa belle-mère s'entendaient à merveille.

Dans la soirée, elles écoutèrent les nouvelles à la radio. Le raid aérien anglais n'avait pas eu lieu.

– Peut-être est-ce de la propagande allemande, dit Fru Holm. Un stratagème pour nous obliger à nous réfugier sous la « protection nazie ». Ils veulent que nous haïssions les Anglais. Ils ne savent donc pas que feu notre reine Maud était anglaise et que le prince héritier est né en Angleterre ? Personne n'a besoin d'être protégé de ses amis, que je sache !

Sonja chercha sur la radio une station qui ne soit pas sous contrôle allemand. Elle capta enfin, par hasard, un poste local qui diffusait un message du roi. Sa voix assurée leur parvint : *Mon peuple...*

Ce fut clair et bref. Le souverain opposait un « Non ! » ferme et irrévocable à la demande de capitulation des Allemands. La Norvège devait se battre jusqu'à ce qu'elle soit de nouveau libre.

Cette nuit-là, les bombardiers ennemis survolèrent la région et on entendit une succession de grondements sourds comme ceux d'un lointain orage. Au matin, elles apprirent qu'Elverum avait été écrasée sous les bombes. La raison de ce raid était évidente : les Allemands avaient tenté de tuer le roi. La station de radio qu'elles avaient trouvée la veille annonça enfin que le roi, le prince héritier et le gouvernement s'étaient enfuis avant le bombardement et étaient en sécurité.

Johanna et Sonja se préparèrent donc à regagner Oslo. Fru Holm aurait aimé les garder un peu plus.

– Il nous faut rentrer, dit Sonja. Johanna et moi devons aller travailler. Je reviendrai vous voir bientôt.

La circulation en direction de la capitale était toujours aussi dense. Mais rien de comparable avec ce qu'elles avaient eu à affronter la veille. Des familles entières avaient préféré, par précaution, rester à la campagne quelques jours de plus. Il y avait cependant un bouchon aux abords d'Oslo : les Allemands y avaient installé un barrage.

Quand arriva le tour de Johanna, un caporal, fusil en bandoulière, leva la main et fit stopper la voiture. Il s'avança, flanqué d'un autre soldat. Johanna baissa sa vitre. Le caporal se pencha pour inspecter l'intérieur du véhicule.

– Cette voiture vous appartient-elle, mademoiselle ?

Il posa la question en allemand, d'une voix forte et avec une certaine rudesse. Il ne contenait qu'à grand-peine son exaspération de n'être pas compris.

Johanna lui répondit en allemand, langue qu'elle connaissait bien.

– Non, un ami me l'a prêtée.

Il parut soulagé et sa voix perdit de son agressivité.

– Aucune importance. Je réquisitionne des véhicules par ordre du Troisième Reich. Quittez la route et rangez-vous dans ce champ sur votre gauche. Vous remettrez les clefs à l'un des soldats.

Elle le regarda, incrédule.

– Qu'est-ce que vous dites ?

Le visage du caporal se crispa : encore des complications... Tous les conducteurs arrêtés, sans exception, l'avaient injurié; deux d'entre eux avaient dû être emmenés. Le bon accueil que devait réserver la Norvège aux soldats allemands n'était pas du tout évident. On ne les avait pas préparés à une résistance armée des Norvégiens et encore moins à l'opposition d'un roi intraitable. Celui-ci, décidément, n'avait pas compris que les Allemands arrivaient en bienfaiteurs et non en ennemis.

– Vous m'avez parfaitement compris ! Je ne me répéterai pas. Suivez mes instructions !

– Je refuse, répondit Johanna. Qui commande ici ? Je veux parler à un officier.

Le caporal tapota son insigne.

– C'est moi qui commande ici. Je vous ordonne pour la dernière fois de garer votre voiture là-bas et de vous en aller.

Sa voix était de nouveau menaçante.

Sonja avait saisi une grande partie des propos échangés. Elle avait souvent eu l'occasion de parler avec des clientes allemandes et possédait une assez bonne connaissance de leur langue. Elle tira Johanna par la manche.

– Fais ce qu'il te demande... Je t'en prie... Des soldats s'approchent. Ils vont nous faire descendre de force et je ne pourrai pas le supporter.

Johanna pouvait à peine parler : la rage l'étouffait. Elle serra les dents pour essayer de contrôler la colère qui montait en elle.

– Descends, Sonja, cela ne te concerne pas... et je ne tiens pas à te mêler à cette affaire. Steffen m'a prêté cette voiture et je n'ai pas l'intention de l'abandonner.

Sonja descendit de la voiture sans se faire prier. Elle en extirpa les deux valises, la sienne et celle de Johanna, car elle pressentait, à juste titre, la suite des événements. Quand le caporal comprit que Johanna n'avait pas l'intention de lui obéir, il tendit le bras à l'intérieur de la voiture, sans lui laisser le temps de remonter la vitre, et il ouvrit la portière. Puis il saisit la jeune fille à bras-le-corps. Elle se débattit, donna des coups de pied dans le vide. Alors, il la poussa sur le talus neigeux. Elle tomba lourdement, la respiration coupée par sa chute. Sonja se précipita et l'aida à s'asseoir.

Un soldat allemand garait déjà la voiture de Steffen sur le bas-côté. Johanna lui lançait des regards furieux, ce qui alarma son amie.

– Ça suffit maintenant, Johanna, viens ! Nous n'aurons pas beaucoup à marcher.

Il était clair que les Allemands réquisitionnaient uniquement les voitures en bon état. Au grand soulagement de Sonja, Johanna se rendit à ses raisons. Elle lui prit le bras, puis ramassa sa valise et se mit en route en regardant droit devant elle. Elle ne parut pas entendre les plaisanteries des soldats et continua à marcher dans un silence glacial.

Sonja se risqua à lui poser une question.

– Que va dire Steffen quand il apprendra qu'il n'a plus de voiture ?

– Je sais qu'il comprendra.

– Johanna, tu es fâchée contre moi aussi ?

Johanna la regarda, éberluée.

– Fâchée contre toi ? Mais pas du tout. Je voulais que tu descendes. À quoi cela aurait-il servi d'être bousculées toutes les deux ?

– Tu savais ce qui allait se passer ?

– Évidemment. Mais je ne voulais pas céder pour le principe. Depuis tout à l'heure, je me demande ce que je pourrais faire pour résister aux Allemands. Je déteste me sentir passive, inutile...

Elles avançaient avec peine sur le bas-côté de la route, en essayant de ne pas trop se faire éclabousser par les voitures qui avaient réussi à franchir le barrage. Leurs valises étaient lourdes. Elles atteignirent enfin Grefsen.

Une fois dans la maison, elles ôtèrent leurs chaussures trempées et leurs bas maculés de boue. Johanna prépara du café. Sonja téléphona à la boutique pour savoir si elle était ouverte. La réponse de Leif Moen laissa la jeune fille perplexe.

– Le magasin est fermé mais il aimerait que nous y passions tout de même, expliqua-t-elle à Johanna. Il n'a pas dit pourquoi. Je lui ai dit que nous arrivions.

Elles prirent le tramway. En si peu de temps, la capitale avait complètement changé d'aspect. Le svastika flottait sur toutes les façades des bâtiments publics. C'était toujours la police norvégienne qui dirigeait la circulation mais des soldats allemands patrouillaient partout dans les rues. Johanna et Sonja remontèrent la Karl Johans Gate. Des gardes armés se tenaient devant le Parlement et devant chaque édifice public.

Elles atteignirent enfin la boutique; le rideau de fer était tiré, et Leif les fit entrer par une porte latérale qu'il verrouilla derrière lui.

– Je suis heureux que vous ayez pu venir, dit-il. J'ai conduit ma femme et mes enfants hors de la ville hier et je venais juste d'arriver quand vous avez appelé.

Il demanda à Johanna de prendre un carnet de notes. Quand Johanna et Sonja le rejoignirent au salon, il avait déjà ouvert les vitrines. Ses instructions furent simples. Les deux jeunes femmes devaient sélectionner les fourrures les plus précieuses, puis les entreposer à la cave dans la chambre forte. C'est là qu'on les gardait d'habitude quand elles n'étaient pas exposées. Johanna devait en dresser la liste et attacher une étiquette à chaque portemanteau pour indiquer que ces fourrures n'étaient pas destinées à la vente.

– Elles ne sont plus à vendre ? dit Johanna. Je pensais qu'elles allaient à la cave à cause des bombardements.

– C'est en effet l'une des raisons, répondit Leif Moen, mais pas la plus importante. Maintenant qu'Oslo est occupée, nous allons avoir affaire à une clientèle d'un genre nouveau : ce ne seront plus de riches touristes allemands comme par le passé, mais des soldats en uniforme. Je n'ai pas l'intention de vendre mes plus belles fourrures aux nazis. Toutes celles que vous aurez choisies resteront en bas jusqu'à ce que l'ennemi soit chassé et que le roi revienne.

Johanna se sentit soudain très proche de lui. Elle approuvait sa décision. C'était pour les mêmes raisons qu'elle n'avait pas voulu abandonner la voiture sans résister. Certes, ce geste était symbolique mais, face à l'ennemi, ils affirmaient tous deux leurs droits. Johanna avait toujours apprécié Leif Moen. Elle le découvrait sous un nouveau jour et ne l'en admirait que plus.

Il leur sourit et d'un geste courtois les invita à se mettre à l'œuvre.

– Allons, mesdames, au travail.

Pendant la demi-heure qui suivit, zibelines, hermines, renards argentés valsèrent du salon à la cave où ils furent soigneusement rangés. Puis Leif ferma la lourde porte de la chambre forte sur ce qui constituait probablement l'assortiment de fourrures le plus précieux de tout le pays. Ainsi, ces merveilleux vêtements ne risquaient-ils pas de tomber aux mains de l'envahisseur.

Sonja et Johanna quittèrent la boutique ensemble, mais se séparèrent au coin de la rue : Sonja rentrait directement chez elle, tandis que Johanna allait acheter de quoi camoufler les fenêtres des Alsteen. Les Allemands avaient instauré le black-out dans toute la ville. On se ruait sur le tissu noir et il commençait à manquer un peu partout. Johanna dut faire plusieurs magasins avant de tomber sur le dernier métrage de l'ultime rouleau. Il y en avait suffisamment pour les fenêtres d'au moins quatre pièces. Elle sortit de la boutique, son lourd paquet sous le bras, et son regard fut attiré par une scène qui, par la suite, lui deviendrait familière : trois soldats allemands se partageaient un morceau de beurre qu'ils avalaient sur une tablette de chocolat. Ils étaient depuis longtemps privés de ce genre de luxe en Allemagne à cause de la politique de Goering. Il devint également courant de voir des soldats sortir d'une épicerie avec un sac de café qu'ils ouvraient pour en respirer l'arôme. Il y avait bien longtemps qu'ils n'en connaissaient plus que des ersatz.

Le soir même, Johanna suspendit une bande d'étoffe noire devant la fenêtre de la cuisine et entreprit de confectionner des rideaux pour les autres fenêtres. Avant d'aller au lit, elle essaya d'appeler Ryendal, mais la ligne était coupée.

Quatre jours plus tard, les troupes britanniques, françaises et polonaises atterrirent dans le nord de la Norvège ainsi qu'à Andalsnes, sur le fjord de Johanna. Toute la partie sud du pays était aux mains des Allemands. Johanna s'inquiétait pour les Alsteen qui séjournaient dans cette région, et pour sa famille et les amis qui vivaient aux environs de Ryendal. La bataille était à leurs portes. L'armée norvégienne s'était massivement ralliée sous les ordres de Ruge, promu général et commandant en chef. On se battait avec âpreté autour de Bergen, de Trondheim et au-dessus de la grande vallée de Gudbrand et d'Oster où l'hiver avait été particulièrement rude. Le sort de ses deux frères la préoccupait. Ils avaient accompli leur service militaire et devraient inévitablement prendre part aux combats. Erik était officier sur un bateau à vapeur qui parcourait la côte de Bergen à Kirkenes, à la frontière finlandaise. Depuis le jour de l'invasion, ils attendaient leur affectation. Il était peu probable qu'Erik puisse rejoindre une unité navale. En revanche, Johanna s'attendait à apprendre d'un jour à l'autre qu'il était parti avec Rolf, son second frère, retrouver l'armée quelque part. Peut-être se trouvaient-ils déjà aux côtés du roi. La Luftwaffe pourchassait toujours impitoyablement le souverain. Qu'il s'abrite dans un village, qu'il se repose dans un hameau, ceux-ci étaient immédiatement bombardés jusqu'à ce qu'il n'en reste plus que des ruines. Cette politique de terreur visait autant à supprimer la personne physique du roi qu'à soumettre la population.

Chaque matin, Johanna devait laisser passer un

défilé de voitures militaires barrées de croix noires avant de pouvoir traverser la route pour prendre son tramway. Des véhicules blindés et toutes sortes d'engins et d'armements se dirigeaient vers les ports. Elle vit plus d'une fois une division de panzers au complet ébranler le matin tranquille du cliquetis discordant de leurs chenilles. Un jour, elle vit même un groupe de ses compatriotes qui avaient été faits prisonniers. Ils s'en allaient par centaines. C'étaient, pour la plupart, des jeunes gens qui accomplissaient leur service militaire.

Sonja s'était finalement résignée à l'idée de ne pas revoir son mari avant longtemps. Quisling, le chef des nazis norvégiens, avait ordonné aux bâtiments de la marine marchande norvégienne de se rendre à l'Allemagne. Cet ordre n'avait pas été suivi. Pas un seul des bateaux de la quatrième flotte marchande du monde n'avait daigné prendre au sérieux celui qui s'était nommé Premier ministre grâce aux envahisseurs. Tous s'étaient réfugiés dans des ports alliés ou neutres, apportant ainsi aux forces franco-britanniques une contribution appréciable.

À la boutique, on n'avait pas encore vu de clients allemands. Les officiers assez riches pour acheter des fourrures étaient trop occupés. Ils étaient au front ou bien au quartier général, où ils déplaçaient des drapeaux sur une carte. Il n'y avait pas d'acheteurs civils non plus. Ils se trouvaient presque tous en dehors d'Oslo, soit parce qu'ils avaient choisi de quitter la ville, soit parce que l'avance des troupes allemandes avait empêché leur retour.

La vie quotidienne se transformait peu à peu. Plusieurs jeunes gens que Johanna côtoyait naguère dans le tramway avaient disparu. À cause du couvre-feu, on n'allait plus voir ses amis le soir et le week-end, les gens restaient chez eux. Les commerçants partageaient leurs livraisons et ne favorisaient aucun client. Quand Johanna eut achevé la confection des rideaux noirs, ses moments de détente se résumèrent à une succession d'heures monotones et solitaires.

Steffen occupait en permanence le premier plan de ses pensées. Le baiser qu'ils avaient échangé au moment de leur séparation avait éveillé en elle quelque chose d'infiniment tendre qu'elle n'avait jamais ressenti auparavant. Pourtant, elle se refusait à appeler cela de l'amour. Son tempérament décidé et indépendant lui interdisait de se laisser emporter par de telles divagations romantiques. Mais le sentiment était bien là.

Elle essayait de garder les pieds sur terre. Elle se raisonnait en se rappelant l'attachement que Délia et Steffen lui avaient fait entrevoir. Au dire d'Anna, cette liaison durait depuis fort longtemps. D'ailleurs, Délia n'avait pu quitter la Norvège sans revoir Steffen. Il n'y avait aucune raison de supposer qu'ils ne reprendraient pas leurs relations une fois la guerre terminée.

Pour la première fois de sa vie, Johanna connut les affres de la jalousie, sentiment qu'elle avait toujours considéré avec mépris.

Avril céda la place à mai et le temps se fit plus clément. Le 17 mai, pour la première fois depuis cent vingt-cinq ans, on ne célébra pas la fête de l'Indépendance. Johanna dîna seule devant le drapeau national qu'elle avait remonté de la cave.

Lorsqu'elle eut fini de manger, elle rangea le drapeau dans un placard : elle ne pouvait prendre le risque de le laisser en vue, les Allemands l'avaient interdit. Elle se demandait si Steffen avait pu fêter lui aussi ce jour glorieux. Elle aurait tant aimé savoir dans quelle zone il se trouvait ! Il pouvait être n'importe où en Norvège, puisqu'on se battait un peu partout. Elle était sans nouvelles de sa famille et se rongeait d'anxiété. Les services postaux étaient complètement désorganisés et le courrier restait en attente dans les endroits les plus invraisemblables. Dans la zone occupée, les lignes téléphoniques étaient coupées ou endommagées par les bombes; il était peu probable qu'elles soient rétablies avant longtemps. Au centre et au nord de la Norvège, la Luftwaffe continuait ses bombardements d'intimidation. L'armée norvégienne se battait avec le courage du désespoir. Les forces franco-britanniques avaient échoué dans leur soutien aérien, qui aurait sans doute été décisif.

Au début du mois de juin, le beau temps fit oublier l'hiver qui avait été si long. Dans le nord, les alliés remportèrent quelques victoires. Ils reprirent le port de Narvik, d'une importance capitale. Mais la France tomba à son tour aux mains des Allemands. Le corps expéditionnaire britannique dut évacuer Dunkerque en catastrophe. La situation changeait du tout au tout. L'ennemi déclaré du Führer, Winston Churchill, ordonna le retrait des forces franco-britanniques de Norvège. Il fallait consolider la défense de la Grande-Bretagne qui était désormais le dernier bastion de la liberté face à la puissance du Troisième Reich.

Johanna apprit le désastre un matin, à la boutique. Elle venait d'arriver quand une des jeunes vendeuses l'appela dans le bureau de Leif. Elle traversa le salon désert – la boutique était fermée. Ses collègues étaient déjà rassemblées autour de leur patron qui se tenait debout, le visage grave.

– Maintenant que nous sommes au complet, dit-il, j'ai le très grand regret de devoir vous annoncer de mauvaises nouvelles. Je commencerai d'abord en disant que ce jour est le plus triste que notre pays ait jamais connu. Après deux mois d'une lutte acharnée, qui a dû dépasser de loin tout ce que les Allemands prévoyaient, nous avons perdu la bataille. Hier soir, le roi, le prince héritier et le gouvernement sont partis, à bord d'un bâtiment britannique, s'exiler en Angleterre. Ils se trouvaient à Narvik lors de la grande victoire qui, nous l'espérions, ferait pencher la balance de notre côté. Mais des événements nouveaux, au-delà de nos rivages, ont changé notre destin. Nous ne travaillerons pas aujourd'hui, continua Leif Moen. Rentrez chez vous et restez auprès de vos familles. Rappelez-vous que nous venons d'essuyer une défaite sur le terrain mais pas dans nos esprits, ni dans nos cœurs.

Toutes sortirent du bureau en silence, sauf Johanna. Leif s'était mis à classer des papiers sur son bureau. Quand il leva la tête, il fut surpris de voir que la jeune fille était toujours là.

– Oui, Johanna, qu'y a-t-il ?

– Que pouvons-nous faire ? demanda-t-elle simplement.

Il comprit immédiatement le sens de sa question. Il s'assit sur le bord du bureau, en face d'elle. Après un court silence, il lui dit :

– Je ne sais pas. Honnêtement, je n'en sais rien... Tout ce que je sais, c'est que tant qu'il y aura des hommes et des femmes qui voudront rester libres en Norvège, il y aura de l'espoir. Le salut de notre pays dépend d'eux...

Johanna regagna son bureau comme une automate. Elle couvrit sa machine à écrire et afficha sur son calendrier la date du lendemain : 7 juin 1940.

Cette date avait une double signification pour elle : elle était née un 7 juin et, ce même jour, le roi, alors prince héritier, avait été couronné à Oslo. Ses premiers mots avaient été pour dédier sa vie au service de son pays : *Tout pour la Norvège.* Johanna formulait le même vœu aujourd'hui : elle lutterait pour le retour de la liberté. Elle ignorait où et quand, mais elle était certaine qu'on pouvait se battre sans aller à la guerre.

Au cours des semaines qui suivirent, la honte de la défaite accabla la population tout entière. Tous les visages reflétaient la tristesse et la résignation. Il pouvait paraître étrange que la Norvège ressente un tel sentiment de déshonneur alors qu'elle avait rallié toutes ses forces pour repousser l'ennemi. Mais tel était l'état d'esprit général.

Dans ce climat morose, une voix s'éleva, porteuse d'espoir : de Londres, la BBC commença de diffuser des émissions en norvégien. Au cours de l'une de ces retransmissions, le roi s'adressa de façon émouvante à son peuple. Il lui demandait de tenir bon car un jour le pays serait à nouveau libre. En quelques jours, des milliers d'exemplaires de ce discours furent imprimés clandestinement. Le pays en fut inondé. Johanna en trouva un sur sa machine à écrire. Sans se poser de questions, elle le plia et le mit à l'abri dans son sac à main. Le soir même, elle le glissa dans la boîte aux lettres de ses voisins.

Quelque temps plus tard, chacun dut s'inscrire pour obtenir une carte d'alimentation et une carte d'identité avec une photo récente. Pour accentuer l'assujettissement de tous les Norvégiens au Troisième Reich, les cartes étaient imprimées en allemand, avec, dans le bas, en petits caractères, une traduction en norvégien, désormais imposé comme seconde langue nationale !

Il y avait à peu près huit cents juifs en Norvège. Leurs cartes furent barrées d'un « J » rouge. Au cours de la même semaine, ils durent remettre aux autorités allemandes leurs postes de radio, brimade qui fut suivie aussitôt d'un autre outrage : la profanation de la synagogue de Trondheim.

Le couvre-feu était très strict et toute infraction sévèrement punie. Un commerçant astucieux se mit à fabriquer des stores noirs en papier très épais. Johanna en acheta pour finir d'aveugler les fenêtres de la maison d'Anna.

Tout rassemblement était formellement interdit. On ne pouvait même plus s'arrêter dans la rue pour parler à des amis ou à des membres de sa propre famille. Écouter la BBC était également interdit. La presse restait sous censure allemande. Il fallait une autorisation spéciale pour se déplacer à l'intérieur du pays. Johanna commençait à désespérer de revoir les Alsteen. Elle attendait leur retour avec impatience et craignait qu'ils ne soient obligés de rester à Drammen.

Les Norvégiens apprirent cependant avec soulagement que le haut commandement empêchait maintenant ses soldats d'acheter des denrées comestibles chez les civils. Les forces ennemies drainaient une grande partie des ressources alimentaires du pays. La viande, les produits laitiers servaient essentiellement à nourrir l'armée d'occupation au détriment de la santé des Norvégiens.

Certains, pourtant, commençaient à accepter la présence allemande : les collaborateurs. Les opportunistes, tous ceux qui voulaient s'enrichir, faisaient bande à part. Ils n'étaient pas nombreux mais ils existaient. On les appela avec mépris les « Quisling ».

Dès que le courrier fut à peu près rétabli, Johanna écrivit à ses parents. Elle envoya également une lettre à Anna Alsteen. Les deux réponses lui parvinrent en même temps. Elle ouvrit d'abord la lettre qui venait de chez elle. Sa mère lui assurait qu'ils allaient tous aussi bien que possible. Comme Johanna l'avait prévu, ses deux frères avaient participé aux combats. Rolf avait été légèrement blessé. Il travaillait en ce moment à la ferme. Erik, quant à lui, avait repris son service sur les caboteurs, rappelé par les Allemands qui utilisaient ces navires pour leur transport. Johanna replia la lettre. Elle avait le mal du pays – un sentiment qu'elle n'avait jamais éprouvé depuis son arrivée à Oslo.

La lettre d'Anna était plus inquiétante. Elle était angoissée à l'idée de ne pouvoir rentrer chez elle. Son mari était juif : voyager leur était interdit. Elle expliquait que son beau-frère gardait l'espoir d'obtenir, pour raisons médicales, un laissez-passer pour Viktor. Elle remerciait Johanna de prendre soin de la maison. Mais, à travers ses phrases anodines, la jeune femme comprit qu'Anna avait peur pour son mari.

Au courrier suivant, ce fut une lettre de Steffen qui arriva. Elle était si émue, ses doigts tremblaient tellement, qu'elle eut du mal à déchirer la bande de censure au dos de l'enveloppe. Les Allemands, en effet, pratiquaient des contrôles-surprises dans les services postaux pour s'assurer que l'on ne tramait pas quelque complot contre eux. Le courrier s'en trouvait évidemment retardé. Steffen, lui aussi, avait dû se méfier. Les mots, les phrases étaient soigneusement choisis. Là aussi, il fallait savoir lire entre les lignes.

Bonjour, Johanna, mon meilleur souvenir de la côte ouest. C'est agréable de retrouver une vie normale après les événements des semaines passées. Rien de mieux que les travaux de la ferme pour se sentir de nouveau en forme. J'ai quelques courbatures, mais il fallait s'y attendre. Je suis de nouveau dans le bain comme si je n'étais jamais parti d'ici. Ce sera une bonne année pour la moisson. J'attends ta visite avec impatience. N'oublie pas que nous avons rendez-vous au lac Saeter. Hier, je suis allé à la pêche là-bas et rien n'a changé. Tu me manques. Le temps me paraît long. Écris-moi. Toutes mes amitiés à Anna et Viktor. Steffen.

Johanna sourit. Il n'avait donc pas repris son métier d'ingénieur qui l'aurait inévitablement amené à travailler sous les ordres des Allemands. Il avait préféré se rendre utile dans une ferme, à proximité de chez lui, pour fuir le joug de l'ennemi. Les Allemands désiraient que la production agricole augmente et laissaient donc la terre aux agriculteurs.

Elle lui répondit immédiatement. La deuxième lettre de Steffen lui fut remise de la main à la main, par une chaude et belle soirée d'août, et d'une manière inattendue. Elle était assise au jardin et prenait le soleil, quand elle distingua tout à coup une silhouette se profilant derrière les arbres. Un homme de haute taille s'avançait dans sa direction. Il portait une valise. Elle mit sa main devant les yeux et reconnut son frère aîné, Rolf. Elle bondit de joie et courut vers lui en riant de plaisir et de surprise. Souple et mince, avec ses cheveux blonds qui lui retombaient sur le front, ses yeux bleu-gris perçants et sa bouche énergique, Rolf était le plus sérieux de ses deux frères. Pourtant, il se mit à rire avec elle en la serrant dans ses bras.

– Rolf, Rolf !... Comment es-tu arrivé ici ? Comment vont-ils, à la maison ? Papa et maman ? Et Erik ?

Il la rassura tout de suite. Tout le monde allait bien. Puis vinrent les détails qu'elle n'osait pas demander.

– Un de tes amis nous aide à la ferme, dit Rolf. Je pense que tu as eu récemment de ses nouvelles. J'ai d'ailleurs une lettre de lui pour toi et puis une de maman, les autres viennent d'amis du voisinage. Les nouvelles vont vite dans la vallée. Mon départ pour Oslo n'est pas passé inaperçu. Ils m'ont transformé en facteur !

– Viens, entrons ! Je vais te préparer à dîner. Mais je n'ai pas grand-chose à t'offrir. Le rationnement commence à se faire sentir ! Même le pain est devenu bizarre.

– À la ferme aussi, dit Rolf, les choses ne sont plus ce qu'elles étaient. Bien sûr, nous sommes privilégiés par rapport aux citadins, mais il y a des Allemands cantonnés chez l'habitant à Ryendal. Ils sont là pour faire respecter l'ordre et surtout pour s'assurer que les produits locaux prennent la bonne direction, c'est-à-dire celle des cantines de l'armée allemande. Mère m'a chargé de te remettre des provisions : du beurre, de la viande et des œufs. Tu sais qu'elle t'a toujours trouvée trop mince, alors maintenant, elle a peur que tu ne dépérisses.

Bras dessus, bras dessous, ils entrèrent dans la maison.

– Du beurre ! s'exclama Johanna. Cela fait des semaines que je n'en ai pas vu dans les magasins. Mais raconte-moi comment tu as fait pour arriver jusqu'ici...

Rolf expliqua qu'il s'était débrouillé pour obtenir un laissez-passer jusqu'à Oslo en prétextant qu'il devait avoir confirmation de son nouveau poste à l'école de la vallée.

– En d'autres circonstances, ajouta-t-il, j'aurais

été plus loin, dans une école plus importante. Mais quand je suis revenu à la maison après le conflit, une délégation de voisins est venue me demander de m'occuper de l'école. Ce qu'ils désiraient, c'était confier leurs enfants à quelqu'un en qui ils pourraient avoir confiance. Alors, j'ai accepté.

– J'en suis heureuse. Comme cela tu pourras par la même occasion garder un œil sur maman et sur papa.

– C'est exactement ce que j'ai pensé, conclut Rolf.

Le dîner fut joyeux, entrecoupé cependant de moments plus graves. Rolf évoqua tous ceux qui avaient été tués dans les bombardements ou sur les champs de bataille. Il lui apprit que Steffen avait suivi le roi pendant toute la campagne. Leurs chemins s'étaient séparés à Molde – localité qui n'était en fait pas très loin de Ryendal, sur l'autre rive du fjord. La Luftwaffe avait, selon ses bonnes habitudes, bombardé la petite ville de Roses qui était à présent rayée de la carte. Steffen était aux côtés du roi et du prince héritier, qui avaient vécu ce désastre au milieu des habitants. Le lendemain, le roi, le prince héritier et le gouvernement s'étaient embarqués pour Narvik, ultime étape sur le sol norvégien avant l'exil en Angleterre. Sur le bateau qui les avait emmenés, il n'y avait pas assez de place pour les troupes norvégiennes. Ordre avait donc été donné à chaque homme de rejoindre d'autres unités là où ils le pourraient. En quelques jours, tout était terminé. Steffen était rentré chez sa tante à Alesund et peu de temps après il était venu se présenter à la ferme des Ryen.

– Steffen a expliqué à papa qu'il avait besoin d'un peu de temps pour se faire oublier et décider de ce qu'il pourrait faire par la suite. Le jour même, il a commencé à travailler aux champs. Depuis, il n'a pas perdu de temps; il a rassemblé des hommes et ils s'entraînent dans les montagnes pendant le week-end. Ils ne possèdent pas d'autres armes que celles qui ont été enterrées quand les Allemands ont ordonné qu'on les leur remette, y compris les fusils de chasse.

Le visage de Johanna s'illumina.
– Veux-tu dire que ces armes ont été cachées à dessein pour continuer la lutte en dépit de tout ?
Rolf acquiesça.
– Le groupe de Steffen n'est pas le seul, expliqua-t-il. Je sais qu'il en existe d'autres. En général, un soldat d'expérience les dirige. La lutte n'est pas terminée, Johanna, elle ne fait que commencer. (Les yeux de sa sœur étaient pleins de larmes.) Mais qu'y a-t-il ?
– Je suis si heureuse d'apprendre tout cela. La seule chose à laquelle je me raccrochais jusqu'ici était le discours de ralliement du roi. Maintenant, je veux, moi aussi, participer à la lutte clandestine pour la liberté.
Rolf leva un sourcil et prit une expression sévère.
– Pas si vite ! Tu es ma sœur et je ne veux pas que tu sois mêlée de près ou de loin à ce qui touche les Allemands.
Johanna décida de ne pas contredire son frère et garda pour elle ses idées. Elle se sentait aussi apte que n'importe quel homme à manier un fusil et à dresser une embuscade. De même, elle ne fit aucune allusion à l'épisode de la voiture et à la façon dont elle avait défié l'autorité allemande.
Quand elle se retrouva seule dans sa chambre, elle put enfin lire ses lettres. Elle garda celle de Steffen pour la fin.
Sachant que sa missive ne serait pas contrôlée par la censure, Steffen, cette fois, lui avait écrit en toute liberté. Il lui disait que sa tante désirait la rencontrer. Puis il lui faisait comprendre ce qu'avait pu représenter sa lettre pour lui et combien sa présence lui manquait. Les mots dont il usait étaient tendres, affectueux. C'était une vraie lettre d'amour.
Johanna se coucha. Désormais, elle n'avait qu'un seul désir : retourner à Ryendal. Parce que Steffen s'y trouvait.

3

Rolf ne resta qu'une nuit. Le lendemain matin, alors qu'elle travaillait, il l'appela de la gare pour lui dire qu'il avait obtenu l'autorisation officielle.

Johanna avait l'esprit ailleurs. Sans cesse, ses pensées erraient vers la maison familiale sur la côte ouest. Elle ne parvenait pas à se concentrer sur son travail.

La boutique commençait à être connue des officiers allemands. Les vendeuses détestaient s'occuper d'eux.

– Ils sont tellement arrogants, répétait Sonja. Ils se croient tout permis. Ils entrent et il faut les servir tout de suite. Ils sortent des liasses et des liasses de billets qu'ils dépensent en cadeaux pour les femmes. Quand on pense que certains Norvégiens n'ont pas de quoi se payer un morceau de pain !

Ce matin-là, un officier allemand se trouvait justement dans le salon. Il était assis dans un fauteuil de velours, tandis que sa petite amie norvégienne faisait son choix. Sonja s'occupait d'eux en affichant un visage de marbre. Les yeux de l'officier s'attardèrent sur les jambes de Johanna alors qu'elle traversait la pièce pour se rendre dans le bureau de son patron.

Leif l'accueillit avec son habituel sourire.

– Avant d'attaquer le travail, dit-il, j'aimerais vous parler de quelque chose. Êtes-vous toujours seule dans la maison de Gerfsen ?

– Oui. Je ne sais absolument pas quand les Alsteen rentreront. Je vous en ai expliqué la raison l'autre jour.

– Je m'en souviens. Je voulais simplement savoir si vous n'aviez pas loué l'une des chambres. Vous m'avez dit que vous vous sentiez un peu seule.

– En effet, répondit Johanna. Mais c'est la maison des Alsteen, pas la mienne. Ils auraient sûrement été heureux de recevoir mon frère, mais de là à accueillir un étranger en leur absence...

– C'est bien ce que je pensais. J'ai également remarqué votre discrétion le jour où vous avez trouvé le discours du roi sur votre machine à écrire.

Elle sourit.

– J'avais deviné que c'était vous qui l'aviez posé là et je savais bien que les Allemands n'apprécieraient pas ce genre de littérature. J'avais raison, non ?

– Parfaitement. Sonja a eu la même attitude. C'était un test, je suis bon juge et je ne crois pas m'être trompé à votre sujet. Avez-vous un bon poste de radio chez vous ? Un de ceux sur lesquels on reçoit la BBC ? Tout le monde n'a pas cette chance ! Dans certaines régions, les émissions d'outre-mer sont difficiles à capter...

– J'écoute les programmes britanniques tous les soirs, l'interrompit Johanna.

– Alors, dit Leif avec quelque hésitation, alors... accepteriez-vous de prendre des émissions en sténo puis de les taper à la machine ?

– Pour les distribuer ? demanda-t-elle, excitée.

– Non, pour en faire une sorte de journal qui paraîtra une fois par semaine. L'idée ne vient pas de moi, mais je suis chargé de l'organisation de toute l'affaire. Plus tard, nous espérons sortir deux ou trois de ces bulletins par semaine. Une partie de ces comptes rendus partiront d'ici. Sonja s'en occupera. Les autres seront distribués à partir de différents endroits. Mais cela ne vous concerne pas.

– Je commencerai dès ce soir, affirma Johanna. J'ai une machine à écrire à la maison.

– Et si vous utilisiez des écouteurs ? C'est une petite complication mais c'est plus sûr. Si on vous repérait, tout serait fichu.

– Bien, je m'en occuperai.

Johanna était fière d'avoir été choisie et plus encore de savoir que partout, en ville, dans les forêts, le long des rivages des fjords, une armée anonyme commençait à lutter contre l'envahisseur.

Ce soir-là, et au cours de bien d'autres soirées, elle s'assit devant sa radio, écouteurs aux oreilles, bloc de sténo en main, guettant l'annonce désormais familière : *Ici Londres*, suivie d'un flot de musique qui s'évanouissait avec le début des nouvelles en norvégien.

Elle fut bientôt capable de reconnaître chacun des speakers qui envoyaient à leurs compatriotes des messages d'espoir. À leur accent et à leurs intonations, elle savait de quelle région de Norvège ils étaient originaires. Ils devinrent ses « amis inconnus ».

Johanna notait soigneusement toutes les informations relatives à la guerre. Elle en dressait un compte rendu fidèle qui formerait ensuite le bulletin clandestin intitulé *L'Écho de Londres.* Elle ignorait où il était imprimé, sans doute dans une cave ou un entrepôt.

C'est ainsi qu'elle suivit avec angoisse la bataille d'Angleterre. Une poignée de jeunes pilotes de la Royal Air Force défiaient dans le ciel britannique la puissante Luftwaffe. Un jour de septembre, ces héros abattirent plus d'une centaine d'avions ennemis. Hitler essuyait sa première défaite. Ce fut pour Johanna une bouffée d'espoir. C'est à partir de ce moment que Hitler renonça à envahir les îles Britanniques. Le Führer voulait faire plier le peuple britannique sous le poids des bombes et le blocus maritime. Il ordonna donc la destruction des plus grosses unités de la marine marchande anglaise. L'un des gros titres de *L'Écho de Londres* reprenait les mots de Winston Churchill : *Jamais dans un conflit tant d'hommes n'auront dû leur salut à un si petit nombre d'entre eux...*

En Norvège, la bataille d'Angleterre coïncida avec un regain de patriotisme. Ce fut comme si l'arrivée de l'automne, avec ses journées plus fraîches et revigorantes, avait tiré les habitants de leur léthargie. De nombreux autres journaux clandestins avaient fait leur apparition. *L'Écho de Londres* s'était étoffé et paraissait maintenant trois fois par semaine.

L'installation de Quisling au palais royal fut une

grande humiliation pour les habitants d'Oslo. Le représentant personnel de Hitler, le Reichskommissar Josef Terboven, y prit également ses quartiers avec son état-major. Glacial et arrogant, il n'avait qu'un objectif : tirer de la Norvège un maximum de profits, tant du point de vue économique que stratégique. Il estimait qu'il suffirait de quelques troupes pour contrôler le pays.

Pourtant, du jour au lendemain, comme mus par un signal silencieux, du sud du pays jusqu'à l'Arctique, les gens arborèrent des trombones au revers de leurs vêtements, en signe de protestation contre la présence allemande. Johanna, comme ses collègues, en portait un au col de sa robe et un autre sur le revers de son manteau. Cet emblème rendit bientôt les Allemands très nerveux. S'il leur prenait la fantaisie d'en arracher un du vêtement d'un client au magasin, Johanna, qui en possédait une boîte pleine, le remplaçait aussitôt. Puis certains eurent l'idée de fixer des lames de rasoir derrière le revers de leurs vêtements. Après quelques expériences douloureuses, les Allemands préférèrent ignorer ces trombones insultants.

D'autres mouvements commencèrent à prendre forme. Des membres du clergé s'élevèrent violemment contre la Gestapo. La démission en bloc des juges de la cour suprême, en signe de protestation contre son intrusion dans la justice du pays, concrétisa publiquement la condamnation du Reichskommissar Terboven. Les sportifs et les athlètes refusèrent d'adhérer à l'Association sportive nazie. Ils mirent ainsi fin à toutes les manifestations sportives – ce qui, dans un pays amateur de sports, était un immense sacrifice. D'autre part, chaque profession, chaque industrie appartenait à une corporation, ce qui facilitait l'organisation de la Résistance. Désormais, Johanna haussait les épaules devant les méthodes maladroites des Allemands. Ils sous-estimaient le courage de ce peuple qu'ils avaient prétendu écraser. Les Norvégiens, comme leurs montagnes, se montraient inébranlables. Ce n'était pas nouveau, cela durait depuis des siècles.

Quand Johanna entrait ou sortait de la boutique, elle essayait de détourner son regard du Victoria Terrasse. C'était un bâtiment élégant qu'elle avait contemplé naguère avec plaisir : il lui rappelait une pièce montée. La Gestapo y avait installé son siège. Là, désormais, se fomentaient les tactiques les plus brutales pour écraser dans l'œuf toute action patriotique norvégienne. Le commissariat de police, au numéro 19 de Mollergaten, avait également acquis une sinistre notoriété. C'était dans ses cellules, au sous-sol, qu'avaient lieu les interrogatoires. Beaucoup de ceux qui s'étaient engagés dans la presse clandestine avaient été arrêtés et amenés là. Les Allemands avaient également construit de nouveaux centres d'incarcération que l'on appelait des camps de concentration...

Les échanges épistolaires entre Johanna et Steffen étaient irréguliers. Il fallait se méfier de la censure. Pour la même raison, ils se téléphonaient peu. Tout le monde savait que les appels étaient enregistrés. Le jour où Steffen était parti à la guerre, il avait demandé à Johanna de penser à lui chaque fois qu'elle prendrait le tramway. C'était bien ce qu'elle faisait.

Dans le tramway, elle avait une nouvelle distraction, un jeu qui se renouvelait chaque jour et auquel les habitants d'Oslo se livraient avec plaisir. Qu'un Allemand vienne s'asseoir et les passagers qui se trouvaient à côté se levaient et émigraient plus loin. Si toutes les places étaient prises, ils préféraient rester debout. Johanna avait eu, ainsi, à se lever à plusieurs reprises au cours du même trajet : les soldats aimaient beaucoup s'asseoir à côté d'une jolie fille. Les Allemands n'avaient pas apprécié. Par représailles, ils faisaient arrêter le tramway et ordonnaient à tous les passagers de descendre. Il était même arrivé que des soldats se mettent à injurier les civils norvégiens qui, stoïques, les ignoraient.

Les premières neiges arrivèrent, et avec elles la saison des fêtes. Ce Noël 1940, le premier sous l'occupation nazie, promettait d'être morne surtout à Oslo. La Gestapo était toute-puissante. À l'université, des étudiants avaient été molestés; les arrestations dans la rue se multipliaient. Deux garçons d'une quinzaine d'années avaient été emmenés pour avoir écrit : « *Longue vie au roi Haakon* » sur les murs d'une caserne qui abritait des Allemands. Nul ne savait où ils étaient.

Dans les magasins, les stocks de décorations de Noël et de jouets qui restaient de l'année précédente furent dévalisés. Les queues devant les épiceries s'allongeaient de jour en jour. Des camions allemands passaient à toute allure, acheminant vers le port de la viande norvégienne à destination de l'Allemagne.

Un après-midi, alors que la neige tombait à gros flocons, la porte du bureau de Johanna s'ouvrit tout à coup, Sonja passa la tête et annonça joyeusement :

– Tu as un visiteur !

Steffen, en vêtements de ski, apparut dans l'encadrement de la porte, un large sourire aux lèvres.

– Bonjour, Jo ! J'ai pensé que c'était le bon moment pour faire un petit voyage et te voir.

Johanna poussa un petit cri étouffé et se leva très lentement. Dans la bouffée de plaisir qu'elle venait de ressentir en le voyant là, devant elle, quelque chose sonnait faux. Tous ces mois de séparation, alors qu'ils se connaissaient à peine, ne les avaient pas rapprochés, malgré leurs lettres... L'élan qui les avait poussés dans les bras l'un de l'autre sur la place du marché avait disparu. Johanna se sentait même prise d'une sorte de timidité, d'une légère retenue. Peut-être était-ce un des mauvais tours que la guerre jouait aux gens ?

– Comment vas-tu ? dit-elle. Je n'ai pas eu d'aussi bonne surprise depuis longtemps.

– Je suis en pleine forme, merci pour tes lettres.

– Et toi... merci pour les tiennes. Je les attendais toujours avec impatience.

Ce n'était certes pas de cette façon qu'elle avait imaginé leur deuxième rencontre. Ils auraient dû se jeter dans les bras l'un de l'autre. Steffen se montrait aussi réservé qu'elle. On aurait dit deux étrangers.

– Qu'est-ce qui t'amène à Oslo ? demanda Johanna, pour meubler le silence.

– Je te l'ai déjà dit : je suis venu pour te voir. Je viens de parler à ton patron. Tu as la permission de t'en aller dès maintenant.

– Oh ! tant mieux !

Elle espérait avoir mis assez d'enthousiasme dans cette exclamation.

– Un taxi nous attend dehors, reprit Steffen.

– Pas de tramway aujourd'hui ?

– Non, pas aujourd'hui. Je ne veux pas risquer un contrôle d'identité.

Les mains de Johanna tremblaient légèrement. Steffen l'aida à enfiler son manteau. Elle lui jeta un regard inquiet par-dessus son épaule.

– Tu es venu sans autorisation ?

– Exactement.

Elle se retourna avec vivacité.

– Les Allemands te recherchent ?

– Pas encore. Je te raconterai tout lorsque nous serons à la maison. Il n'y a personne là-bas, j'espère.

– Non. Les Alsteen n'ont pas pu quitter Drammen.

Steffen la prit par le bras pour sortir de l'immeuble. Elle vit tout de suite ses skis sur la galerie du taxi. Le moteur de la voiture était alimenté par un de ces poêles à bois que l'on fixait à l'arrière. Pendant tout le trajet, Steffen lui prit la main. Par prudence, ils ne parlèrent pratiquement pas dans le taxi.

Lorsqu'ils furent arrivés à destination, Steffen paya la course, tandis qu'elle se dépêchait d'aller ouvrir la porte. À cause du couvre-feu, elle attendit qu'il soit entré pour allumer la lumière. Sous le porche, après avoir planté ses skis dans la neige, il déchaussa ses bottes. Comme il refermait la porte, elle les lui prit des mains pour les ranger. L'ampoule de l'entrée était faible en raison des restrictions d'énergie. La frange de soie de l'abat-jour dessinait des ombres sur le mur autour d'eux. Johanna sentit que ses lèvres se mettaient à trembler.

– Jo ! dit Steffen d'une voix rauque.

Elle se jeta dans ses bras. Elle enfouit son visage contre sa poitrine. Il posa sa joue sur sa tête et ils s'étreignirent en silence. En cet instant, Johanna songea que, tant que durerait la guerre, leurs rencontres seraient, comme ce soir, toujours clandestines.

Puis il lui prit la tête, très doucement, et il releva son visage vers lui. Elle ferma les yeux. Il la serra alors encore plus fort contre lui et l'embrassa avec passion. Quand ils se séparèrent, ils savaient qu'ils venaient enfin de se retrouver.

– Bonjour ! dit-il alors, gaiement.

– Sois le bienvenu, répondit-elle sur le même ton.

Il l'embrassa de nouveau, plus longuement et plus tendrement.

Ils allèrent à la cuisine et commencèrent à déballer du sac à dos de Steffen les provisions que sa mère lui envoyait. Pendant qu'elle préparait un dîner très simple, il s'occupa de recharger le poêle et sortit couper quelques bûches. Le dîner fut bientôt prêt et il mit le couvert.

– Tu ne m'as pas encore raconté comment tu es venu ici ? demanda Johanna.

– J'ai pris le vapeur dans le fjord. À l'embarcadère le plus proche de Ryendal. Jusque-là, pas de problème. J'ai fait le reste du voyage à l'arrière d'un camion qui transportait des provisions pour les Allemands. Et avec mes skis, s'il te plaît ! Le chauffeur m'a déposé à Oslo, dans une rue écartée, et je suis venu tout droit jusqu'à ta boutique.

– Tu repartiras avec le même chauffeur ?

– Non. Je pars pour la Suède dans quelques heures.

Les yeux de Johanna s'écarquillèrent de surprise. Elle dut s'appuyer à la table de la cuisine.

– Tu t'enfuis ?
– Pas du tout, répondit Steffen. Je vais rejoindre les Forces libres norvégiennes en Angleterre. La Résistance a préparé des routes à suivre, à skis, la nuit, jusqu'à la frontière. Avec un peu de chance, il est possible d'éviter les patrouilles allemandes. Une fois à Stockholm, je me rendrai à la légation royale de Norvège qui organisera notre transfert en Angleterre. On peut même passer par la Russie et la Méditerranée !
– Un tel voyage va te prendre des semaines, peut-être des mois !
– Aucune importance, pourvu que j'y arrive.
Elle rejeta ses cheveux en arrière.
– Mais tu n'avais pas besoin de descendre jusqu'ici pour passer la frontière. Au contraire, tout le monde sait que de la côte ouest on peut s'échapper facilement en bateau par la mer du Nord. Ce sont ceux du Sud qui doivent traverser la frontière suédoise. Tu risques de te faire arrêter.
Steffen la prit par les épaules.
– Je t'ai déjà dit que... Je voulais te revoir.
Cela, elle le comprenait. Elle protesta pourtant :
– Tu es fou !
– Oui, à condition que tu aies été heureuse de me revoir.
– Tu le sais bien, admit Johanna.
Avant qu'ils ne se mettent à table pour dîner, elle alluma une bougie dans un chandelier de porcelaine. Symbole d'hospitalité et de bienvenue, c'était une vieille coutume scandinave. Ils dînèrent ainsi à la lueur de cette petite flamme. Leur conversation fut agréable, à peine intime : ils ne voulaient pas parler d'eux-mêmes. Il lui donna des nouvelles de Ryendal.
Tout en servant le café, elle lui raconta que les Allemands avaient confisqué sa voiture et comment elle avait tenté de résister. Il en fut consterné.
– Tu aurais pu te faire arrêter ! Il aurait pu t'arriver n'importe quoi. Je me fiche éperdument de cette voiture. Ta sécurité, c'est tout ce qui m'importe !

Pour l'amour du ciel, ne prends plus jamais ce genre de risques !

Johanna lui sourit et se mit à parler d'un ton badin :

– On dit que tout aveu libère celui ou celle qui le fait. Je me sens mieux maintenant que tu sais tout.

Le visage de Steffen restait sombre. Il saisit sa main par-dessus la table.

– J'ai quelque chose à te dire, moi aussi. Ce ne sont pas de bonnes nouvelles. C'est à propos de ton père. (Il referma sa main sur la sienne.) En août dernier, le jour où Rolf est revenu d'Oslo après t'avoir vue, ton père a eu un geste de courage et de défi qui devait se retourner contre lui. Il se rendait à Alesund pour ses affaires. Or, ce jour-là, c'était l'anniversaire du roi. Il a acheté un œillet et l'a mis à sa boutonnière.

Dans la crainte de ce qui allait suivre, Johanna retint son souffle. L'œillet était l'emblème de la maison royale.

– Continue, dit-elle.

– Il a été pris à partie par un groupe de soldats allemands. Ils ont arraché la fleur du revers de son veston et ils l'ont roué de coups. Il ne s'en est remis que très lentement. Cela va mieux maintenant, mais il doit faire très attention à sa santé.

Johanna éclata :

– Pourquoi, pourquoi ne m'a-t-on rien dit ?

– J'ai pensé qu'il était inutile de t'inquiéter, répondit Steffen. Et puis, qu'est-ce que cela aurait changé ?

– Mais... est-ce que, au moins, il peut encore travailler ?

– Il s'occupe de la ferme. Il a beaucoup vieilli... il est beaucoup plus lent. Ça tombe bien que l'école de la vallée soit assez proche : Rolf vient souvent donner un coup de main.

Johanna resta songeuse.

– Je comprends, à présent, pourquoi maman a embauché quelqu'un pour l'aider à la maison. Elle m'avait écrit qu'elle attendait une jeune fille d'un village de pêcheurs des environs d'Alesund. Elle a mentionné plusieurs fois dans ses lettres que c'était une travailleuse acharnée. À quoi ressemble-t-elle, cette Karen Hallstead ?

Steffen sourit malicieusement.

– Elle est plutôt jolie. Ton frère Erik en est tombé amoureux... Je ne serais pas étonné qu'il veuille l'épouser.

– Tu dois te tromper. Ce n'est pas le genre d'Erik de s'attacher.

– Karen est peut-être l'exception. Elle est absolument ravissante.

– D'autres l'ont été avant elle ! Je suppose qu'elle est amoureuse de lui, elles le sont toutes !

– Au contraire, elle paraît assez indifférente.

Johanna s'amusait.

– Dans ce cas, il a peut-être rencontré la femme qu'il lui fallait... (Plus sérieuse, elle reprit :) Comment trouve-t-il le cabotage sous contrôle allemand ?

– Difficile, bien sûr... Les vapeurs transportent toujours des passagers et continuent d'acheminer le courrier et les marchandises. Mais les cabines sont exclusivement réservées aux officiers allemands.

– Et à quoi ressemble Alesund à présent ?

Elle connaissait bien ce petit port de pêche prospère. Il était le point de départ des bateaux sur lesquels son frère remontait naguère le fjord. Elle y avait souvent rencontré Erik quand il y accostait.

– Toute animation, toute gaieté ont complètement disparu. Les Allemands ont fait placarder des avis notifiant que quiconque tenterait d'entrer en contact avec leurs ennemis serait fusillé. Les habitants se méfient des étrangers; et la ville est remplie d'agents à la solde de Quisling. Ils surveillent toutes les tentatives de départ clandestin pour l'Angleterre.

– Et comment ta tante a-t-elle pris l'annonce de ton départ ?

– Courageusement. Elle est très brave.

– Tu m'as demandé d'aller lui rendre visite lorsque je rentrerai à la maison. Comme il est hors de question que tu lui écrives, veux-tu que je lui envoie un mot à ta place, en attendant de la voir ?

– Cela lui ferait très plaisir.

Ils bavardèrent à bâtons rompus jusqu'à l'heure de la BBC. Alors, pendant qu'elle prenait des notes en sténo, il écouta : en Afrique du Nord, les forces alliées avaient fait des centaines de prisonniers italiens; la Luftwaffe avait de nouveau bombardé Londres.

Le bulletin terminé, elle rangea ses notes; elle les taperait demain... Elle se leva. Il était déjà debout et il l'attendait. La façon dont il la regarda la fit frissonner. Elle alla à lui sans hésiter.

Sous la lumière tamisée de la lampe de chevet, il lui fit l'amour avec tendresse et dévotion. Pour elle, c'était la première fois. Jusqu'ici, elle n'avait jamais rien voulu donner. Aujourd'hui, elle aimait. Son corps nu tremblait contre le sien. Elle venait de découvrir que cet homme, si fort, était aussi d'une grande délicatesse.

Ensuite, ils reposèrent dans les bras l'un de l'autre. Plus tard, ils se remirent à parler très doucement. Puis, il couvrit de baisers son front, ses yeux, ses tempes, ses oreilles et murmura :

– Je t'aime, Jo chérie.

Elle se pelotonna contre lui.

– Je t'aime aussi, dit-elle simplement.

Il lui prit le menton d'une main et la contempla gravement. Après maints autres baisers, il dit :

– J'ai un cadeau pour toi, Jo.

– Je croyais qu'on ne trouvait plus rien à acheter...

– C'est vrai, mais il s'agit d'une chose que j'ai fait faire spécialement pour toi par un bijoutier. C'est mon cadeau d'amour.

C'était – elle le savait bien – une vieille tradition, encore en usage dans de nombreuses régions, que la mariée, à l'issue de sa nuit de noces, reçoive un présent de son mari. Et il fallait que ce soit un bijou, même sans valeur réelle.

– Tu ne dois me le donner qu'à l'aube.

– À l'aube, je ne serai plus ici.

– J'avais oublié, c'est vrai...

Il se leva, alla fouiller ses vêtements. Elle s'assit sur le lit. Il revint près d'elle et lui tendit un petit paquet. Appuyé sur un coude, il la regarda déplier le papier d'emballage. Elle fixa l'objet et son visage devint radieux.

C'était un collier de petites pierres, de forme délicate, enchâssées dans de l'or. Il les avait polies lui-même jusqu'à ce qu'elles deviennent iridescentes. La perfection de leur reflet avait dû lui demander des heures et des heures de travail.

– Ça vient du lac Seater ! s'exclama-t-elle.

– Ç'aurait pu être des diamants, dit-il sobrement.

– Oh, non !

Elle pressait le collier contre elle.

– S'il te plaît, attache-le-moi !

Steffen prit le collier et le fit glisser autour des cheveux de Johanna. Le bijou descendait jusqu'à la naissance de ses seins. Elle sauta gaiement du lit pour aller se regarder dans le miroir. Il n'avait jamais rien vu d'aussi beau que cette jeune fille nue ainsi parée, et qu'il aimait.

Elle se retourna, immobile, puis se rapprocha du lit et s'y allongea sur le ventre, prenant appui sur ses coudes.

Après un moment, elle le regarda droit dans les yeux.

– Je pars pour l'Angleterre avec toi !

– J'aurais bien voulu, dit-il. Je n'ai pensé qu'à ça pendant tout mon voyage jusqu'ici. Mais la chance est contre nous. Ce n'est pas une question de danger. Mais je pense aux diplomates norvégiens à Stockholm. Il leur est très difficile d'organiser les passages. Ils m'envoient là-bas dans le seul but de combattre. La liste d'attente est longue et ils ne donneront pas la préférence à une femme.

Cet argument était irréfutable. De désespoir, elle enfouit sa tête dans le creux de son épaule. Elle avait rêvé un instant de se battre à ses côtés. En Angleterre, on l'aurait entraînée pour qu'elle puisse participer à la libération de son pays. Mais si on l'arrêtait en Suède, elle ne pourrait plus revenir en Norvège et se trouverait coupée de sa famille, de ses amis, et surtout de Steffen. Elle devait donc se résigner à le laisser partir.

Le moment du départ arriva. Ils se rhabillèrent...

Il la prit de nouveau dans ses bras et l'embrassa longuement. Ils ne parlaient plus. Tout ce qu'ils avaient encore à se dire passait dans leurs regards. Ils descendirent main dans la main.

– Adieu, dit-il enfin.

Ils s'embrassèrent, une dernière fois...

Il enfila ses gants et sortit de la maison. Elle resta sur le seuil, frissonnant dans la nuit glacée, pendant qu'il ajustait ses skis. Il lui fit alors un signe de la main et s'éloigna en faisant crisser la neige. Très vite, elle le perdit de vue.

L'aube était proche. Elle referma la porte sans bruit et s'y appuya, les larmes aux yeux.

4

Deux mois déjà s'étaient écoulés depuis le départ de Steffen. L'hiver était toujours aussi rigoureux. Pour Johanna, la vie à Oslo devenait plus morne chaque jour. Elle passait la plus grande partie de son temps libre à faire la queue dans les magasins d'alimentation.

Elle regrettait l'uniforme bleu de la police d'avant-guerre. Désormais, les hommes de Quisling arboraient des tenues sombres, de style allemand. Cependant, elle savait que bon nombre de ces Norvégiens dissimulaient leurs véritables opinions pour aider leurs concitoyens et les avertir des rafles prévues. L'aigle allemande trônait dans les commissariats et sur tous les bâtiments publics.

Les vitrines des magasins d'Oslo restaient pratiquement vides. Chez les joailliers, les bijoux en or ou en argent étaient réservés aux clients qui fournissaient eux-mêmes le métal. Steffen avait donc dû échanger ses boutons de manchettes en or pour faire confectionner la monture de son collier...

Dans la vitrine de Leif, il n'y avait qu'un manteau d'occasion retouché et d'origine indéterminée. Un carton imprimé indiquait aux passants que l'on réparait et transformait les vieilles fourrures. Dans le salon de présentation, les somptueux manteaux de naguère avaient été remplacés par des photos.

Ce vendredi-là, en rentrant de son travail, Johanna ne savait pas qu'elle retrouverait les Alsteen. Dès qu'Anna entendit la clef dans la serrure, elle se précipita pour l'embrasser. Johanna dut faire un effort pour cacher sa surprise : la petite femme ronde et vigoureuse avait terriblement maigri. Son visage était ravagé par l'angoisse et des mèches grises striaient désormais sa chevelure auburn.

– Mon enfant ! Qui aurait pu penser qu'il nous serait si difficile de rentrer ! Je te remercie d'avoir pris soin de la maison.

Johanna, très émue, lui entoura les épaules.

– Ce n'est rien. La seule chose importante, c'est que vous soyez enfin là. Où est Viktor ?

– Au lit. Bien que nous ayons voyagé en ambulance, il est très fatigué. Va le voir, il ne dort sûrement pas.

Johanna monta l'escalier en courant et alla droit à la chambre des Alsteen. La porte était ouverte. Viktor, les yeux fermés, somnolait. Il n'avait pas changé. Il était toujours mince et digne. La maladie l'avait simplement rendu plus frêle. Tenu éloigné de chez lui pendant tant de mois, cet homme était resté sans défense, en butte aux caprices des nazis.

Viktor ouvrit les yeux et son singulier sourire, si doux, éclaira ses traits.

– Johanna ! Tu es plus jolie que jamais. Comment vas-tu ? Approche-toi et raconte-moi tout depuis notre départ.

Il parlait plus lentement qu'avant. Elle s'assit sur le lit et se pencha pour l'embrasser.

– Je travaille toujours à la boutique. Ça ne marche pas très fort, nous n'avons plus de stocks. Il est difficile de se procurer des peaux. Dans les ateliers, les ouvrières retouchent les vêtements au lieu d'en fabriquer et au salon, il n'y a plus que Sonja...

Elle lui raconta encore une ou deux choses, puis, craignant de le fatiguer, elle se leva pour se retirer. De sa main droite, la plus forte, Viktor saisit sa manche.

– Ne t'en va pas déjà ! Il me reste si peu de temps pour te parler. Nous repartons demain... Anders, mon beau-frère, a tout organisé.

Elle lui sourit, pour se montrer rassurante.

– Mais non... vous êtes ici chez vous, et pour longtemps.

– Non, ma chère petite. Nous partons pour la Suède dès demain. J'y serai en sécurité. Anna veut me faire sortir d'ici pendant qu'il en est encore temps...

Elle prit la main de Viktor et la pressa contre sa joue.

– Viktor, vous êtes norvégien de naissance et d'éducation.

– De nationalité, mais pas de race, ma chère enfant. Pour les nazis, c'est très différent. Si Anna et moi voulons vieillir ensemble, nous devons partir. Autrement on nous séparera et nous ne nous reverrons jamais.

Il n'en dit pas plus. Il ferma les yeux et s'assoupit. Johanna redescendit à la cuisine et trouva Anna écroulée sur une chaise.

– Maintenant, tu sais...

Johanna s'assit en face d'elle.

– Viktor a-t-il été menacé ?

– Bien sûr, et souvent... Dans la rue, il était constamment insulté par les Allemands. J'ai dû arrêter de le promener dans son fauteuil roulant. Je ne sais pas ce que nous aurions fait sans Anders. C'est le chirurgien en chef de l'hôpital et il a des contacts avec la Résistance. Je ne sais comment il s'y est pris, mais il nous a obtenu une autorisation de déplacement et l'ambulance dans laquelle nous sommes venus.

Anna remuait sans arrêt les mains et un tic nerveux agitait le coin de sa bouche.

– Mais, demanda Johanna, comment allez-vous passer en Suède ?

– Anders m'a procuré des papiers certifiant que Viktor devait être soigné dans un hôpital près de la frontière suédoise. On viendra nous chercher demain matin. J'ai obtenu aussi des papiers pour toi parce que j'espère que tu viendras avec nous.

– Mais pourquoi voulez-vous que je vienne avec vous ?

– Il va falloir tirer Viktor sur la neige avec un traîneau. Je serai à skis. Nous aurons un guide, mais ce serait un tel réconfort pour moi de t'avoir à mes côtés... J'ai peur, Johanna, terriblement peur et toi, tu es si jeune et si forte...

Johanna se leva, s'agenouilla devant Anna et lui prit les mains.

– ... Je ferai tout pour vous aider. Je n'oublierai jamais mon arrivée à Oslo et la façon dont vous m'avez reçue. Vous m'avez traitée comme votre fille. Vous m'avez donné un foyer. J'irai avec vous jusqu'à la frontière et j'attendrai que vous soyez de l'autre côté. Mais... ne me demandez pas de quitter la Norvège, je ne le pourrais pas. Je dois rester ici !

– Alors non ! Oublie ce que je viens de te demander... Je ne veux pas que tu mettes ta vie en danger pour nous. Les Allemands découvriront très vite que Viktor ne se trouve ni à l'hôpital, ni à Grefsen.

Johanna se releva.

– C'est tout décidé ! Personne ne saura ce que

j'ai fait à condition que je sois lundi à mon travail, comme d'habitude. Si jamais on venait à soupçonner quoi que ce soit, je dirais que je vous ai accompagnés à l'hôpital et que je vous y ai laissés. J'imagine que votre guide ne me dénoncera pas ?

– Non. D'après Anders, c'est quelqu'un de sûr.

Anna était visiblement à bout de nerfs. Johanna tenta de la calmer. Elle se fit expliquer en détail les étapes du voyage, puis examina le laissez-passer établi à son nom.

Au petit matin, à l'heure dite, l'ambulance arriva. Le chauffeur, un jeune homme au visage avenant, plein de taches de rousseur sous une chevelure blond cendré, aida Viktor à s'installer à l'arrière et arrangea les oreillers et la couverture. Anna monta près de son mari et Johanna s'assit à côté du conducteur.

– Et voilà ! dit-il. En avant ! Je m'appelle Kristofer Olsen.

– Vous travaillez dans un hôpital d'Oslo ?

Il eut un léger rire.

– Je suis étudiant en médecine et c'est la première fois de ma vie que je conduis une ambulance. Demain, ni vu ni connu, elle aura retrouvé sa place au dépôt, et personne, je l'espère, n'aura eu le temps de s'apercevoir de sa disparition. Pourquoi allez-vous en Suède ? Êtes-vous fâchée avec la Gestapo ?

– Pas exactement. J'ai promis à mes amis de les accompagner à la frontière. Je reviendrai avec vous.

Il sursauta.

– Vous voulez que je vous attende ? Ça va être difficile !

– Il faut que je sois de retour à Oslo au plus tôt. C'est très important, je n'ai pas le choix.

Il émit un petit sifflement.

– Bon. Eh bien, on va essayer de se débrouiller.

Ils arrivèrent bientôt en vue d'un barrage routier. Kristofer lui lança un regard rapide.

– J'espère que vous ne portez pas de trombone ? Ce n'est vraiment pas le moment...

– C'est ce que j'ai pensé, il est dans ma poche.
– Parfait.

Il ralentit et se rangea le long de la route. Un soldat allemand s'approcha de la portière et demanda leurs papiers. Kristofer tendit ceux de Johanna et les siens. Puis il descendit de voiture pour ouvrir à l'arrière. Le soldat lui rendit les papiers. Tout était en ordre. Il fit un signe et la barrière s'ouvrit pour laisser passer l'ambulance.

– Nous avons passé le premier obstacle. Avec un peu de chance, nous franchirons les autres aussi facilement.

Ils furent obligés de s'arrêter ainsi à trois reprises avant d'atteindre l'hôpital. En cet après-midi d'hiver, la nuit tombait tôt. Les phares, en code à cause du black-out, projetaient un mince rayon de lumière sur la route gelée. Il neigeait légèrement. Kristofer récapitula une fois de plus le déroulement des opérations.

– J'entrerai dans l'hôpital avec Viktor. Anna et vous, vous suivrez, OK ? Viktor doit marcher, c'est le plus important. Il faut donc que je le sorte de l'ambulance avant que les brancardiers ne le prennent en charge. Nous nous dirigerons vers la salle d'attente, qui possède deux portes. Nous y laisserons les Alsteen, mais il faut qu'on vous voie ressortir avec moi. Je m'arrangerai pour qu'on se souvienne de nous à la réception. Anna et Viktor quitteront la salle d'attente par la deuxième porte. Ils se retrouveront ainsi de l'autre côté de l'hôpital, où quelqu'un les attendra. Puis vous les rejoindrez. OK ?

– OK !

Elle sourit, malgré elle, parce qu'il utilisait constamment cette expression américaine.

Devant l'hôpital, Anna frappa à la vitre de séparation pour les prévenir que Viktor était assis et prêt à sortir. Kristofer souleva Viktor et le posa à terre. Puis ils entrèrent tous les quatre dans l'hôpital. Il y avait du monde à la réception, ce qui leur permit de se diriger vers la salle d'attente sans être questionnés.

Johanna fit ostensiblement ses adieux aux Alsteen et souhaita bonne chance à Viktor.

À la réception, Kristofer plaisantait avec deux infirmières.

– Êtes-vous prête à repartir, mademoiselle Ryen ? cria-t-il.

– Oui.

Il lança une dernière plaisanterie à l'adresse des infirmières, puis il monta dans l'ambulance avec Johanna. Il fit le tour de l'hôpital pour lui indiquer le chemin à suivre pour rejoindre les Alsteen ainsi que l'endroit où il l'attendrait à son retour. Il ralentit, juste le temps de la laisser descendre, et disparut dans l'obscurité.

Elle se mit à courir, dépassa les bâtiments annexes et trouva les skis qu'on avait laissés à son intention. Elle les chaussa et fila.

Il faisait plus froid qu'elle ne l'avait pensé. Chez elle, sur la côte ouest, même si Ryendal était situé bien plus au nord, le Gulf Stream adoucissait la température qui ne descendait jamais aussi bas.

Les Alsteen et leur guide l'attendaient sous le couvert des arbres. Dans le traîneau, Viktor était empaqueté dans des couvertures comme dans un cocon. Le guide ne donna pas son nom. Il assura les rênes du traîneau sur ses épaules.

– En route ! dit-il simplement.

Et, sans effort apparent, il démarra. Anna venait ensuite. Elle s'était entraînée à Drammen en vue de cette expédition et elle avait à peu près retrouvé sa forme de jadis. Johanna fermait le cortège, heureuse d'être aux côtés d'Anna pour la soutenir dans cette épreuve.

Le silence régnait. On n'entendait que le crissement des skis sur la neige et, de temps à autre, le bruit sourd d'un paquet de neige tombant d'une branche. Le guide faisait halte à intervalles réguliers. Anna avait la cinquantaine passée et on ne pouvait lui demander de garder le même rythme que Johanna et lui. À l'un de ces arrêts, le guide leur offrit un thermos de café. Anna se pencha pour porter le gobelet aux lèvres de Viktor. Elle ne voulait pas qu'il expose au froid sa seule main valide.

– As-tu assez chaud ? demanda-t-elle.

– Oui.

Docilement, il but quelques gorgées.

– Nous n'en avons plus pour bien longtemps, dit Anna. Essaie de dormir. À ton réveil, nous serons en Suède.

Ils approchaient en effet de la frontière. Le guide s'arrêta et tendit l'oreille. On percevait au loin des bruits qui, manifestement, ne lui plaisaient pas. Soudain une détonation retentit, puis une autre. Presque au même instant, un skieur arriva sur eux. Il ne s'arrêta pas mais les dépassa en criant :

– Foutez le camp d'ici... La patrouille est derrière moi..

Le guide se tourna rapidement vers Johanna.

– Nous devons créer une diversion. Cette femme (il parlait d'Anna) est trop épuisée pour aller vite.

Il glissa les rênes du traîneau autour des épaules d'Anna.

– Écoutez-moi bien, lui dit-il, d'ici à la frontière, il n'y a qu'un kilomètre. En prenant votre temps, vous pouvez y arriver toute seule. Prenez cette torche et cette boussole, et allez toujours vers l'ouest. Ne vous occupez pas des Allemands, nous allons les attirer derrière nous. Bonne chance !

Johanna n'aurait jamais imaginé qu'elle terminerait cette expédition en encourageant l'ennemi à la poursuivre. Par-dessus son épaule, le guide lui donnait ses instructions. Ils filaient en zigzag, se séparant et se croisant sans cesse pour donner l'illusion d'un groupe fuyant dans plusieurs directions. Quelques coups de feu furent tirés à l'aveuglette, puis la patrouille perdit leur trace. L'hôpital ne devait plus être loin. Le guide, dont elle ne connaîtrait jamais le nom, s'arrêta brusquement. Il lui indiqua le chemin à suivre et la quitta sans se retourner.

Johanna déchaussa ses skis et les déposa près

du bâtiment où elle les avait trouvés au départ. Elle fit le tour de l'hôpital en courant. Kristofer l'attendait dans l'ambulance. Dès qu'il l'aperçut, il ouvrit la porte et la happa littéralement à l'intérieur. Elle s'affala sur le siège, épuisée.

Anna savait qu'elle avait perdu son chemin. Elle avait laissé tomber la boussole sans s'en apercevoir. Les rênes du traîneau lui meurtrissaient les épaules et ses jambes la portaient à peine. Viktor, Dieu merci, dormait au chaud sous ses couvertures. Elle avançait avec l'obstination du désespoir, avec une seule idée en tête : mettre son mari en sécurité, de l'autre côté de la frontière. Pourtant, chaque muscle de son corps était douloureux. Brusquement, ses forces la trahirent et elle s'effondra.

Elle tomba doucement en travers de ses skis, le visage dans la neige. Un instinct de protection envers Viktor lui fit relever la tête pour se traîner jusqu'à lui. Des cristaux de neige pris dans ses cils la firent cligner des yeux. Quand elle les rouvrit, elle avait le nez sur les bottes de ski d'un militaire. Était-elle allée droit sur une patrouille allemande ? Elle émit une plainte, presque un sanglot. Le soldat se pencha, elle aperçut alors son visage jeune et bien rasé. Il lui dit en suédois :

– Vous êtes sauvée, madame, vous êtes en Suède depuis déjà trois kilomètres.

À bout de souffle, elle lui tendit la main et s'accrocha à lui. Il l'aida à s'asseoir et regarda par-dessus son épaule : ses deux camarades s'occupaient du passager du traîneau.

Les autorités allemandes ne tardèrent pas à apprendre que Viktor Alsteen n'avait pas été admis à l'hôpital et qu'on ignorait où il était passé. Sa femme, qui n'était pas juive, avait également disparu. Ils en déduisirent qu'on les avait aidés à passer la frontière suédoise.

Johanna fut arrêtée par la police de Quisling et

amenée au numéro 19 de Mollergaten pour y être interrogée. Cette unité pronazie était encore plus détestée que les soldats allemands.

On la conduisit dans une pièce où elle répondit à toutes les questions sans la moindre hésitation. Elle était assez satisfaite de l'histoire qu'elle avait montée. Oui, elle les avait bien accompagnés à l'hôpital. Pourquoi ? Parce que Anna Alsteen se sentait désemparée et qu'elle avait besoin d'un soutien moral. Non, elle n'avait pas revu le couple depuis ce soir-là et elle ne savait rien de leurs projets. Elle était revenue à Grefsen avec l'ambulance.

Le sergent norvégien aux ordres de Quisling lui fit signer sa déclaration.

– L'interrogatoire est terminé, qu'on l'emmène ! déclara-t-il.

Puis il salua, le bras levé.

– *Heil Hitler !*

Johanna se sentit devenir très pâle. Maintenant, elle allait être interrogée par des Allemands; elle avait espéré que ses réponses claires et nettes lèveraient tous les soupçons. Elle fut conduite à l'étage supérieur et on l'introduisit dans un bureau bien aménagé. Un officier, assis dans un fauteuil de cuir, lisait la déclaration de Johanna qu'on venait de lui apporter. Il portait l'uniforme des SS avec, au col, l'insigne à la tête de mort et le brassard rouge barré du svastika. Jambes bottées, croisées l'une sur l'autre, il se balançait négligemment d'avant en arrière. Sans même lever la tête, il désigna d'un geste une chaise en bois. Johanna s'assit, très droite, les mains sur les genoux. Chaque fois qu'il tournait une page, la feuille de papier bruissait dans le silence. Le fauteuil était tourné de côté et elle ne voyait qu'un profil dur à la bouche arrogante. Ses cheveux rasés tiraient sur le roux. Il s'adressa à elle en norvégien, avec un accent guttural.

– Ainsi, vous niez avoir connaissance de la disparition des Alsteen. C'est curieux ! Vous vivez chez eux depuis plus d'un an, depuis votre arrivée à Oslo... et vous prétendez ne rien savoir de leurs agissements.

– Je vivais chez eux, mais pas avec eux. Ils gardaient leurs projets pour eux.

– Et alors, c'est seulement ici que vous avez appris leur disparition ?

– J'ignorais ce qu'on me voulait jusqu'à ce qu'on me questionne. J'ai laissé mes amis à l'hôpital et je ne sais pas ce qu'ils sont devenus.

– Ils n'y étaient pas seuls. Ils avaient un guide.

Le SS fit brusquement pivoter son fauteuil et lui fit face. Une lueur rusée brilla dans ses yeux gris acier.

– Et que répondriez-vous si je vous disais que l'on vous a vue cette nuit-là dans la forêt près de la frontière suédoise ?

Un frisson de peur la parcourut. Mais elle se ressaisit vite. Quand elle répondit, ce fut d'une voix assurée et en le regardant droit dans les yeux.

– Je dirais que ce n'est pas vrai... De toute manière, comment aurais-je pu leur servir de guide ? Je n'étais encore jamais allée dans cette région.

L'officier nazi la fixa pendant un long moment. De nouveau, elle sentit l'angoisse monter en elle. Enfin, il eut un soupir las et jeta le dossier sur le bureau.

– Connaissant votre pays comme je le connais, c'est un point auquel j'ai déjà réfléchi. S'il s'agissait de la vallée de Ryendal, vous ne vous en tireriez pas aussi facilement... Mais pour cette fois, l'affaire est classée.

Johanna dut se contrôler pour ne pas fermer les yeux de soulagement. Le SS sortit un étui à cigarettes en or et, à sa grande surprise, le lui présenta.

– Non merci, dit-elle. Je ne fume pas.

– Nous nous connaissons depuis fort longtemps, mademoiselle Ryen. La dernière fois que nous nous sommes vus, vous aviez quatre ans et j'en avais douze.

Elle se redressa subitement et le regarda, interdite.

– Eh oui, je m'appelle Axel Werner... Vos parents m'ont accueilli chez eux à la suite du plan Fridtjof Nansen, après la dernière guerre. C'était l'année de votre naissance. Si vous aviez eu affaire à quelqu'un d'autre, vous auriez eu de très graves ennuis...

Nansen, l'un des plus célèbres explorateurs du pôle, avait, après la guerre de 14-18, élaboré un programme qui consistait à amener en Norvège des centaines d'orphelins allemands. Des familles norvégiennes les prenaient en charge. Par la suite, on les avait rapatriés. Johanna se rappelait très bien Axel Werner. Elle revoyait Rolf et lui se battant et roulant sur le talus herbeux d'un sentier, dans un nuage de poussière.

Axel avait été élevé avec ses frères. Il aidait à la ferme, faisait de l'escalade en montagne et allait à l'école avec eux. C'était cette même école dont Rolf avait maintenant la charge et où il essayait de préserver ses vingt-deux élèves de tous âges de l'endoctrinement nazi.

– En d'autres circonstances, dit Johanna, vous auriez été le bienvenu chez moi. Mais pas avec l'uniforme que vous portez...

Le visage de l'officier SS se durcit. Mais il se contrôla et répondit d'un ton égal :

– Il est grand temps que vous et les vôtres acceptiez notre présence et compreniez les avantages que vous pouvez tirer de la protection du Troisième Reich. Nous sommes ici pour vous préserver des visées impérialistes de l'Angleterre qui, vous ne l'ignorez pas, posait des mines dans les eaux norvégiennes pour couler votre flotte.

– Si les Anglais ont posé des mines, c'était pour empêcher les navires allemands d'envahir la Norvège.

Il la considéra un moment avec commisération.

– Pour une fille qui paraît intelligente, vous êtes étonnamment naïve ! Nous sommes venus chez vous en toute amitié et nous avons été rejetés par un roi et un gouvernement qui ne se sont pas souciés du sang qu'ils allaient faire couler... Ils auraient pu l'éviter... Voyez le Danemark : le roi Christian, lui, a compris l'esprit dans lequel nous arrivions et il a ainsi épargné bien des vies.

Elle avala péniblement sa salive.

– D'après ce que j'ai entendu dire, bon nombre de Danois n'acceptent pas votre régime !

Il se pencha en avant et appuya les coudes sur son bureau.

– Bien, bien... Mais, chère Johanna, j'aimerais savoir où vous avez pu entendre de telles informations ?

Le jeu du chat et de la souris commençait... Elle venait de commettre une erreur.

– Les rumeurs de ce genre circulent vite de nos jours, répondit-elle simplement.

Il releva le menton d'un air condescendant puis se renversa en arrière.

– Ne vous laissez pas induire en erreur par ces ragots sans fondement. Les gens inventent n'importe quoi. Ils déforment les faits dans le seul but de nous faire du tort. Vous feriez mieux de servir votre pays en vous réconciliant, vous et vos amis, avec vos origines.

Une lueur de fanatisme éclairait son regard. Il poursuivit :

– La Norvège est un pays remarquablement homogène. Le sang du Nord y est resté pur au travers des siècles. La race aryenne y est représentée dans toute sa splendeur, yeux bleus, cheveux blonds, peau claire... Vous, Norvégiens, et nous, Allemands, sommes très proches, nous sommes pratiquement identiques : tous aryens, compagnons de lutte. Nous voulons un esprit sain dans un corps sain. Vous devez nous aider à créer une race parfaite pour repeupler le monde.

Johanna le dévisagea longuement... Elle avait devant elle un homme qui avait passé une partie de son enfance dans son pays, qui avait vécu au sein de sa famille, qui avait appris à connaître son peuple – un peuple à qui la race, la couleur ou les croyances importaient si peu. Et malgré tout, il avait pu se transformer en nazi acharné.

Elle réussit, une nouvelle fois, à se contrôler.

– Puis-je m'en aller maintenant ?

Il jouait avec un crayon et l'observa un moment.

– Vous rappellerez-vous tout ce que je vous ai dit aujourd'hui ?

Elle acquiesça d'un signe de tête. Il était loin d'être stupide et savait qu'elle lui était hostile. Mais il était convaincu, dans son for intérieur, que sa plaidoirie porterait ses fruits. Il ne partageait pas entièrement le point de vue du Führer sur les femmes. Il pensait que leurs capacités ne se limitaient pas à la cuisine et au lit. Ce n'était pas sa faute à elle, après tout, si son pays s'était trop longtemps tenu à l'écart des courants d'idées qui traversaient le monde. Tout rentrerait dans l'ordre quand des hommes et des femmes de la trempe de Johanna prendraient fait et cause pour le Troisième Reich et feraient de la Norvège ce qu'elle devait être. Il saisit la déposition qu'on avait placée sur son bureau, la déchira sans se presser, jetant un à un les morceaux dans la corbeille à papier.

Puis Axel Werner lui sourit d'un air bienveillant.

– Voici mon cadeau, en témoignage d'amitié.

Il n'attendait aucun remerciement. Il n'en reçut pas et ne s'en montra pas découragé. On n'en était qu'au premier stade. Tout cela se décanterait plus tard. Il poursuivit sur le ton d'une banale conversation mondaine.

– Et comment vont vos parents ? Bien, je l'espère. J'ai appris en lisant votre dossier l'évolution de la carrière de vos frères.

La réponse de Johanna fut lapidaire :

– Ma mère et mes frères se portent bien ! Quant à mon père, il a été frappé par vos soldats l'été dernier et il a bien du mal à s'en remettre.

Axel Werner resta impassible.

– Je souhaite à votre père un prompt rétablissement... Vous voudrez bien transmettre toutes mes amitiés à votre famille. Edvard et Gina ont été si accueillants pour moi ! J'étais dans un état lamentable quand je suis arrivé chez eux; la faim me tenaillait et j'étais en haillons. Maintenant que notre Führer a établi un Ordre nouveau en Allemagne, cela ne se reproduira plus. J'aimerais vous en parler plus longuement quand nous en aurons l'occasion.

Il se leva, fit le tour du bureau et l'accompagna jusqu'à la porte. Là, il claqua les talons et s'inclina.

– À bientôt, Johanna.

Elle avait envie de sortir en courant pour fuir au plus vite cette atmosphère contaminée et aspirer enfin une bouffée d'air pur. Mais elle s'efforça de marcher calmement, la tête haute, jusqu'au coin de la rue.

Au mois de mars, les Allemands furent en alerte dans tout le pays. Des Norvégiens entraînés en Angleterre sous les ordres d'un de leurs compatriotes, Martin Linge, officier qui donna son nom à une compagnie, attaquèrent les îles Lofoten. Ce commando était composé d'hommes d'un courage à toute épreuve, qui avaient gagné l'Angleterre au péril de leur vie. D'autres raids suivirent sur le continent. La jubilation de la population fut toutefois rapidement étouffée sous de violentes représailles, des arrestations et des fusillades en masse.

Johanna avait décidé d'abandonner son travail au magasin pour rentrer à Ryendal. Elle avait sollicité un laissez-passer, qu'elle avait fini par obtenir grâce à un certificat médical expliquant que la santé de son père s'était considérablement détériorée et nécessitait sa présence.

Sonja était désolée que Johanna s'en aille. Personne n'avait été engagé pour la remplacer : la femme de Leif ferait elle-même la comptabilité. Si Leif avait choisi d'organiser les choses de cette façon, c'était parce qu'il était à présent très engagé dans la Résistance. Le mouvement antinazi s'était étendu au pays tout entier et s'articulait autour d'un noyau militaire très dur, le Milorg, qui coordonnait toutes les activités subversives. Leif avait promis à Johanna qu'elle pourrait reprendre son poste quand elle le désirerait. Puis, il lui avait demandé si elle serait volontaire pour participer à la Résistance dans la région d'Alesund. Elle avait accepté avec enthousiasme.

Le moment du départ arrivait, elle ferma la maison des Alsteen et prit un taxi pour la gare d'Ostbane. Elle espérait qu'il n'arriverait rien à la demeure de ses amis. On commençait, hélas, à confisquer les biens des juifs et l'avenir, de ce point de vue, était incertain. À la gare, elle dut faire la queue. Bien évidemment, les militaires avaient priorité sur tout le monde. Elle trouva enfin une place. Le voyage allait être long, plus long qu'en temps de paix.

Le train démarra à dix-neuf heures. En raison du black-out, les stores devaient être baissés et la faible lumière dans les compartiments rendait difficile toute lecture. Il n'y avait pas de wagon-restaurant. Dans les gares, il fallait se ruer sur le quai à la recherche d'un sandwich ou d'un bouillon chaud.

Johanna s'assoupit à plusieurs reprises mais la nuit lui parut interminable. La venue de l'aube fut un soulagement. On releva les stores. Le paysage, ici, était si différent de celui du Sud ! De chaque côté de la voie, la chaîne des hautes montagnes de l'Ouest se découpait dans le ciel pur du matin. Leurs sommets neigeux étincelaient sous les premiers rayons du soleil. Les cascades, alimentées par la fonte des neiges, déferlaient en bouillonnant. De tous les versants ruisselaient de petits cours d'eau qui brillaient comme autant de filons d'argent dans la lumière du printemps. Les hauts pâturages, juste au-dessus de la ligne des arbres, avaient abandonné leur aspect hivernal. L'herbe qui les recouvrait était déjà d'un vert cru. Plus bas s'étendaient les forêts profondes dont les sapins, les pins et les bouleaux argentés cachaient les sentes. À leur lisière s'épanouissait une luxuriance de fougères et de fleurs sauvages. Puis venaient les vallées qui s'élargissaient en champs cultivés. Dans les prés, les arbres fruitiers étaient en fleurs. On apercevait de vieilles fermes avec leurs colombages noircis par les siècles. Les maisons de construction plus récente étaient peintes en blanc, en ocre, ou en bleu de Prusse. Les granges, elles, étaient toujours d'un rouge tirant sur le rouille.

Le train roulait maintenant avec fracas dans les gorges profondes de la Roms, réglant son allure sur celle des eaux en crue qui bondissaient au-dessus du roc en direction du fjord. Johanna se tordait le cou pour apercevoir les sommets déchiquetés de la chaîne appelée, à juste titre, les Dents des Trolls. Elle voulait tout voir, elle était de retour chez elle...

Elle descendit à Andalsnes, sur le fjord de Romsdal. Le train continuait vers le nord. Il était presque midi et il faisait beau. Elle s'engagea sur le quai et, sans qu'elle sache pourquoi, son attention fut attirée par la silhouette d'un homme, devant elle, parmi les passagers gagnant la sortie. Grand, vêtu de façon quelconque, une casquette de drap enfoncée sur ses cheveux noirs, il tenait à la main une petite valise marron et cabossée. Quelque chose dans son allure lui était familier. C'était peut-être quelqu'un de la région qu'elle n'avait pas vu depuis longtemps. Elle pressa le pas pour le rattraper. S'il s'agissait bien d'une connaissance, ils pourraient faire le reste du voyage ensemble.

L'homme se frayait un chemin à travers la foule et regardait droit devant lui. Elle ne parvenait pas à apercevoir son visage et trop de gens les séparaient pour qu'elle puisse s'en approcher. Quand elle sortit de la gare, il avait disparu.

Elle l'oublia et s'engagea dans la rue pittoresque qui descendait en serpentant jusqu'aux quais. Le bateau à vapeur qui lui permettrait de franchir les derniers kilomètres la séparant de chez elle attendait. Une fois à bord, elle s'appuya au bastingage pour contempler l'eau miroitante.

Les derniers passagers embarquaient, le départ était imminent. Des soldats allemands surveillaient le quai et dispersaient tout rassemblement.

C'est alors qu'elle vit de nouveau l'homme qu'elle avait aperçu à la gare. Comme tous les voyageurs montés avant lui, il présenta son laissez-passer au garde posté au pied de la passerelle. Ce dernier lui fit un signe de tête et l'homme monta à bord.

Il leva la tête et leurs regards se croisèrent. C'était Steffen ! Il déboucha sur le pont et, sans le moindre signe de reconnaissance à son intention, prit la direction opposée.

Elle comprit alors qu'il l'avait vue aussi à la gare et qu'il savait qu'elle se trouverait sur le bateau.

Elle concentra son attention sur les préparatifs du départ : on larguait les amarres. Le vapeur s'engagea dans le fjord, laissant derrière lui un sillon émeraude. L'excitation la gagnait. Steffen était à bord ! Quelle étrange façon de se retrouver, sans pouvoir s'approcher !

Dans le coup d'œil aigu et rapide qu'il lui avait jeté, elle avait discerné à la fois un avertissement et un signe d'amour.

5

La traversée fut agréable. Il ne fallait que quelques heures pour descendre le fjord et le bateau faisait souvent escale sur l'une des rives. Il n'y avait pas une ride à la surface de l'eau.

Johanna découvrit bientôt que Tom Ryen, un cousin de son père, était à bord. Il la salua chaleureusement.

– Quelle bonne surprise de te voir là !

C'était un homme solidement bâti, aux cheveux couleur de sable et au visage jovial. Veuf depuis plusieurs années, il avait été major dans l'armée et avait participé à la bataille de Narvik. Elle fut heureuse de le revoir. Elle avait toujours aimé sa compagnie. Il était aussi élégant que par le passé. Son costume et son pardessus bien coupés paraissaient neufs, chose rare désormais. Il alla chercher du café. Il n'y avait ni crème, ni sucre et le breuvage était encore pire que d'habitude.

– Alors, que deviens-tu ? demanda-t-il. Fais-tu toujours du secrétariat ? La dernière fois que l'on m'a parlé de toi, tu travaillais à Oslo.

– J'en suis partie hier matin.

Elle lui raconta brièvement tout ce qui lui était arrivé, évitant, toutefois, de parler de la fuite des Alsteen.

– Et vous, depuis combien de temps n'êtes-vous pas allé à la ferme ?

– Plusieurs mois. J'ai été très occupé depuis que j'ai rangé mon uniforme. À présent, j'ai trouvé un emploi dans l'administration. Eh oui ! la roue tourne. Je passerai à Ryendal un de ces jours, j'aimerais bien discuter un peu avec ton père. J'ai installé un poêle à bois sur ma voiture. On ne va pas très vite, mais c'est mieux que rien...

En se promenant sur le pont, ils passèrent devant Steffen, appuyé au bastingage. Il semblait perdu dans la contemplation du paysage. Elle s'interdit le moindre coup d'œil ou la moindre marque d'attention, mais arrivée à sa hauteur, elle fut si troublée qu'elle en perdit le fil de sa conversation avec Tom.

Arrivée à destination, elle fit ses adieux au cousin Tom Ryen. Il descendait à Alesund; Steffen aussi. C'était le terminus du vapeur.

– Fais bien toutes mes amitiés à Gina et Edvard ainsi qu'à tes frères. Je n'oublierai pas ma promesse, je passerai un de ces jours. J'espère qu'Edvard se remettra vite.

– Rolf m'attend. Vous pourriez descendre avec

moi et lui dire un mot. Vous avez le temps, le bateau met toujours un bon moment pour charger et décharger.

Elle eut la nette impression que Tom s'était raidi. Il devint, en tout cas, plein de réserve.

– Non, non... merci. Je ne voudrais pas être importun. Allez ! Va voir s'il est là. Prends bien soin de toi et à bientôt.

Elle trouva bizarre ce changement d'attitude, mais n'y pensa plus dès qu'elle aperçut Rolf sur la jetée. Il agita les bras et cria :

– Bonjour, petite sœur ! Comment ça va ?

– Bien ! hurla-t-elle depuis le bastingage.

Elle sauta à terre.

– Comment va père ?

– Il ira encore mieux quand il te verra. Mère est en pleine forme et tout tourne rond à la ferme.

Ils se dirigèrent vers la charrette. Elle courut en avant pour taquiner le vieux cheval et lui donner le sandwich qu'elle avait gardé spécialement pour lui. Il s'appelait Nils-Arne. Il était beige, avec une bande sombre des naseaux à la queue – signe caractéristique de la pure race de la côte ouest.

– Je suis si contente que Nils-Arne soit toujours avec nous, dit-elle.

– C'est son âge qui l'a sauvé, répondit Rolf. Les Allemands ont pris les meilleurs chevaux dans toutes les fermes.

– Pour moi, il sera toujours le plus beau cheval du monde ! dit Johanna.

Elle grimpa sur la banquette et s'assit à côté de son frère. En se retournant pour observer le pont du bateau, elle n'aperçut ni Steffen ni Tom Ryen. Elle se mit à raconter son voyage et parla de sa rencontre avec Tom. Rolf leva les sourcils.

– Des bruits circulent à son sujet. Et nous n'aimons pas tellement ça. On dit qu'il est responsable d'un bureau de recrutement pour construire un aéroport pour les Allemands.

– Ce n'est pas possible ! Pas Tom !

– Tu sais, on voit de tout, de nos jours...

Ne voulant pas assombrir son retour, Rolf changea de sujet. En haut d'une côte, il fit halte. C'était l'un des sites préférés de Johanna. La famille y faisait toujours une pause en rentrant de voyage. Au bord de l'eau, l'église octogonale de bois, toute blanche, dominait un groupe de maisons qui formaient le hameau de Ryendal.

Johanna suivit du regard la route qui bifurquait devant l'église pour rejoindre celle qui menait à Alesund, où Steffen allait descendre. Alesund était proche par la route, mais le vapeur devait contourner les promontoires montagneux avant d'atteindre le port.

Le chemin grimpait jusqu'à un cul-de-sac en passant devant la ferme des Ryen.

– On y va ? dit-elle.

Dans le soleil de cette fin d'après-midi, Johanna s'imprégnait de la vue, de l'odeur et des bruits de son terroir natal. La charrette passa devant des fermes que Johanna connaissait bien pour y avoir joué enfant. Les toits des maisons les plus anciennes et des granges étaient recouverts de mottes de gazon. Ils arrivèrent en vue de l'école, située un peu plus haut, en retrait de la route. Rolf la désigna du menton.

– Il faudra que tu viennes m'y rendre visite un de ces jours. J'ai des enfants de tous les âges. À propos, sais-tu que l'enseignement de l'anglais est désormais interdit ? L'allemand doit devenir la seconde langue des Norvégiens.

– Oui, je l'ai entendu dire. Ce doit être pénible d'avoir perpétuellement les Allemands sur le dos, non ?

– Nous sommes des milliers d'instituteurs embarqués sur la même galère. Nous avons déjà eu de graves conflits avec l'administration allemande. Et ce n'est pas fini... Cela ne leur suffit pas d'avoir pris possession de notre pays et de nous avoir volé notre liberté. Ce qu'ils veulent maintenant, c'est embrigader nos enfants. Heureusement, la corporation des enseignants tout entière est devenue un puissant bastion de la Résistance...

Il n'y avait pas que les enseignants à s'être organisés de la sorte. Médecins, dentistes, agriculteurs, pêcheurs et bien d'autres avaient démissionné en masse de leurs syndicats pour créer des organisations clandestines parallèles. Jusqu'à présent, seuls les syndicats avaient échappé à un contrôle direct du Reichskommissar Terboven.

Johanna regarda Rolf à la dérobée.

– J'espère trouver ici une chance d'aider la Résistance.

– Et en faisant quoi ? demanda-t-il.

Elle haussa les épaules.

– N'importe quoi. Tu dois bien avoir une idée, toi ?

Il secoua la tête.

– Calme-toi, Johanna. La région est infestée d'Allemands, ils sont après nous comme des guêpes... Un de leurs bateaux de patrouille a été saboté dans le fjord et ils ont arrêté beaucoup de monde.

Elle se tut. Leif lui avait assuré qu'on la contacterait. Il suffisait d'attendre.

La route grimpait toujours. Ils dépassèrent un bosquet et la ferme familiale apparut enfin. D'un seul regard, Johanna retrouva le toit de bardeaux gris tourterelle, les fenêtres peintes en bleu comme la porte et le porche. Et, un peu plus loin, la grange rouge, avec son toit de gazon.

Derrière la fenêtre du salon, Gina Ryen guettait leur arrivée. Elle surgit sous le porche. C'était une petite femme aux cheveux d'un gris soyeux, qu'elle portait en chignon. Elle était si menue qu'on aurait dit un oiseau. Son visage marqué par tant d'années de dur labeur s'éclairait d'un sourire toujours un peu inquiet.

Johanna sauta de la charrette et courut vers sa mère pour l'embrasser.

– Je suis si heureuse d'être ici !

– Bienvenue à la maison, mon enfant.

Gina montrait toujours une certaine réserve, même avec sa fille. Elle avait été élevée dans une vallée retirée, loin de Ryendal, et son éducation lui interdisait toute extériorisation de ses sentiments. Rien dans son comportement, à l'exception de ses pommettes plus colorées que de coutume, ne laissait deviner la joie que lui procurait le retour de sa fille. Elle se libéra de l'étreinte de Johanna et lui tapota l'épaule. Puis Edvard apparut dans l'encadrement de la porte. La mère observa, avec un sentiment proche de l'envie, les retrouvailles du père et de sa fille. Après une première embrassade, Johanna se dégagea pour mieux examiner son père tout en gardant ses mains dans les siennes. Il se mit à la taquiner.

– Je t'ai fait revenir pour rien !

Elle s'était préparée à le trouver changé mais elle eut un choc : le teint hâlé de l'homme habitué à vivre au grand air avait pâli et ses cheveux étaient tout blancs. Elle lui répondit cependant sur le même ton badin.

– Je vois, je vois... Mais tant pis ! Je ne pouvais pas rester loin de vous plus longtemps. L'été arrive et vous aurez besoin de moi à la ferme, puisque Steffen n'est plus là pour vous aider.

Ils se laissèrent aller à un joyeux bavardage dont Gina se sentait complètement exclue; elle aimait pourtant ses enfants : ils étaient tout pour elle. Après la naissance de leur premier-né, Edvard avait compris qu'il passerait désormais au second plan. Il ne lui en avait pas tenu rigueur.

Dans la cuisine, Karen Hallstead attendait près de la table qu'elle avait dressée pour le dîner. Johanna la trouva très belle. Son visage régulier avait du caractère, ses yeux étaient violets, son teint sans défaut, ses cheveux d'un blond soyeux. Elle souriait avec chaleur et naturel.

– J'étais impatiente de vous voir, dit-elle à Johanna. Maintenant, je connais toute la famille.

– Vous avez été une aide précieuse pour ma mère, je vous en suis vraiment reconnaissante.

Karen haussa les épaules avec modestie.

– Je n'ai fait que mon travail. Le médecin essaie en ce moment de nouveaux médicaments pour remettre votre père sur pied; s'ils sont efficaces, nous n'aurons plus aucun souci à nous faire.

Si on lui avait demandé de préciser sa position dans la maison, Karen aurait répondu qu'elle était la bonne, sans aucun sentiment de servilité. Fille de fermiers, elle ne faisait que suivre une vieille coutume en apportant une aide domestique à une autre famille de paysans. Les jeunes filles devaient quitter leur foyer pour aller travailler ailleurs. En général, elles arrivaient en avril et repartaient en octobre. Cette tradition avait pour objet d'éviter, dans les vallées reculées, les mariages consanguins. Celles qu'une carrière en ville n'intéressait pas trouvaient de cette façon un mari parmi les agriculteurs. En interdisant les déplacements, la guerre avait interrompu cette coutume. C'est parce qu'elle allait aider une famille qui comptait un malade que Karen avait pu venir à Ryendal.

Lorsque Gina était venue à la ferme des Ryen, des années auparavant, elle n'avait pas l'intention d'y rester au-delà des six mois prévus. Mais la passion qu'elle avait inspirée à Edvard lui avait immédiatement fait perdre la tête – pour la seule et unique fois de sa vie. Elle s'était crue amoureuse de lui. Il ne lui avait pas fallu très longtemps pour constater que son mariage était une erreur. Que ce soit intellectuellement ou physiquement, ils n'avaient rien en commun. De plus, elle avait beaucoup souffert de la langue toujours acerbe de sa belle-mère... Puis, devenue elle-même maîtresse de la ferme, elle avait donné naissance à Rolf.

Johanna, par habitude, se mit à table à la place qu'elle avait toujours occupée dans son enfance. Rolf fit de même et s'assit à la gauche de son père. Celui-ci se tenait à un bout de la table et Gina lui faisait face, à l'autre extrémité. Karen prit place à côté de Johanna. Le dîner fut très simple. Le pain était bis. Les fermiers devaient rendre compte de leurs récoltes. Ils utilisaient donc une farine grossière, faite des ingrédients les plus bizarres, y compris des algues séchées. Le beurre était fabriqué à la ferme, mais il y en avait très peu. On servit du veau et de l'agneau, et l'on but du lait. Tout cela fut un délice pour Johanna : en ville, on manquait de tout.

– Après l'agnelage, dit Rolf, nous avons caché des agneaux dans les étables de la montagne. Nous y avons aussi du bétail. Tout le monde fait la même chose ici. Évidemment, de cette façon, nous ne pouvons pas garder beaucoup de bêtes, mais c'est toujours ça qui ne va pas aux Allemands.

– Et s'ils entendaient leurs meuglements ? dit Johanna.

– Aucun danger. L'étable est trop éloignée de la vallée et les chutes d'eau couvrent tous les bruits. Nous avons déjà eu plusieurs alertes et nous avons caché les animaux encore plus haut. Les soldats ont peur d'aller dans la montagne, ils s'y sentent vulnérables.

– Mais alors, la montagne est à nous ! s'exclama Johanna. Nous sommes libres d'aller et venir à notre guise.

– Oui, excepté quand il existe des pistes assez larges pour que les Allemands puissent les emprunter avec leurs véhicules. Heureusement pour nous, il n'y en a pas aux alentours.

Pendant tout le repas, la conversation fut très animée. Rolf et Karen riaient beaucoup ensemble et avaient l'air de bien s'entendre, mais Johanna pensait que son frère ne s'était jamais complètement remis d'un amour de jeunesse malheureux. Au contraire d'Erik, il n'avait pas un tempérament de séducteur.

Dès le lendemain, elle écrivit à la tante de Steffen pour lui proposer d'aller la voir. Alesund se trouvait dans une zone de déplacement autorisé et elle n'aurait aucune difficulté à s'y rendre. Puis elle décida de faire une longue promenade. Elle s'engagea à travers bois, passa le pont sur la rivière que remontaient les saumons au milieu de l'été. Elle s'appuya à la balustrade et regarda l'eau qui courait en bas, si transparente qu'on apercevait les truites mouchetées filer comme des flèches entre les rochers. Elle discernait même les petits cailloux translucides semblables à ceux que Steffen avait ramassés sur les bords du lac pour lui faire un collier.

Quand donc se reverraient-ils ? Elle était certaine qu'il la contacterait dès que tout danger serait écarté. Mais quand ? Sa tante, peut-être, lui donnerait de ses nouvelles ?

Incapable de rester plus longtemps immobile, elle reprit sa marche. L'air embaumait le muguet. Elle grimpa jusqu'à un site d'où l'on apercevait la ferme. Elle s'assit sur le rebord d'un rocher et contempla la vallée.

L'attente passive que Rolf lui avait conseillée n'était pas pour elle. Elle voulait prendre immédiatement une part active au combat de la Résistance. Elle se sentait prête à tout, aux tâches les plus ingrates comme aux plus modestes.

Par retour du courrier, Johanna reçut une réponse de la tante de Steffen. Froken Astrid Larsen l'invitait à déjeuner. Gina mit dans un paquet des saucisses faites à la maison et du beurre. Un voisin emmena Johanna à Alesund dans son cabriolet. Il la déposa dans le centre, au pied du rocher qui dominait la ville et dans lequel nichaient des centaines de mouettes. Leurs cris aigus et leur tournoiement faisaient partie des scènes familières du port. Elle avait toujours aimé Alesund, construit sur trois îles reliées par des ponts, avec ses maisons collées les unes contre les autres, ses entrepôts couleur pastel et la mer qui léchait les quais à chaque tournant de rue. Les mâts des bateaux de pêche se dressaient aussi serrés que les piquets d'une clôture.

Par le passé, elle s'était plusieurs fois trouvée à Alesund quand le cri annuel, « les harengs arrivent ! », partait du port et gagnait la ville. On entendait alors le ronflement de centaines de moteurs Diesel et la flotte des bateaux de pêche prenait la mer et jetait ses filets en eaux peu profondes. Sur des kilomètres l'eau miroitait comme du métal en fusion. Les limites du périmètre de pêche étaient réglementées. Désormais, on ne pouvait pas s'aventurer au-delà de six kilomètres au large, sous peine de se faire mitrailler par la Luftwaffe ou une vedette garde-côte : Alesund était devenu le point de départ favori de tous ceux qui voulaient quitter la Norvège. Le nombre de soldats, sur les quais et dans toute la ville, témoignait de la vigilance allemande. Sur les murs était placardé un avertissement : *Toute tentative de fuite sera punie de mort.* Un grand nombre de candidats à l'évasion s'étaient déjà fait prendre. Ils avaient tous été exécutés. Il s'agissait, le plus souvent, de très jeunes gens.

La maison de la tante de Steffen occupait un site exceptionnel. Construite au milieu des bois, elle surplombait le port et, par-delà les îles, avait vue sur la mer. On y arrivait par une route sinueuse qui traversait le quartier résidentiel. Des maisons gracieuses s'élevaient au milieu de jardins soignés et de vergers fleuris. Johanna reconnut tout de suite la maison d'Astrid Larsen – celle-ci la lui avait décrite dans sa lettre. C'était une construction assez imposante de couleur ambre, les portes et les fenêtres étaient soulignées de blanc et quatre têtes de dragon semblaient supporter le toit. De loin on aurait dit un bateau viking.

Avant d'atteindre le portail, Johanna se figea sur place : une demi-douzaine de véhicules allemands stationnaient devant la clôture. Elle crut d'abord qu'il s'agissait d'une inspection de routine, puis elle remarqua deux énormes voitures – de celles qu'utilisaient les membres haut placés de la Gestapo ou de la Wehrmacht. Les chauffeurs faisaient les cent pas tout en devisant et en fumant. Elle hésitait, quand une femme d'un certain âge, très distinguée, lui fit signe d'avancer. Johanna se dirigea vers elle, ignorant les sifflets et les commentaires des Allemands sur son passage.

– Ne faites pas attention à eux, dit Astrid Larsen. Suivez-moi par ici...

La tante de Steffen n'alla pas vers l'entrée principale. Un officier en sortait. Il parlait à quelqu'un dans le hall par-dessus son épaule tout en lissant ses gants. Elle gagna une entrée latérale et elles pénétrèrent sous une véranda. Astrid se retourna alors vers Johanna avec un sourire chaleureux.

– Soyez la bienvenue chez moi, tout au moins dans la petite partie de la maison qu'il m'est encore permis d'habiter.

– Merci, répondit Johanna.

Elle ne put retenir plus longtemps la question qui lui brûlait les lèvres.

– Avez-vous des nouvelles de Steffen ?

Astrid Larsen mit un doigt sur sa bouche et d'un mouvement de tête indiqua les portes à double battant derrière elle. Puis elle murmura à l'oreille de Johanna.

– Il est en sécurité. Tout va bien. (Elle continua à haute voix :) Voulez-vous ôter votre veste ?

Johanna était sur des charbons ardents. Astrid était donc en contact avec Steffen.

Elle tendit à la vieille dame le paquet que sa mère avait préparé à son intention.

– De la part de ma mère. Nous avons une ferme, ce qui veut dire que nous sommes privilégiés.

Astrid accepta ce cadeau avec un plaisir évident.

– Il faut que vous me pardonniez de vous avoir fait entrer comme cela, à la va-vite... Mais je n'avais pas envie de vous voir plus longtemps au milieu de ces soldats. Vous êtes trop jeune et trop jolie...

Des bruits étouffés se firent entendre derrière la double porte. Johanna s'inquiéta. Astrid, contenant sa colère, lui dit à voix basse :

– J'espérais que vous l'auriez deviné mais je vois que non. Ils ont fait de ma maison un bordel pour les officiers. Ils ont dû la choisir en raison des facilités de stationnement ! Parfois, il y a beaucoup de bruit de l'autre côté de ces portes.

Johanna resta sans voix. Elle avait entendu parler d'un navire allemand transformé en bordel et qui se transportait de port en port dans les fjords. Mais elle ignorait que les plus jolies maisons avaient été réquisitionnées à cet usage. Que ce fût arrivé à cette vieille dame, si digne et si tranquille, lui parut particulièrement cruel.

– J'aurais dû comprendre en entendant les réflexions des chauffeurs. C'est pure naïveté de ma part de ne pas m'en être doutée.

– Vous comprenez donc l'allemand ? Moi aussi, mais je fais semblant de l'ignorer. Cela m'évite des conversations pénibles quand les filles m'appellent des fenêtres. Elles me prennent pour une gâteuse et cela m'arrange bien !

– Depuis combien de temps votre maison est-elle réquisitionnée ?

– Quatre mois. On m'a donné une heure pour déménager dans cette partie de la maison. Dans la pièce où nous nous trouvons, nous organisions des fêtes quand Steffen était plus jeune. Elle donne sur un petit office que j'ai transformé en cuisine. Au-dessus se trouvent une chambre et une salle de bains. Voilà. Je vis en paria dans ma propre demeure.

– Avez-vous laissé le reste de la maison tel quel ?

– Hélas oui ! Il y a de la porcelaine et bien des choses que j'aurais dû déménager, mais j'étais si bouleversée quand c'est arrivé que je n'ai pas eu cette présence d'esprit. Et je ne peux me résoudre à y retourner tant que les Allemands y sont. Enfin... Après ce voyage, vous voulez sûrement passer à la salle de bains. Je vais mettre le cadeau de votre mère dans la cuisine, il y fait plus frais qu'ici.

Elle se leva avec vivacité, comme pour cacher sa détresse.

À l'étage, toute communication avec la partie principale de la maison avait été soigneusement condamnée. Astrid avait même poussé une commode devant l'une des portes. Johanna redescendit et fit le tour de la grande pièce vert et blanc – un endroit raffiné qui convenait à merveille à l'élégance naturelle de la tante de Steffen. Sa coiffure et sa robe appartenaient à un autre âge, mais elle avait beaucoup d'allure. Astrid avait dû choisir les meubles de ce salon quand elle était jeune. Tout y était de style Art Nouveau. Il y avait une paire de chandeliers d'argent superbes; deux femmes drapées de voiles élevaient au-dessus de leur tête un bouquet de lis, et du calice de chaque fleur émergeait une bougie. Mais le plus spectaculaire c'étaient les trois tableaux d'Edvard Munch. Ils couvraient un mur entier. Deux d'entre eux représentaient des couchers de soleil et les tons de rouge et de feu symbolisaient la splendeur d'une chaude journée à son déclin. Le troisième était un délicat portrait de jeune fille en robe blanche. C'était Astrid. On reconnaissait son nez un peu long, sa bouche large et ses yeux sombres. Dans ce temps-là, ses cheveux tiraient sur le roux. Johanna, médusée, retint son souffle. Puis, comme la vieille dame rentrait dans la pièce, elle lui demanda :

– Vous avez connu Munch ?

– Je l'ai connu, oui. Il y a bien longtemps.

– Était-il aussi beau qu'on le dit ?

Astrid sourit avec malice.

– Il avait la réputation d'être le plus bel homme de Norvège et... c'était vrai. Il était bien plus beau que vous ne pouvez l'imaginer.

– Ce portrait de vous est ravissant !

– Il l'a peint chez lui, à Asgardstrand, sous des pommiers, dans le jardin de sa maison qu'il aimait tant. Je passais l'été là-bas avec des amis... Si mon père l'avait su, il ne m'aurait jamais permis d'y aller. Munch jouissait d'une solide réputation de séducteur et les gens du coin le regardaient passer en se cachant derrière leurs rideaux de dentelle. Ce fut l'été le plus heureux de ma vie. Savez-vous qu'il garde toutes ses œuvres à présent ? Il vit aux environs d'Oslo, comme un reclus, et peint les moments de son passé... J'ai beaucoup de chance d'avoir ces tableaux.

Johanna contemplait ces portraits d'un été enfui et se demandait quelle avait été la nature des relations entre la très jeune fille et l'artiste. Était-ce là la raison pour laquelle Astrid ne s'était jamais mariée ? Il aurait peut-être été préférable que Munch ne lui ait pas donné ces tableaux... Instinctivement, Johanna porta les mains à son collier. Il était aussi évocateur pour elle que ces toiles l'étaient pour la vieille dame.

– Parlez-moi de Steffen, Froken Larsen. L'arrivée d'un jeune garçon a dû compliquer votre vie ?

Astrid éclata d'un rire joyeux.

– Ah ça, oui ! Quand il fut remis de la mort de sa mère, j'ai retrouvé en lui le caractère de mon frère, turbulent, facétieux et fou de sport. Sa mère et lui avaient fait de longs séjours à la maison quand il était petit. À la mort de celle-ci, il trouva normal de venir vivre chez moi quand son père partait en mer. Puis, au cours d'un voyage, mon frère mourut à son tour; et j'ai dû remplacer à la fois la mère et le père de Steffen. Je me suis efforcée de respecter leurs souhaits en ce qui concernait son éducation anglaise. Pendant que je finis de préparer le déjeuner, je suis sûre que vous aimeriez jeter un coup d'œil à...

Elle alla à un secrétaire en bois de rose et en sortit un grand album de photos. Johanna s'assit et l'ouvrit sur ses genoux. En tournant les pages, elle suivit Steffen de l'enfance à l'adolescence et jusqu'à l'âge d'homme. Sur les photographies où il était étudiant ainsi que sur celles de ces dernières années, la gent féminine était largement représentée. En Angleterre comme en Norvège, Steffen était inévitablement flanqué d'une jolie fille. Cependant, au cours du déjeuner, Astrid mit un point d'honneur à expliquer à Johanna que son neveu n'avait encore jamais voulu lui présenter l'une de ses conquêtes. Et pour achever de la mettre à l'aise, elle lui dit :

– Vous pouvez m'appeler Astrid, comme le fait Steffen... Cela me rajeunira.

Elle jeta un coup d'œil à la montre en or qu'elle portait en sautoir.

– C'est l'heure, il doit être là, à présent.

– Steffen est ici ?

Malgré sa stupeur, Johanna avait baissé le ton. Astrid se leva d'un air décidé.

– Dans le placard sous l'escalier, il y a un passage étroit qui mène à un cellier complètement indépendant de celui qui se trouve sous la maison. Il appartenait jadis à une ferme qui jouxtait cette aile de la maison. Quand les Allemands ont inspecté la propriété, ils ne l'ont pas découvert. Enfant, Steffen en avait fait un repaire de pirates, puis de Vikings. C'est une cachette idéale.

– Il se cache donc ici, au nez et à la barbe des Allemands ?

– C'est beaucoup mieux ainsi. C'est bien le dernier endroit où ils iraient le chercher. Allez-y ! La porte de la véranda est fermée à clef et les rideaux vous protégeront des regards indiscrets. Si je donne le signal convenu avec Steffen, vous devez remonter immédiatement.

Johanna avait la bouche sèche. Tremblante d'excitation, elle gagna le placard sous l'escalier, poussa la porte, découvrit le passage et se retrouva dans le cellier. L'air y était glacial et l'obscurité totale... Soudain, une lampe s'alluma et à sa faible lueur elle aperçut le visage de l'homme qu'elle aimait.

– Tu es vraiment là ? dit-elle.

Il s'élança à sa rencontre, elle trébucha sur les marches raides et il la reçut dans ses bras. Elle s'accrocha à son cou et ne se ressaisit que lorsqu'il l'eut reposée à terre. Sans lâcher sa main, elle recula pour le contempler. Il avait vieilli et ses traits durcis portaient les traces des épreuves qu'il avait dû subir. Il se pouvait qu'il lui soit devenu étranger. Son baiser disait le contraire, mais elle n'était plus sûre de rien.

– Tu as l'air en forme, Jo, mais tu as minci...
Elle eut un petit sourire amer :
– Tout le monde a maigri en Norvège, excepté les occupants.
– Je me suis fait beaucoup de souci pour toi, dit-il.
– Je mourais d'envie de te parler sur le bateau.
– Et moi, j'ai dû résister à la tentation de m'installer dans ton compartiment dans le train.
– Tu es monté à la gare d'Oslo ?
– Oui, juste derrière toi.
– Depuis combien de temps es-tu en Norvège ?
– Deux semaines seulement.
Il lui passa un bras autour de la taille et ils s'assirent sur le banc devant la vieille table sur laquelle était posée la lampe.
– Il y a des choses que je peux te dire et d'autres que je dois taire. Par exemple, il m'est impossible de te révéler comment j'ai gagné l'Angleterre, car cette filière fonctionne toujours. Quand j'y suis arrivé, j'ai eu la chance d'être recruté par le capitaine Linge. Ainsi, j'ai été entraîné par sa compagnie, sous le contrôle de la SOE, l'organisation mise sur pied par Winston Churchill pour diriger la Résistance dans les pays occupés.
– Et maintenant, tu vas rester ici ?
– Disons que je vais continuer d'aller et venir. Ma tâche immédiate est de recruter et de former des agents pour organiser la Résistance dans cette région.
– Quelle sorte de résistance ?
– Sabotage, espionnage pour recueillir des informations sur les mouvements de la flotte allemande... Normalement, je ne devrais pas te parler de tout cela. On nous a donné l'ordre de nous tenir à l'écart de nos familles, et surtout de nos femmes.
Elle protesta.
– C'est une règle un peu dure, non ?
– Pas quand il y a tant de choses en jeu. Un mot, une simple remarque surpris par hasard peuvent faire échouer une opération minutieusement prépa-

rée. Les Anglais ont vite appris à se montrer prudents en toute occasion. Ils ont une attitude très responsable en ce qui concerne leur sécurité. Une affiche, placardée à des milliers d'exemplaires sur les murs de chaque ville, de chaque village, dans les autobus et dans le métro à Londres, dit : *Tout propos irréfléchi peut coûter des vies.* Le Milorg, pour l'instant, ne peut en faire autant ici. Mais nous, nous pouvons, individuellement, faire prendre conscience à nos compatriotes de l'importance du silence.

– Alors, pourquoi as-tu fait une exception pour moi ?

– Pour deux raisons, répondit Steffen avec calme. D'une part, quand j'ai décidé de transformer ce cellier en cachette, je ne pouvais le faire sans l'aide d'Astrid; d'autre part, je savais que tu finirais par devenir une habituée de cette maison. Tôt ou tard, tu aurais suspecté quelque chose. Il était donc plus sage de te mettre au courant sans tarder.

Johanna regarda autour d'elle. La lumière de la lampe n'atteignait même pas les parois de la cave, taillée à même le roc dans le flanc de la montagne.

– Quel immense cellier ! Je n'ai jamais rien vu de semblable.

– Il a en outre l'avantage de posséder deux entrées impossibles à détecter de l'extérieur. Elles passent sous un entassement de blocs de pierre accumulés dans un lieu très boisé. L'entrée de la maison ne peut être utilisée, excepté pour s'enfuir... Mais ça, il ne faut pas que cela se produise. La seule parade d'Astrid serait de feindre d'ignorer que la Résistance utilisait ce cellier pour s'y cacher...

– Elle est courageuse.

– Oui.

– Mais, continua Johanna, comment peux-tu aller et venir aussi librement ? Tu n'as pas peur que quelqu'un te reconnaisse ?

– Non. Je suis venu ici trop rarement depuis mon adolescence pour être vraiment connu. J'évite les endroits où je risque de rencontrer de vieilles connaissances. J'ai toujours en poche un assortiment de passe-partout, comme un cambrioleur. Si je devais me cacher rapidement, je pourrais entrer pratiquement n'importe où. Si on m'arrête pour une vérification d'identité, je possède une carte de membre de la police secrète pronazie de Quisling. Avec cela, je devrais pouvoir me tirer de n'importe quel mauvais pas...

– Tu as réellement pensé à tout !

– Ça vient avec l'entraînement. Après ce que tu as fait ces derniers mois, on pourrait en dire autant de toi !

– Que veux-tu dire ?

– Leif Moen a fait un rapport sur toi à l'un de mes contacts... Nous savons comment tu as fait passer les Alsteen en Suède.

– Comment vont-ils ? As-tu de leurs nouvelles ?

– Non... rien. Mais ne t'en fais pas ! Il n'y a pas trace d'eux de ce côté-ci de la frontière et de l'autre, en Suède, on s'occupe sûrement d'eux... Tout ce que l'on sait, c'est ce que tu as accompli, toi... et comment tu t'es tirée de l'interrogatoire. Et puis j'ai une autre excellente raison de me fier à toi : tu es dans les bonnes grâces du Milorg.

– Alors je suis qualifiée pour être un de tes agents, non ?

Il marqua une pause. Puis il répondit avec le plus grand calme :

– Je ne recrute que des hommes.

– Pourquoi ? Les femmes ne sont pas engagées dans cette guerre, peut-être ? N'ont-elles pas faim ? Ne sont-elles pas arrêtées, comme les hommes ?

– Il ne s'agit pas de ça... Tu vas comprendre : tout ce qu'on demande aux hommes que je dois recruter dépasse les forces physiques d'une femme. Ils doivent survivre, pendant des mois, cachés dans la montagne. Ils doivent apprendre à être des saboteurs, s'exercer à la guerre psychologique, s'entraîner à la guérilla. Enfin, ils doivent être capables de tuer à mains nues un ennemi. Voilà les plans du Milorg...

Mais il y a bien d'autres rôles à jouer pour une femme courageuse et intelligente. Je sais, par exemple, que dans cette région dont tu connais chaque mètre carré, tu seras pour moi d'un grand secours.

– Oui, d'accord, mais comment ? Dis-le-moi.

L'impatience de Johanna était touchante.

– Eh bien, déjà, en aidant Astrid du mieux que tu le pourras. Elle a un certain âge et cette situation lui est insupportable.

Johanna se tut, puis recula d'un pas et laissa sa colère éclater d'un coup.

– Comment oses-tu me proposer une tâche aussi absurde ! Crois-tu qu'Astrid aimerait me voir tourner autour d'elle à longueur de journée comme si elle était sénile ? Si Leif a proposé mon nom, ce n'est pas pour que l'on fasse de moi une garde-malade !

Piqué au vif, Steffen la saisit par les poignets et explosa à son tour.

– Mais bon sang ! Le fait que tu saches que je suis ici te met déjà suffisamment en danger. Ne compte pas sur moi pour te faire courir plus de risques encore.

Elle se dégagea d'un mouvement brusque et lui fit face.

– Tu ne me connais décidément pas très bien, même si nous avons fait l'amour ensemble. Tout est arrivé trop vite et trop tôt; et nous sommes toujours des étrangers l'un pour l'autre.

– Si c'est ce que tu as envie de croire, libre à toi !

– Tu ne me laisses pas le choix ! Si tu avais cherché à me connaître, tu accepterais ce que je te demande. Je veux seulement participer à la lutte. À n'importe quel prix ! Tu ne me comprends pas mieux que le nazi qui m'a interrogée !

Steffen devint blême. Il l'agrippa par les épaules. Il tremblait de fureur.

– D'accord ! D'accord ! Tu l'auras, ton rôle ! Et je te le promets, ce ne sera pas de la tarte. Et quand il faudra l'accomplir, tu t'en acquitteras jusqu'au bout ou tu y resteras.

Un instant, elle crut qu'il allait la repousser. Mais il lui plaqua le dos contre la roche et écrasa sa bouche sur la sienne. La violence de ce baiser lui fit mal, mais elle s'accrocha à lui. Quand ils se séparèrent, c'était comme s'ils étaient devenus des adversaires.

Steffen se passa lentement la main dans les cheveux, puis dit d'une voix dure :

– Nous sommes donc bien d'accord. Tu n'as plus qu'à t'armer de patience. Il peut se passer des semaines avant que tu n'entendes de nouveau parler de moi, mais ne crois surtout pas que j'aurai oublié ma promesse. Notre mouvement est encore tout récent. Ses réseaux ne communiquent même pas entre eux. Le Milorg entend bien que chacune de ses opérations soit minutieusement programmée. Nous ne devons pas courir le risque de susciter des représailles allemandes contre des innocents.

Il jeta un coup d'œil à sa montre et fit un geste pour la congédier.

– Rentre à la maison. Je dois m'en aller. J'attendrai que tu sois en haut de l'escalier pour éteindre la lampe.

Arrivée en haut, elle fit glisser le panneau qui masquait l'ouverture et s'arrêta un instant pour regarder par-dessus son épaule. Trop tard : la lampe s'éteignit au même instant. Elle se trouva dans l'obscurité la plus totale. Puis elle perçut le bruit sourd d'une porte que l'on refermait.

Une fois dans la maison, elle se laissa tomber dans un fauteuil, la tête dans les mains.

– Que vous arrive-t-il ? lui demanda Astrid.

Johanna répondit d'une voix éteinte :

– Nous nous sommes disputés... Nous sommes en pleine guerre, nous ne savons même pas quand nous nous reverrons, et nous nous sommes disputés...

– Oh ! si ce n'est que cela ! dit la tante en poussant un soupir de soulagement. Je parierais que tout est de la faute de Steffen. Les hommes prétendent toujours n'en faire qu'à leur tête, même en pleine guerre. Cela leur fait du bien d'être remis à leur place de temps en temps.

Johanna releva la tête, tristement.

– Quand je pense que les Allemands pourraient le tenir au bout de leur fusil à cette seconde même et qu'il y a seulement quelques minutes je l'ai envoyé promener !

– En ce qui concerne Steffen et les Allemands, soyez rassurée, chère Johanna. Il a plus d'un tour dans son sac. En ce qui concerne l'amour, ma vie a été assez longue pour que je sache qu'aucun homme n'est parfait. Ce serait d'ailleurs tout à fait ennuyeux. Je n'irai pas jusqu'à dire que Steffen et vous, vous êtes parfaitement assortis; vous avez chacun un tempérament très affirmé. J'aimerais cependant vous voir traverser la vie ensemble. Je pense que vous ne vous lasseriez jamais l'un de l'autre parce que, l'un comme l'autre, vous êtes riches intérieurement. C'est là tout le secret des amours durables...

Cette façon de voir les choses convenait à Johanna. Ne pas défendre une cause qui lui tenait à cœur, simplement parce que les circonstances ne s'y prêtaient pas, aurait été indigne des sentiments qu'elle éprouvait pour Steffen.

Il avait voulu, par amour, la protéger. À présent, elle avait obtenu le droit de partager le danger avec lui. Leur relation en serait renforcée. Et si elle venait à mourir, ce serait bien là la meilleure preuve d'amour.

6

En attendant sa première mission, Johanna ne perdit pas son temps. Elle s'imposa un entraînement sévère, s'astreignant à participer aux durs travaux de la ferme, s'entraînant à l'escalade en montagne et nageant dans les criques quand vint l'été.

Malgré l'Occupation, ce fut la période la plus agréable de l'année. Le soleil brillait presque vingt-quatre heures sur vingt-quatre; on pouvait encore lire son journal dehors à minuit et le jour se levait à deux heures du matin.

Johanna mit également un point d'honneur à courir régulièrement comme si elle se préparait pour une compétition. Elle se rappelait sa fuite à skis, avec les Alsteen... Un jour viendrait peut-être où elle devrait courir pour sauver sa propre vie.

En juin, les Allemands entreprirent d'envahir la Russie. Ayant passé les frontières en trois points différents, ils progressaient en balayant tout devant eux. En Norvège, les forces d'occupation et les pronazis de Quisling jubilaient.

Les vacances d'été arrivèrent et l'école ferma. Rolf revint alors travailler à la ferme. Les moutons et le bétail gagnèrent comme chaque année les hauts pâturages pour y brouter librement l'herbe grasse jusqu'à l'automne. On rouvrit les étables d'été. Rolf et Johanna s'occupaient de la traite des vaches. La montée était rude. Ils la faisaient deux fois par jour, d'un bon pas et sans effort.

Parfois, quand elle en avait terminé avec les vaches, Johanna retirait le foulard qui lui protégait la tête, secouait ses cheveux et contemplait la vallée. Les fermes paraissaient minuscules. Avec les sommets des montagnes couronnés de neiges éternelles, les clochettes des vaches qui résonnaient allégrement, elle se sentait à mille lieues de sa boutique de fourrures d'Oslo... Elle ne savait pas pourquoi, mais elle avait l'intime conviction qu'une phase de sa vie était en train de s'achever; que ces jours de liberté à la campagne ne reviendraient jamais. Elle s'efforçait de savourer chaque journée, chaque minute comme jamais elle ne l'avait fait. Elle observait tout avec un intérêt décuplé : les hirondelles qui nichaient dans le chevronnage de la grange, les campanules et les pensées sauvages qui recouvraient d'un brouillard bleuté les bords du sentier.

Puis l'époque des foins arriva et le décor changea. La campagne brûlée par le soleil se mit à fumer; la crique, tout en bas, scintillait sous un ciel immuablement bleu et le foin qui séchait éparpillait ses chapelets d'or à travers la vallée. L'air s'embrumait des battements d'ailes de milliers de papillons et la senteur des fleurs qui commençaient de sécher emplit l'atmosphère.

Cette pause estivale aurait été très heureuse si la santé de son père n'avait brusquement décliné. Malgré les soins du vieux médecin de famille, Edvard s'affaiblissait de jour en jour et restait alité de plus en plus souvent. C'était mauvais signe.

Tom Ryen, le cousin de son père, tint parole. Un dimanche, il arriva à la ferme en voiture. Johanna, Rolf et Karen s'étaient offert une promenade en montagne. Quand ils revinrent à la ferme, il était déjà reparti. Ils ne le virent donc pas. Afin qu'il puisse regagner Alesund, Gina avait dû l'aider à charger une énorme provision de bûches sur sa voiture – qui, raconta-t-elle, crachait de la fumée comme un haut fourneau. Cette visite laissa Edvard perplexe. Non que son cousin eût émis des opinions pronazies; mais il avait laissé entendre, dans la conversation, qu'il avait accepté la charge de recruter des ouvriers pour divers chantiers allemands...

– Il m'a paru embarrassé quand je l'ai questionné sur ces projets, dit Edvard.

Tom avait laissé un message pour Johanna. Elle était invitée à passer le voir quand elle se rendrait à Alesund. Elle avait déjà repéré où étaient ses bureaux en rendant visite à Astrid : il s'agissait d'un bâtiment dans lequel les Allemands avaient installé une antenne de leur quartier général. Aurait-elle eu le désir de le voir que la vue des gardes à la porte et des soldats qui entraient et sortaient l'en aurait dissuadée. Il valait mieux que son père ignore à quel point son cousin se trouvait compromis avec le régime nazi.

Edvard recevait beaucoup de visiteurs : des amis

des environs, fermiers pour la plupart, nés comme lui dans la vallée, venaient lui parler de leurs récoltes, du bétail et aussi du bon vieux temps. Edvard appréciait ces conversations. Mais ce qu'il préférait, c'étaient les visites toujours inattendues et trop brèves de son fils cadet. Finies pour Erik les permissions régulières. Depuis que les Allemands contrôlaient les vapeurs desservant les côtes, on ne lui avait pas octroyé plus de deux jours de congé consécutifs; et encore, en de rares occasions.

Il y avait bien longtemps, maintenant, qu'il n'était pas venu. Récemment, la famille avait passé deux jours dans la plus grande anxiété : la radio avait annoncé que la marine britannique venait de torpiller un vapeur de la côte – les Britanniques pensaient qu'il servait au transport de troupes. Il y avait en effet un grand nombre de soldats à bord, mais également des civils. Enfin, Erik avait téléphoné pour dire qu'il était sain et sauf. Lors de cet incident, Johanna commença à se demander ce que serait la réaction de Karen au retour d'Erik. Son attitude, à propos du torpillage, avait été pour le moins déroutante : elle avait paru presque indifférente à l'événement.

Le mois d'août tirait à sa fin, les jours raccourcissaient. Edvard envisageait de ramener les bêtes dans leurs quartiers d'hiver. Il était terriblement frustré de ne pouvoir participer à toutes ces tâches. Dans ses plus mauvais jours – ceux où il devait garder la chambre –, il se tournait et se retournait dans son lit, glacé jusqu'aux os bien que la pièce fût déjà chauffée.

Puis l'école reprit et Rolf n'eut plus beaucoup de temps à consacrer aux travaux de la ferme. Il assurait tout de même la traite matin et soir.

Un jour de septembre, Johanna et Rolf montèrent pour la dernière fois aux étables d'été. En arrivant là-haut, ils rencontrèrent un homme qu'ils connaissaient bien – il enseignait à l'école du village voisin – et qui, visiblement, les attendait.

– Bonjour, Nesheim !

Rolf s'avança vers lui tandis que Johanna allait traire les vaches.

– Johanna !

– Oui ?

Elle se retourna, son tabouret de traite à la main. Rolf baissa la tête pour passer la porte basse. Lorsqu'il se releva, elle vit son expression sévère et ses yeux froids...

– Johanna... Nesheim voudrait te parler. J'avais espéré que tu écouterais mes conseils et que tu te tiendrais à l'écart des ennuis.

Perplexe, Johanna sortit de l'étable.

– Vous avez quelque chose à me dire, Nesheim ? demanda-t-elle.

Il s'approcha.

– J'ai des instructions à vous transmettre. Vous devrez vous trouver ici demain soir, munie d'une torche électrique. Un parachutiste doit atterrir dans les environs avec des armes. Je serai ici avec quelqu'un et nous nous occuperons du conteneur d'armes; Rolf cachera les deux parachutes; votre rôle consistera à guider le parachutiste jusqu'à la cabane abandonnée près du lac Troll. Une fois là-bas, on vous donnera d'autres instructions qui ne m'ont pas été communiquées. Est-ce clair ?

– Parfaitement. J'attends ce moment depuis si longtemps !

Il hocha la tête.

– C'est bien ce qu'on m'avait dit. Très bien, à demain donc !

Johanna rentra dans l'étable. Rolf s'était déjà mis à traire les vaches. Elle vint à lui et lui entoura les épaules de son bras.

– Allez, ne fais pas cette tête ! Tu sais bien que je ne suis pas le genre de femme à rester à la maison à tricoter !

Il leva la tête et la regarda dans les yeux.

– Je sais. Ne prends pas de risques, c'est tout ce que je te demande.

Elle pensa que c'était aussi bien que Rolf ignore les dangers qu'elle avait courus en aidant les Alsteen à passer en Suède. Dans le Nord, on avait arrêté tous les juifs : hommes, femmes et enfants avaient été expédiés dans des camps de travail en Allemagne. Anna avait eu bien raison d'éloigner Viktor quand il en était encore temps.

Le lendemain soir, il pleuvait et la nuit était très sombre. Gina veillait au chevet d'Edvard. Karen écrivait son courrier dans sa chambre.

Johanna put donc sortir sans avoir à fournir d'explications. Elle alla à la rencontre de Rolf sur le chemin de l'école puis, ensemble, ils montèrent aux étables d'été. Nesheim les y attendait en compagnie d'un inconnu. Au passage, Rolf prit dans l'étable une pelle pour enterrer les parachutes. Puis, sans un mot, ils se remirent en route. Rolf ouvrit la marche. De temps à autre, il éclairait le chemin avec sa torche pour traverser une plaque rocheuse ou passer un ruisseau gonflé par la pluie qui n'avait pas cessé de la journée.

En moins d'une demi-heure, ils avaient atteint l'endroit du rendez-vous. C'était un plateau couvert d'herbes et de fougères. Au loin, on apercevait un lac enchâssé dans une large dépression du terrain. Ils attendirent, puis, à l'heure convenue, Rolf alluma un feu de Bengale pour guider l'avion.

Tout à coup, Johanna se raidit. Couvrant le crépitement des flammes, le vrombissement encore distant d'un avion était nettement perceptible. Quand l'appareil se trouva au-dessus d'eux, elle essaya de percer l'obscurité du ciel, mais ne vit rien. Rolf, au loin, faisait des signaux avec sa torche.

Un moment, elle craignit que le largage n'ait été mal effectué. Le parachutiste pouvait s'écraser sur les parois rocheuses ou sombrer dans le lac sans que personne, jamais, ne retrouve sa trace. Elle entendit soudain un bruissement au-dessus d'elle et aperçut dans le ciel la coupole du parachute. Elle le regarda se poser doucement à terre, puis se fondre quelque part dans l'obscurité, derrière elle.

C'était à elle, à présent, de donner le signal pour indiquer que le parachutiste avait bien atterri. Elle devait composer en morse la lettre « V » pour Victoire, symbole de signe de ralliement. Sa lampe-torche allumée, elle se précipita dans la direction où le parachute s'était évanoui. Elle le retrouva dans un petit vallon plein de bruyères, où le plateau semblait s'enfoncer sous le poids de sa couverture de mousse. Pour rassurer le parachutiste, elle garda le faisceau de sa lampe braqué au sol et lui donna rapidement le mot de passe. L'homme venait tout juste de dégager les tenons d'accrochage qui retenaient le parachute à son harnais. Il s'affairait à nouer les sangles, en tirant sur les cordages de la grande enveloppe de tissu qui se soulevait et ondoyait sans cesse comme de l'écume sur l'eau. Une voix de femme lui parvint :

– Dieu merci, je n'ai pas atterri sur un arbre !

Johanna la reconnut alors... C'était la jeune Anglaise qui était venue faire ses adieux à Steffen le jour de l'invasion. C'était Délia Richmond !

Johanna pressa le pas pour l'aider à maintenir son parachute.

– Tout va bien ? Vous n'êtes pas blessée ?

Ce fut au tour de Délia de se montrer surprise.

– Je ne pensais pas trouver une femme ici ! J'ai quelques bleus, c'est tout. Ça a été aussi facile qu'à l'entraînement. Il faut surtout remercier le pilote, moi je n'ai fait que sauter.

Rolf les rejoignit. Après quelques mots d'accueil assez brefs, il s'occupa du parachute, comme s'il lui arrivait fréquemment de voir une femme descendre du ciel en pleine nuit. Le conteneur d'armes avait atterri presque en même temps – mais dans la direction opposée. Après avoir rassemblé les éléments du parachute, Rolf consentit enfin à adresser la parole à sa sœur :

– Maintenant, à toi de jouer ! Je vais creuser un

trou pour enterrer tout cela. Je vous rejoins dans quelques minutes.

Johanna ouvrit la marche, torche en main. Ce ne serait pas une promenade de tout repos ! Il fallait escalader des rochers, franchir des ruisseaux. Délia suivait sans se plaindre. Elle avait dû s'habituer à la montagne pendant son séjour à l'ambassade d'Oslo. Elle repéra la cabane en même temps que Johanna.

La silhouette de l'homme qui descendait à leur rencontre leur était familière à toutes deux. Délia dépassa Johanna et se jeta dans les bras de Steffen. Johanna s'immobilisa à quelque distance, pas assez loin cependant pour ne pas voir qu'ils s'embrassaient. Ce qu'ils se dirent, elle ne l'entendit pas – elle ne voulait pas l'entendre. Il fit entrer la jeune femme dans la cabane et la porte se referma sur eux. Johanna crut qu'il était avec elle, mais la silhouette de Steffen se détacha soudain sur l'horizon obscur. Elle s'apprêtait à le rejoindre quand Rolf se dirigea vers lui. Ils parlèrent un moment comme de vieux amis, puis son frère se retourna et lui dit avec impatience :

– Mais qu'est-ce que tu fabriques, Johanna ? Tu viens ?

Steffen et Rolf se tenaient tous les deux à l'entrée de la cabane. À la lueur de la bougie, Steffen fixa Johanna d'un air grave.

– Ça va, Jo ?

Très à l'aise, elle répondit :

– Très bien, merci.

Elle entra. Si elle devait faire amende honorable, ce ne serait ni devant son frère, ni devant la femme que Steffen venait de prendre dans ses bras. Leur relation était encore trop fragile.

Délia sortit une flasque de cognac qu'elle posa sur la table à côté de son casque et de ses gants. Elle venait de retirer sa combinaison de parachutiste, de fabrication anglaise, et l'avait jetée dans la cheminée. La cabane s'était transformée en une véritable étuve. Elle avait aussi apporté du café et des cigarettes anglaises qu'elle extirpa des poches de son anorak bleu. Dessous, elle portait un chandail épais et des pantalons de ski. Elle était habillée comme Johanna et passerait inaperçue dans le pays.

– Fêtons mon arrivée ! dit-elle avec une gaieté un peu forcée.

Elle passa la flasque aux deux hommes assis à ses côtés. Une bougie fichée dans une bouteille éclairait la cabane.

– C'est tout ce qu'il m'a été permis d'apporter. Probablement au cas où je me serais cassé un bras ou une jambe en atterrissant. Ça vient de Paris.

Elle fit basculer sa chaise en arrière pour tendre la flasque à Johanna qui s'était portée volontaire pour faire le café.

– À vous d'abord.

– *Skol !* dit Johanna.

Puis ce fut au tour de Délia, qui dit en anglais :

– *Cheers !*

Steffen répondit aussi en anglais – comme s'il se trouvait dans un pub londonien.

– À la vôtre ! dit Rolf en français.

Johanna se tenait près de l'âtre. Cette lampée de cognac lui avait réchauffé la gorge. Elle huma l'arôme du café comme elle avait vu les Allemands le faire au début de l'invasion. On se moquait à ce moment-là de leur gourmandise quand ils ingurgitaient du chocolat tartiné de beurre. À présent, les Norvégiens en auraient bien fait autant !

Johanna découvrit trois tasses émaillées dans un placard. Les hommes qui les avaient aidés, là-haut, devaient être maintenant dans la montagne, à charrier le conteneur d'armes. En attendant que le café soit prêt, elle écouta la conversation mais ne s'y mêla pas. Il était évident que Steffen et Délia s'étaient fréquemment revus en Angleterre. Il était fort probable qu'ils avaient suivi ensemble le même entraînement.

Délia était d'ailleurs en train de donner à Steffen des nouvelles d'amis communs en Angleterre. Elle évoquait des soirées auxquelles, manifestement, ils s'étaient rendus ensemble. Comme la première fois qu'elle les avait vus, Johanna fut frappée par leur familiarité, leurs regards entendus, leurs sourires complices... Steffen et Délia étaient sur la même longueur d'onde et communiquaient à demi-mot.

Johanna n'avait plus le moindre doute : ils avaient été amants. Pourtant, elle était calme et détachée – le cognac y était sûrement pour quelque chose.

Elle mit un moment à comprendre que tout le monde l'attendait. Elle versa le café dans les tasses et s'assit à table avec eux.

– Au travail, maintenant ! dit Steffen. As-tu le document que tu devais apporter ?

Délia sourit et tira un paquet d'une de ses poches.

– Le voici.

Il plaça le paquet sur la table en face de lui, prit une enveloppe dans sa poche et la poussa vers Johanna.

– Voici la mission que je t'avais promise. Accueillir notre nouvel agent et le guider jusqu'à cette cabane n'en était que le préliminaire. Tu devras livrer à Oslo ce paquet que Délia vient d'apporter. Tu trouveras dans l'enveloppe un laissez-passer à ton nom. Ce n'est pas un faux, bien que la signature allemande soit indéchiffrable. Il y a aussi de l'argent pour couvrir tes dépenses – une nuit à l'hôtel, si c'est indispensable. Mais je préférerais que tu prennes le train de nuit. Tes billets pour le vapeur et le train sont là-dedans.

Il la regardait calmement tout en donnant l'impression de tester son courage et sa détermination.

– Johanna doit-elle vraiment être mêlée à tout cela ? demanda Rolf.

Steffen lui jeta un regard glacial.

– Ta sœur a voulu entrer dans la Résistance de son plein gré. Cette mission n'est pas vraiment une première pour elle. Je ne sais pas si tu es au courant, mais elle a fait passer deux personnes en Suède !

Johanna ignora délibérément le regard interrogateur de son frère et saisit l'enveloppe.

– Tout est parfaitement clair, dit-elle. Une dernière chose, toutefois. Si j'étais arrêtée par les Allemands, comment justifier ma présence à Oslo ?

– Tu diras que tu viens rendre visite à ton ancien employeur qui t'a proposé de te garder ta place lorsque tu es partie.

Elle leva un sourcil.

– Mais... comment le sais-tu ? Je ne me rappelle pas t'en avoir jamais parlé...

Steffen eut un sourire en coin.

– Je suis en contact permanent avec Leif Moen. Tu serais surprise de savoir comment des informations, insignifiantes sur le moment, peuvent s'avérer utiles par la suite... Et n'oublie pas que tu dois agir le plus naturellement possible et en aucun cas tu ne dois attirer l'attention sur toi. Ton apparence doit être anodine. Ne mets pas de vêtements élégants... Tu as vécu à Oslo et tu sais comment s'habillent les femmes. À toi de choisir ! Tâche de te fondre dans la foule. As-tu d'autres questions ?

Elle fit non de la tête. Il lui indiqua l'adresse. C'était au troisième étage, appartement numéro 7 d'une rue d'Oslo qu'elle connaissait bien. Elle la répéta trois ou quatre fois. Il lui donna alors le mot de passe. Cela consistait en une série de questions et de réponses concernant les précédents locataires de l'appartement. C'était assez simple, mais elle apprit le dialogue par cœur.

Pour finir, il poussa le paquet devant elle.

– Mets ça quelque part sur toi. Mais n'oublie pas que si tu le transportes dans ton sac, on risque de l'apercevoir quand tu auras à montrer tes papiers. Dans une poche, tu peux le perdre ou te le faire voler... À toi de voir, mais, quoi qu'il arrive, ce document ne doit pas tomber entre des mains allemandes. C'est un ordre.

– J'obéirai, dit-elle, le cœur serré.

Elle vit dans son regard qu'il appréciait son attitude.

– Il y a une autre complication à redouter en ce moment, reprit-il. La radio a annoncé que les syndicats ont lancé un mot d'ordre de grève dans les usines. Je viens de recevoir des informations : la Gestapo a procédé à des arrestations massives à Oslo. Deux syndicalistes ont été condamnés à mort. D'autres exécutions sont prévues. Si tu tombes sur une rafle, fous le camp ! Quand la Gestapo s'y met, elle ramasse tout le monde sur son passage et fait le tri après.

Rolf, à côté de Johanna, sembla sur le point de protester. Puis il changea d'avis. Il alluma une cigarette anglaise et tira dessus avec nervosité.

– Dois-je te prévenir lorsque je serai de retour ? dit-elle.

– Non, ce n'est pas nécessaire. J'aurai des nouvelles bien avant ton retour... Rentre à la ferme et fais comme d'habitude. Si quelqu'un de ta famille ou parmi tes amis te demande les raisons de ton voyage à Oslo, dis simplement que tu prends le temps de réfléchir à la proposition de ton patron. Cela nous permettra de t'envoyer de nouveau dans la capitale... Et maintenant, tu ferais mieux de rentrer chez toi parce que tu as un emploi du temps chargé.

Il n'y eut entre Steffen et elle ni baiser, ni parole d'adieu. Elle acceptait qu'il en soit ainsi... Mais le pire fut quand elle comprit que Délia et Steffen se préparaient à repartir ensemble. Johanna s'interdit de penser à eux et à leur longue association. Elle prit le paquet sur la table. Rolf l'attendait.

– Tu es prête ?

– Oui...

Elle se dirigea vers la porte. Steffen et Délia se retournèrent. La jeune femme leva le pouce en l'air pour lui souhaiter bonne chance.

– J'espère que nous nous reverrons, ajouta-t-elle. Merci encore de m'avoir accueillie et si bien guidée.

Pour Délia, être larguée pour sa première mission derrière les lignes ennemies avait dû être une véritable épreuve. Ce qu'elle transportait était sûrement d'une extrême importance. Elle n'avait été désignée qu'au tout dernier moment. L'ordre ainsi que le message émanaient des services secrets britanniques et le paquet était scellé.

Steffen sortit de la cabane derrière Johanna.

Délia le suivit du regard. Il avait appris son arrivée par radio. Pendant leur entraînement militaire en Angleterre, elle avait espéré un moment qu'ils travailleraient ensemble dans la Norvège occupée... Mais leurs chemins s'étaient séparés.

Sur le seuil de la cabane, Steffen et Johanna se firent face, un bref instant. Il ne voulait pas la laisser partir sans lui dire adieu.

– Bonne chance, Jo ! dit-il.

Un moment, ils se regardèrent en silence, mesurant le fossé qui les séparait désormais.

Munis de leurs torches, Rolf et sa sœur commencèrent leur descente vers la vallée. Steffen, lui, guiderait Délia jusqu'à Alesund par un autre chemin.

Lorsque le frère et la sœur arrivèrent à la ferme, tout le monde dormait. Bien que très fatiguée, Johanna prépara ses affaires pour le voyage du lendemain – en particulier un sac pour le cas où elle serait obligée de dormir à Oslo. Puis elle passa sa garde-robe en revue. Cela lui permit de reléguer Steffen au second plan de ses préoccupations. Elle ne pensait qu'à la mission qu'elle devait accomplir...

Finalement, elle choisit un tailleur bleu sombre, net et coquet. Elle y ajouta un foulard à pois bleus. En dépit de la dureté des temps, les femmes d'Oslo s'appliquaient à garder une certaine élégance. Même si leurs bas étaient reprisés, leurs gants raccommodés et leurs chaussures ressemelées, elles restaient coquettes. C'était aussi une façon de défier la grisaille et l'ennemi !

Au petit matin, Johanna dut répondre aux questions de sa mère : pourquoi avait-elle décidé ce voyage de façon aussi impromptue, sans en avertir personne ? Elle expliqua que, habituée à vivre seule, elle n'avait pas pensé à les prévenir. Elle avait décidé de rendre visite à son ancien patron pour discuter des possibilités qu'il pourrait lui offrir dans l'avenir... Gina n'insista pas.

Pour aller prendre le bateau, Johanna emprunta le camion du laitier. La ferme des Ryen était son dernier arrêt avant la laiterie qui se trouvait tout près du port. Le vapeur, en provenance d'Alesund, arriva à l'heure. Quand elle fut à bord, les souvenirs affluèrent. C'était sur ce bateau qu'elle avait retrouvé Steffen. Puis leurs rapports s'étaient tendus... Elle se sentait désemparée, mais il lui restait tout de même une consolation : leur nouvelle camaraderie de combat.

Elle descendit du bateau à Andalsnes. Le train de nuit qui venait du Nord n'était pas encore arrivé. Elle acheta un journal et fut consternée par le nombre des arrestations à Oslo. La grève avait déclenché des rafles partout. La Gestapo avait arrêté les gens dans les rues, chez eux, à leur travail. Le Reichskommissar Terboven avait décidé de frapper un grand coup. Si les Norvégiens ne se mettaient pas au pas, il les écraserait.

Le train était plein de soldats et elle passa la nuit assise sur sa valise. Toujours en raison des grèves, les civils n'avaient plus l'autorisation de descendre du train pendant les arrêts – sauf s'ils étaient arrivés à destination. Johanna dut montrer ses papiers neuf fois au cours du trajet.

Enfin, le train arriva en gare d'Oslo. Elle fut alarmée par le nombre de gardes qui se tenaient sur le quai. Elle n'en avait jamais vu autant à la fois. Parmi eux se trouvaient les « spécialistes » si redoutés des sections d'assaut de Quisling.

Après un ultime crissement, suivi d'une brutale secousse, le train s'immobilisa. Johanna se mit dans la queue des voyageurs qui descendaient de son wagon. En arrivant à la portière, elle vit que des hommes des sections d'assaut formaient sur le quai un demi-cercle au milieu duquel elle allait devoir passer. Elle tenta de ravaler la peur qui commençait à la gagner et s'avança. Au même moment, l'homme qui se trouvait derrière elle la bouscula, la projetant contre le soldat le plus proche. Celui-ci la repoussa avec une exclamation de fureur et elle se retrouva à genoux. Profitant de la confusion, son compagnon de voyage se mit à courir, poursuivi par les soldats. Un sentiment de pitié envahit Johanna et malgré ses contusions elle s'en voulut aussitôt du mouvement de colère qu'elle avait eu à son égard. L'homme n'alla pas bien loin. On l'attrapa et il fut emmené. La surveillance reprit comme si rien ne s'était passé. Mais personne ne lui avait prêté attention.

Aux toilettes de la gare, elle remit de l'ordre dans sa tenue. Ses genoux étaient égratignés et ses bas déchirés. Par chance, elle en avait une paire de rechange dans sa valise. Elle brossa la poussière de son manteau, rajusta son chapeau et se sentit d'attaque.

Elle déposa sa valise à la consigne et sortit de la gare. Voilà trois mois qu'elle avait quitté Oslo. Malgré la magnificence de l'automne, la ville lui parut grise. Il lui semblait que les aigles allemandes et les svastikas envahissaient les façades des bâtiments. Elle remarqua qu'un nouveau drapeau, celui du parti de Quisling, flottait sur un immeuble devant lequel elle devait passer pour prendre son tramway. Il s'y tenait en ce moment une réunion de nazis norvégiens. À l'extérieur, une banderole portait un slogan étonnant : *Pour la Norvège, tous avec Quisling.* Des affiches colorées invitaient les passants à s'inscrire au parti. Quelques officiers paradaient devant les portes, on entrait, on sortait... Tous portaient l'uniforme du parti : chemise marron, cravate noire et bretelles croisées. On distribuait des tracts et Johanna s'arrangea pour éviter qu'on ne lui en donne un.

Cependant, on voyait le trombone de la Résistance

passive à peu près partout, bien que de manière moins ostensible. Dans le tramway, le jeu des sièges se pratiquait plus que jamais.

Johanna descendit à un arrêt proche du parc Vigeland. Sans la moindre hésitation, elle tourna dans la rue où se trouvait l'immeuble qu'on lui avait indiqué. C'était un bâtiment très ordinaire. Elle ouvrit la porte vitrée et elle prit l'escalier. Arrivée au troisième étage, elle trouva l'appartement numéro 7 et sonna.

Pas de réponse...

Elle s'apprêtait à appuyer sur la sonnette une seconde fois quand lui parvint de l'extérieur le bruit de voitures qui freinaient en faisant crisser leurs pneus. Un frisson de frayeur la parcourut : seuls les Allemands conduisaient de cette façon. La porte de l'immeuble s'ouvrit avec fracas, des bottes martelèrent le hall. Des hommes commençaient à monter l'escalier. Elle grimpa comme une flèche à l'étage supérieur. Juste à temps. Des poings frappaient déjà avec insistance sur la porte du numéro 7 et s'acharnaient sur la sonnette.

– Ouvrez ! Ouvrez ! Police allemande !

Ils n'attendirent pas. Sur un ordre bref, ils s'attaquèrent à la porte qui céda rapidement. Johanna jeta un coup d'œil prudent dans la cage d'escalier : pourrait-elle s'enfuir sans se faire remarquer ? Deux soldats étaient postés au troisième étage. Il y en avait certainement d'autres à l'entrée de l'immeuble. Des SS... Elle recula. Un sergent ressortit de l'appartement pour donner ses instructions :

– Il a filé ! Vérifiez chaque appartement et tâchez de trouver quelqu'un qui puisse nous donner des renseignements. Commencez par l'étage au-dessus !

Sans hésitation, Johanna vola au cinquième étage. On ne devait en aucun cas la trouver dans l'immeuble. Comme elle atteignait le palier, elle vit une porte ouverte. Une petite fille d'environ quatre ans attendait pour sortir, un ballon à la main.

– Tu vas jouer dans le parc ?

L'enfant acquiesça.

– J'attends ma maman...

Au même moment, la mère sortait de l'appartement. Elle tira la porte derrière elle et vit Johanna. Elle fronça les sourcils en signe d'interrogation.

– Vous cherchez quelqu'un ?

Puis, surprise du vacarme qui venait d'en dessous, elle se pencha par-dessus la rampe.

– Que se passe-t-il ?

– La Gestapo vient d'enfoncer la porte d'un appartement, répondit Johanna à mi-voix.

– Oh !

La femme était devenue toute pâle. Elle se rejeta en arrière. Johanna joua le tout pour le tout; dans un souffle, elle murmura :

– Me laisseriez-vous vous accompagner jusqu'au parc avec votre fille ? Comment s'appelle-t-elle ?

– Dis ton nom à la dame !

La fillette répondit timidement en baissant la tête :

– Margrit.

– Est-ce que je peux te donner la main pour descendre l'escalier ? demanda Johanna. Comme ça, je me sentirai de la famille.

L'enfant remua la tête. Les pompons de son petit bonnet se mirent à danser.

– Oh oui, oui ! Vous pouvez même tenir mon ballon, si vous voulez.

Johanna s'accroupit et prit le ballon à deux mains; puis elle regarda la jeune mère, l'implorant en silence. Celle-ci hésita, mais la petite Margrit, impatiente d'aller jouer, s'était déjà ruée dans l'escalier. La mère se précipita pour la retenir. Puis elle avala sa salive avec difficulté et dit à Johanna :

– Très bien... Mais je ne veux savoir ni votre nom, ni pourquoi vous êtes ici. Quand nous aurons atteint le parc, s'il vous plaît, disparaissez !

– Je m'en irai, promit Johanna.

Johanna rattrapa la petite Margrit, lui prit la main et descendit l'escalier tout en lui parlant. La mère suivait. Deux SS en uniforme noir sortaient d'un appartement dont l'occupant venait de refermer la porte.

– Eh, vous, là, attendez ! D'où sortez-vous ?

La mère se mit aux côtés de Johanna et répondit :

– De l'appartement numéro 12.

– Connaissez-vous l'homme qui vit au numéro 7 ? Il s'appelle Hansen.

– Non, pas du tout. L'appartement a changé de locataire il y a peu de temps. Je n'ai jamais vu le nouveau.

Le soldat se tourna vers Johanna.

– Et vous ?

– Moi non plus.

Le soldat observa tour à tour Johanna et la mère de Margrit, revint sur Johanna, s'attarda un instant puis, d'un signe de tête brusque, leur donna la permission de descendre. Un coup d'œil en passant devant l'appartement numéro 7 suffit à Johanna pour constater qu'il avait été fouillé. Un SS, posté près de la porte, les contempla tranquillement. Les véhicules garés devant l'immeuble étaient entourés de soldats. La mère de Margrit se montrait de plus en plus nerveuse. Pour cacher le tremblement de ses mains, elle les enfonça dans les poches de son manteau.

Au moment où elles s'apprêtaient à franchir le seuil, un garde s'avança.

– *Achtung !*

Elles se figèrent, se retournèrent. De son doigt ganté de cuir noir, le soldat montrait une moufle d'enfant tombée sur le marbre. La jeune mère alla la ramasser. La tension nerveuse avait été si forte qu'elle était sur le point de pleurer.

Dans le parc, Johanna joua au ballon pendant quelques minutes avec la petite Margrit. Puis la mère vint la remplacer. Johanna avait besoin, elle aussi, d'un peu de répit. Elle fit quelques pas. Près du grand monolithe de granit qui dominait le parc, Johanna s'assit sur un banc pour réfléchir; il n'y avait qu'une chose à faire : se rendre à la boutique de fourrures et donner le paquet à Leif Moen. Elle éprouvait une immense déception de n'avoir pu réussir sa première mission. Puis un homme s'assit sur le banc à côté d'elle et ouvrit un journal. Une des pages s'envola et tomba à ses pieds. Il se baissa pour la ramasser et elle l'entendit dire :

– Excusez-moi, mademoiselle, mais tout est si confus pour moi aujourd'hui.

Elle le regarda de plus près. Il était jeune et parlait avec l'accent d'Oslo.

Elle répondit prudemment :

– Ah oui ? Vraiment ?

Il hocha la tête et replia son journal.

– En raison de circonstances imprévues, j'ai dû quitter mon appartement pour aller chercher quelqu'un à la gare d'Ostbane. Cette jeune femme arrivait par un train de nuit et je l'ai manquée.

Elle devait s'assurer qu'il ne s'agissait pas là de propos anodins...

– Ah ! Et d'où venait-elle ?

– D'Andalsnes, mais elle n'y habite pas...

Elle était maintenant persuadée que ce jeune homme était son contact. Négligemment, elle laissa tomber la phrase qu'elle aurait dite s'il lui avait ouvert la porte de l'appartement numéro 7.

– Je cherche les Hange, la famille Hange, peut-être pourriez-vous me renseigner ?

La réponse du jeune homme fut, mot pour mot, celle que Steffen lui avait fait répéter.

– Vous parlez de Frederik et Solveig Hange ?

– Pas du tout. Mes amis s'appellent Rolf et Jenny, mais le nom de famille est en effet le même...

Il était prévu qu'après cette entrée en matière, il devait l'inviter à entrer et à regarder dans l'annuaire. Il glissa le journal dans sa poche.

– Jenny ?

Il répéta le mot de passe, puis ajouta rapidement :

– Posez le paquet près de la statue de la femme aux cheveux nattés qui joue avec son enfant. J'irai le ramasser. Évitez de vous rendre à la boutique de fourrures. La Gestapo, informée par des dénonciateurs anonymes, s'est lancée dans un nettoyage de grande envergure pour démanteler nos réseaux. Nous ignorons quels noms figurent sur leurs listes, en plus du mien. Je m'enfuirai dès que j'aurai le paquet. Bonne journée, mademoiselle !

Il se leva et s'éloigna.

Elle resta assise quelques minutes, puis se leva à son tour. Elle portait le paquet sur elle et il n'y avait qu'un endroit où elle pouvait l'extraire de sa cachette : les toilettes. Là, derrière une porte soigneusement fermée, elle déboutonna son chemisier. Le document était cousu dans une enveloppe de tissu suspendue à son cou par un cordonnet. Elle sortit, son sac dans les bras, le paquet à l'abri, serré contre elle. C'était un jour de semaine et il n'y avait dans le parc que des personnes âgées ou des femmes accompagnant des enfants.

Johanna monta les marches du monument; le seul homme en vue était son contact. Elle glissa le paquet à l'endroit prévu et traîna quelque temps autour du monolithe, affectant d'être absorbée dans la contemplation des centaines de visages sculptés... Quand elle revint à son point de départ, le paquet et le jeune homme avaient disparu.

Elle sortit du parc et décida d'appeler Leif Moen. Si une voix inconnue répondait, elle raccrocherait. Elle fut soulagée en reconnaissant ses intonations familières, mais resta très évasive car elle craignait que la ligne ne fût sur écoute.

– Je ne pourrai pas venir vous voir aujourd'hui, dit-elle simplement.

– Je comprends, répondit-il. Je suis heureux de savoir que tout va bien pour vous.

– Mon meilleur souvenir à votre femme, conclut-elle.

– Merci, je ne manquerai pas de le lui transmettre.

Ni l'un ni l'autre ne voulait se risquer à en dire plus.

Elle consulta sa montre. Elle avait tout l'après-midi

devant elle avant de reprendre le train. Elle décida de se rendre à Grefsen chez les Alsteen.

Elle n'attendit pas longtemps le tramway. Sur la Karl Johans Gate, on arrêtait les gens. On les poussait dans des camions qui démarraient sur les chapeaux de roues. Lorsqu'elle passa devant la boutique, elle constata avec soulagement que tout était calme.

En descendant du tramway, elle aperçut tout de suite le toit de la maison des Alsteen à travers les arbres. Mais, à mi-chemin, elle remarqua une voiture militaire garée à l'entrée du passage. Les fenêtres de la maison étaient grandes ouvertes. Troublée, elle ralentit le pas.

– Johanna !

Elle se retourna. La voisine descendait d'une échelle dressée contre un pommier. Johanna ouvrit la barrière du verger mitoyen du jardin des Alsteen et s'avança vers elle.

– Bonjour, madame Kringstad ! Qu'est-ce qui se passe à côté ?

– Entrez donc un moment, lui dit la voisine.

Ce fut ainsi qu'elle apprit que la demeure des Alsteen avait été confisquée en tant que bien appartenant à des juifs. Un officier de la Wehrmacht l'occupait depuis plusieurs mois.

– Et il organise des réceptions à tout bout de champ, commenta Mme Kringstad. Vodka russe, aquavit norvégien, alcools danois et vins français les plus fins, s'il vous plaît, sans oublier les meilleurs champagnes. Presque chaque jour, on enlève de véritables cargaisons de bouteilles vides. Quand je pense à la ration de sucre qui nous est octroyée ! Et encore, quand on en trouve...

Johanna avait remarqué en descendant du tramway que ce quartier, qui autrefois regorgeait de gazons et de jardins fleuris, s'était transformé en un vaste potager. Les habitants de ce coin de banlieue avaient presque tous installé des poulaillers et des porcheries dans leurs jardins. Les œufs se vendaient au marché noir vingt *kroner* pièce, c'était très avantageux. En partant, Johanna regarda par-dessus la haie et constata que le jardin des Alsteen avait gardé sa belle tenue d'antan. Les massifs de rosiers étaient toujours aussi bien soignés. L'officier allemand employait un jardinier. Lui, au moins, n'avait pas eu besoin de transformer le jardin d'agrément en potager.

Le lendemain, dès le retour de Johanna à la ferme, un inconnu téléphona pour s'assurer qu'elle était bien rentrée chez elle. Puis elle n'eut plus de nouvelles de qui que ce fût.

Une nouvelle restriction allait bientôt être imposée à la population. Tous les civils, excepté les membres du parti nazi de Quisling, allaient devoir remettre aux autorités leurs postes de radio. Les juifs, déjà, avaient dû rendre les leurs, mais il s'agissait là plus d'une brimade que d'un acte politique. Aujourd'hui, le Troisième Reich poursuivait un autre objectif : isoler les Norvégiens du reste du monde. Malgré les punitions sévères et les lourdes amendes, ceux-ci avaient continué à écouter la radio de Londres. Désormais, ils n'en auraient plus le loisir : un jour de septembre, dans chaque ville, chaque village, chaque hameau, les Norvégiens, la rage au cœur, durent remettre leurs postes aux soldats de l'Occupation.

Avec la minutie qui caractérise les Germaniques, chaque récepteur-radio fut doté d'une étiquette au nom de son propriétaire, puis entreposé.

Dès la première nuit, dans le hameau de Ryendal, et un peu partout en Norvège, les portes de ces entrepôts furent forcées. Les Norvégiens purent de nouveau capter les émissions de la BBC. Mais il fallait cacher tous ces récepteurs et on eut recours aux caches les plus inimaginables : depuis la bouteille thermos en passant par les bûches creuses jusqu'aux ustensiles de cuisine. Rolf, qui était un bricoleur expert et enthousiaste, avait choisi l'abri aux oiseaux sur le mur de clôture.

Le règne de la terreur nazie se renforça encore... Au cours du mois suivant, bien des récepteurs furent de nouveau confisqués et des centaines de patriotes fusillés. On disait qu'un grand nombre de Norvégiens se trouvaient entassés dans les cellules du numéro 19 de Mollergaten, où ils étaient interrogés et torturés.

Il y eut quand même, en cette triste époque, un moment de bonheur à la ferme des Ryen. Un beau jour, alors que Johanna, sa mère et Karen étaient occupées à des tâches domestiques, Erik poussa la porte de la cuisine.

– Bonjour ! Me voilà.

Il riait de plaisir de leur surprise...

Grand et mince dans son uniforme bleu sombre, il apportait avec lui comme une bouffée d'air frais. Un visage bien dessiné, avec un nez fin et un menton à fossette, des yeux d'un gris lumineux, vifs et observateurs, un sourire plein de charme, des cheveux rebelles et bouclés coupés très court à la façon des militaires : c'était un jeune homme viril, facile à vivre et capable de faire face à n'importe quelle situation.

Sa mère et sa sœur l'accueillirent chacune à sa façon, Johanna avec chaleur et sa mère avec sa retenue habituelle. Karen était en train de pétrir le pain. Elle s'arrêta, lui fit un petit signe de tête en prononçant quelques mots de bienvenue, puis devint écarlate. Tout le monde avait compris : elle était follement amoureuse de lui. Erik était, bien entendu, le seul de la famille à ne pas l'avoir deviné. Leurs rapports avaient toujours été compliqués. Il était trop habitué à ce qu'aucune femme ne lui résiste. De son côté, elle avait été prévenue par des amis bien intentionnés qu'Erik était un don Juan. Sa méfiance et sa froideur avaient intrigué Erik. Il ne pouvait pas comprendre que, pour une fois, il avait en face de lui une partenaire à sa mesure.

Elle savait que la carrière qu'il avait choisie lui correspondait à merveille. Naviguer le long des côtes dans un des paysages les plus spectaculaires du monde, entouré de visages nouveaux à chaque voyage, lui convenait parfaitement. Avant l'invasion de la Pologne par Hitler, parmi tous les touristes qui s'offraient le voyage de Bergen au cap Nord pour voir le soleil de minuit, il y avait naturellement beaucoup de femmes pour lesquelles un bel officier était une agréable diversion. D'après Johanna, Erik avait ainsi rencontré une Anglaise qui avait beaucoup compté pour lui, mais elle était rentrée dans son pays et l'histoire en était restée là.

Karen donnait forme aux miches de pain qu'elle allait mettre au four. Comme le levain manquait, ces pains seraient durs comme de la pierre. Erik s'installa en face d'elle de l'autre côté de la table. Elle secouait la farine de ses mains pour la récupérer.

Il lui sourit.

– Et qu'as-tu fait pendant tout ce temps ?

Il posait souvent ce genre de questions. Il exigeait toujours une réponse, l'obligeant à le regarder dans les yeux pour lui faire sentir qu'il n'avait pas renoncé au but qu'il s'était fixé. But sur lequel elle n'avait aucune illusion. Mais, cette fois-ci, elle se sentait plus vulnérable. Entre l'annonce du torpillage du vapeur et le moment où il avait téléphoné, elle avait souffert mille tourments. Le savoir sain et sauf l'avait bouleversée au point de la faire défaillir. Elle était dans les champs et aidait à la moisson. Johanna, qui venait lui annoncer la nouvelle, l'avait rattrapée de justesse et l'avait assise sur une souche.

– Les jours d'été ont été bien remplis, répondit-elle. Je suis allée nager avec Johanna. Nous avons fait des pique-niques, nous avons cueilli des mûres et des myrtilles. Il y a trois semaines, j'ai réussi à me procurer un laissez-passer et je suis retournée à la maison quelques jours.

– Et que dirais-tu d'aller à la pêche sur le lac avec moi demain ? J'ai besoin d'air pur.

Il ne lui laissa pas le temps de refuser. Il quitta

la cuisine et monta voir son père. Il resta un bon moment à son chevet.

Le lendemain matin, Johanna vit Erik et Karen prendre le chemin de la montagne. C'était une journée claire et tiède. Ils avaient chacun une canne à pêche. Erik portait en outre le sac à dos qui contenait leur repas.

Johanna espérait que cette journée les rapprocherait. Elle était sûre que son frère éprouvait un sentiment sincère pour la jeune fille et elle savait combien Karen lui était attachée.

Au-dessus de la ferme, le chemin se transformait en piste. À cette époque de l'année, les plants de myrtilles devenaient roux et l'herbe semblait refléter les couleurs flamboyantes de l'automne. Erik ouvrit la dernière barrière qui fermait les enclos des troupeaux et ils débouchèrent sur un sentier qui serpentait dans la forêt, à flanc de montagne. Ils parlaient peu. En vrais montagnards, ils économisaient leur souffle. Ils dépassèrent la cime ondoyante des arbres et arrivèrent sur les hauts pâturages.

Au bord du lac, les cabanes de rondins au toit de tourbe avaient abrité, par le passé, les filles des fermiers de la vallée qui surveillaient les troupeaux pendant les mois d'été. Elles servaient aujourd'hui aux skieurs, aux promeneurs ou aux pêcheurs. Karen se dirigea vers la cabane des Ryen. Erik la suivit à l'intérieur. On aurait dit une maison de poupée. Les fenêtres étaient minuscules et le mobilier rustique. Une porte d'un vert fané par le temps donnait sur une petite chambre à deux lits. Karen ouvrit une fenêtre, chassa quelques mouches assoupies qui avaient déjà pris leurs quartiers d'hiver et fouilla dans un placard pour y chercher une poêle en prévision de la truite qu'Erik ne manquerait pas d'attraper. Elle s'apprêtait à quitter la cabane quand il se planta sur le seuil et lui barra le passage.

– Il serait temps de mettre les choses au clair. Voilà pourquoi je voulais être seul avec toi aujourd'hui.

Elle le considéra avec calme. Il avait toujours fait ce qu'il avait voulu avec tout le monde. Bien qu'aucun membre de la famille ne semblât s'en apercevoir et qu'il ne le sût pas lui-même, il était le préféré de sa mère. Gina essayait d'être d'une stricte impartialité dans ses relations avec ses enfants mais il restait malgré tout son favori. Karen entendait bien ne pas lui laisser deviner à quel point elle se sentait vulnérable en face de lui. Elle essaya de forcer le barrage.

– Nous aurons tout le temps de parler quand nous aurons fini de pêcher.

Il lui attrapa le bras.

– C'est faux, nous avons très peu de temps devant nous pour discuter d'une vie entière.

Elle ouvrit de grands yeux, dégagea son bras et sortit. Il resta sur le seuil un moment, grommela un juron et se décida à la suivre. Il était furieux de devoir attendre patiemment que le poisson daigne mordre à sa ligne.

Elle avait déjà jeté sa propre ligne. Il s'était placé, comme il convenait, à quelques pas d'elle. Ce jour-là, elle avait attaché ses cheveux dans le dos avec une large barrette d'écaille et le soleil d'automne jouait dans ce ruisseau d'or.

Comme pour lui rendre la situation plus humiliante encore, Karen prit coup sur coup trois truites de belle taille, alors que lui n'en pêcha qu'une, si petite qu'il dut la rejeter à l'eau. Sa patience avait des limites : il bloqua sa canne dans une entaille du rocher pour laisser l'appât flotter et s'approcha de Karen. Les trois truites enfilées sur une baguette de bouleau reposaient sur l'herbe. Elles semblaient le narguer. Il mit ses mains sur ses hanches.

– Pour l'amour du ciel, Karen, ça suffit !

Elle ramena sa ligne avec un léger froncement de sourcils.

– Pourquoi es-tu de si mauvaise humeur ?

– Ce n'est pas à cause de toi. C'est... c'est que je ne vais pas rester ici très longtemps et j'ai peur de ne pas avoir le temps de te faire comprendre que je t'aime. Tu entends ce que je te dis ? Je t'aime.

Pour une fois il n'avait pas élevé la voix. Il parlait avec conviction mais calmement. Karen sentit le rouge lui monter aux joues. Tout s'embrouilla dans sa tête.

Il saisit la canne qu'elle tenait toujours et la jeta à terre. Puis il prit Karen dans ses bras. Il l'attira à lui avec tendresse en lui parlant doucement, tout en lui caressant les cheveux. Petit à petit, elle se détendit et leva son visage vers le sien. Leurs lèvres se rencontrèrent.

Elle entendit alors ce qu'elle n'aurait jamais osé espérer de lui.

– Je veux faire de toi ma femme, Karen. N'oublie jamais ce que je viens de te dire : je t'aime et je t'aimerai toujours. Dieu seul sait quand je reviendrai à la maison... Mais, à mon retour, j'espère de toute mon âme que tu seras prête à m'épouser.

Ils restèrent dans la cabane tout l'après-midi, seuls, amoureux, à la découverte l'un de l'autre. Ce fut un long moment privilégié, tout de douceur et de tendresse. Lui était ébloui par sa beauté et par la passion qu'elle manifestait. Elle, elle l'aimait, tout simplement. Tout était possible et permis. Quand arriva le moment de partir, elle savait, en tournant la clef dans la serrure, qu'elle enfermait derrière ces murs les instants les plus parfaits de toute sa vie.

Ils reprirent les cannes et les lignes mais oublièrent les trois poissons qu'elle avait pêchés. Elle s'aperçut à mi-chemin qu'elle avait aussi égaré sa barrette d'écaille. Tout cela les fit rire. L'amour leur faisait tout oublier.

Johanna s'aperçut tout de suite que quelque chose s'était passé entre eux. Leurs expressions, leurs mains qui se cherchaient ne pouvaient tromper. Elle en fut heureuse. Karen était la femme idéale pour son frère. Compréhensive, douce, grâce à sa beauté, elle modérerait le tempérament insatiable d'Erik. Toute la soirée elle attendit l'annonce de leurs fiançailles. Comme rien ne venait, Johanna en déduisit qu'ils ne trouvaient pas le moment propice pour officialiser l'événement. Ils échangeraient leurs bagues à la prochaine permission d'Erik.

Ce soir-là, Erik se rendit dans la chambre de Karen. Pour la première fois, la porte n'en était pas fermée à clef. Cela effaça ses déceptions passées. Il était vraiment amoureux, sans doute pour la première fois de sa vie... À cinq heures du matin, il s'arracha à la tiédeur du lit. Elle dormait. C'était le moment de partir. Il ne voulait pas de « cérémonie » d'adieux. Elle reposait, les seins nus, ses cheveux étalés comme une soierie autour d'elle. Sur le seuil, Erik la contempla encore une fois; puis il ferma la porte derrière lui. De retour dans sa chambre, il attrapa le sac à dos qu'il avait préparé la veille et descendit l'escalier sur la pointe des pieds. Il ne voulait réveiller personne.

Il se dirigea vers la cuisine pour y prendre un en-cas. Un rai de lumière filtrait sous la porte. Il la poussa. Sa mère était déjà aux fourneaux, le petit déjeuner disposé sur la table.

Surpris, il posa son sac à terre.

– Mais que fais-tu debout de si bonne heure ?

– Je ne pouvais pas me rendormir. De toute façon, j'ai beaucoup moins besoin de sommeil qu'autrefois.

Gina ne fit aucune allusion à l'angoisse qui ne la quittait plus depuis le torpillage du vapeur. Elle ne s'étendit pas non plus sur l'inquiétude que lui donnait la santé du père, ni sur les dangers que courait Rolf.

– Assieds-toi ! Tout est prêt.

Gina prit son petit déjeuner avec son fils. Ils ne parlèrent que de la ferme.

– Je dois m'en aller. Merci pour tout, mère.

– Je t'ai préparé des sandwichs.

Elle ouvrit la porte et l'air frais du matin pénétra dans la pièce. C'était l'aube, la vallée s'éveillait. Sur le versant opposé, la chute d'eau envoyait déjà des étincelles dorées. Il assura son sac sur son dos.

– C'est une merveilleuse journée, prends bien soin de toi, mère !

Gina étouffa un sanglot et l'étreignit. Elle l'embrassa avec émotion, puis dit d'une voix brisée :

– Surtout, surtout ne te laisse pas avoir par les Allemands, mon petit...

Son instinct maternel – Erik le savait – lui avait fait deviner que cette courte visite serait la dernière avant longtemps. Il voulut la rassurer.

– Ne t'en fais pas pour moi, maman, tout se passera bien.

Il descendit rapidement le perron pour gagner le sentier. Il marchait à vive allure. Avant que les arbres ne masquent complètement le sentier, il se retourna. Sa mère se tenait toujours sous le porche et agitait la main.

Une heure plus tard, Johanna descendit à son tour. La table était nette, la vaisselle lavée et rangée. Gina donnait à manger au chat. La mère et la fille échangèrent quelques mots; puis Johanna sortit par la porte de derrière et se dirigea vers une dépendance où l'on rangeait les vêtements de travail et les bottes. Gina n'avait pas osé parler d'Erik de peur d'éclater en sanglots.

Puis vint le moment le plus pénible... Karen, qui s'était levée plus tard que d'habitude, disposa le couvert d'Erik sur la table de la cuisine. Johanna, qui venait de finir la traite des vaches, entra. Elle vit sa mère poser doucement la main sur celle de Karen.

–, Erik est déjà parti, Karen...

Karen esquissa un demi-sourire. Elle secoua la tête avec incrédulité.

– C'est impossible. Il ne s'est pas réveillé et il n'est pas encore descendu, c'est aussi simple que cela. Je vais l'appeler.

Elle se tourna vers la porte. Gina s'avança pour lui barrer le passage.

– Je l'ai vu ce matin, Karen. Il ne m'a rien dit de précis... mais je suis certaine qu'il est parti pour l'Angleterre.

Karen se figea et poussa un gémissement d'angoisse.

– Non ! Non ! Je serais partie avec lui.

– Ce serait bien trop dangereux, Karen, dit Johanna.

– Je me fiche pas mal du danger ! Depuis combien de temps est-il parti ? A-t-il dit le chemin qu'il prenait ?

Gina la regarda avec compassion.

– Il ne m'a rien dit du tout.

– Il faut que je le rattrape, il le faut...

Johanna se précipita pour la retenir.

– Va donc chercher ton manteau et quelques vêtements. J'attelle Nils-Arne à la charrette. Erik va probablement prendre le ferry. On le trouvera sur la jetée si on ne le rejoint pas avant.

Quelques minutes plus tard, les deux femmes partaient. Johanna menait le cheval à une vitesse inhabituelle pour lui. Elle ralentit en arrivant au hameau où résidaient des soldats allemands car elle ne tenait pas à se faire remarquer. Une fois l'église dépassée, elle reprit son allure. Du sommet de la côte, elles aperçurent le ferry qui approchait de la jetée.

– Ce doit être celui qu'il va prendre, dit Karen. C'est le premier bateau, il n'y en a pas d'autre plus tôt. Vite, il ne nous reste que quelques minutes !

Lorsqu'elles arrivèrent sur la jetée, le ferry abaissait déjà ses rampes afin de laisser descendre deux véhicules de l'armée et un motocycliste. Trois personnes seulement attendaient pour embarquer. Erik ne se trouvait pas parmi elles. Johanna passa un bras autour des épaules de Karen.

– Descends tout de suite, lui dit-elle. Il y a deux sentinelles, elles ne contrôlent personne, sauf en cas d'alerte. Va attendre sur la jetée. Sois prête à monter à bord. Erik a peut-être décidé de n'embarquer qu'à la dernière seconde.

Karen obéit, comme une automate. Elle avisa les quelques passagers qui venaient de descendre. Le mécanicien s'apprêtait à relever la rampe.

– Vous montez à bord, mademoiselle ?

Prise de panique, elle se tourna vers la route et

fouilla la colline du regard, puis elle revint à l'homme qu'elle fixa avec une telle expression de désespoir qu'il n'ajouta rien.

– Non... Non... Pas maintenant.

Elle revint alors près de la charrette. Johanna lui proposa d'attendre l'arrivée du prochain bateau. Elle secoua la tête. Elle savait – tout comme Johanna – qu'Erik n'aurait pas quitté la ferme à une heure si matinale pour prendre un ferry beaucoup plus tard dans la matinée.

– Il a dû partir par la montagne, dit enfin Johanna.

Karen resta silencieuse. Elle n'ouvrit la bouche qu'une fois sur le chemin du retour.

– J'espère simplement que je suis enceinte : je veux, oui, je veux avoir un enfant d'Erik...

Erik en effet n'avait pas pris le bateau. Il avait bifurqué avant d'atteindre le hameau et était descendu plus bas dans la vallée. Un jeune homme de son âge l'attendait près du moulin. Ils avaient grandi ensemble. Ils se hélèrent avec enthousiasme.

– Salut, Ingvar !

– Salut, Erik ! Quelle belle journée pour notre départ !

Ils se dirigèrent vers le petit pont qui traversait la rivière. De l'autre côté, deux autres jeunes gens les attendaient : Oivind et Olav, des jumeaux. Boulangers de leur métier, ils transportaient dans leurs sacs une bonne provision de pain. Minces comme des fils, c'étaient les meilleurs skieurs de la région.

– C'est l'amicale des anciens élèves ! plaisanta Olav. Tout Ryendal est sur le pied de guerre !

Son frère leva le poing dans un geste de triomphe.

– Winston Churchill, nous voici ! C'est la fin de tes problèmes.

Ils éclatèrent de rire, puis continuèrent leur route à travers la montagne. Vers midi, ils arrivèrent en vue d'un petit port, sur les bords du fjord. De nombreux bateaux de pêche y étaient ancrés. Erik laissa ses amis et entra seul dans la ville.

Il se rendit à l'adresse qu'« on » lui avait indiquée. Un de ses collègues officiers, Jon, lui ouvrit la porte et le fit entrer. Il était vêtu de la même façon qu'Erik.

– Tu arrives à l'heure pile, Erik !

– Tu me connais, toujours ponctuel !

Erik entra dans le salon et Jon lui présenta son frère Martin. Il avait dix-sept ans et partait avec eux. Un jeune homme du même âge, Arvid, se trouvait là également, ainsi que trois autres jeunes gens qui devaient avoir une vingtaine d'années. Tous étaient penchés sur une carte étalée sur la table.

– Nous nous emparons d'un chalutier, dit Jon. Il est ancré à un endroit très pratique pour nous, à l'ouest au bout du quai, c'est-à-dire en dehors de la ville... Une fois passée l'île où se trouvent les projecteurs allemands, nous traverserons l'embouchure du fjord et nous serons en pleine mer.

– Mais, demanda Erik, pourquoi ce chalutier n'est-il pas parti en Arctique avec la flotte de haute mer ?

– Le propriétaire a été arrêté, le pauvre diable ! Personne ne peut dire pourquoi, ni ce qu'il est devenu. Nous prenons le bateau avant qu'il ne soit réquisitionné. C'est une chance à courir. Tes camarades pourront nous rejoindre dès qu'il fera sombre. Le point de ralliement est l'entrepôt où l'on stocke les barils d'essence. Heureusement, nous avons un serrurier avec nous.

Il montra de la tête l'un des jeunes gens.

– Et les sentinelles allemandes ? dit Erik.

– Il n'y en a que deux sur le quai, qui patrouillent toutes les heures. Martin et Arvid feront le guet pendant que nous aiderons les autres à charger les barils à bord.

Erik rejoignit ses camarades qui étaient restés dans la montagne.

L'attente leur parut longue jusqu'à la tombée de la nuit. Le temps changea dans l'après-midi. Il se mit à pleuvoir. La nuit était sans lune et il ventait fort, mais ils gagnèrent facilement le lieu de rendez-vous. Chacun avait une tâche précise à accomplir, ils travaillaient en silence... quand leur parvint, soudain, un bruit métallique provenant de l'arrière du bâtiment. Ils se figèrent.

– Pas de panique, dit quelqu'un en norvégien. J'ai juste laissé tomber mon gobelet. Nous partons avec vous.

– Mais qui sont ces cinglés ? demanda Erik.

Il s'agissait de trois jeunes garçons – Erik en saisit un par les cheveux et lui braqua sa torche sous le nez. Il ne devait pas avoir plus de seize ans.

– Mais de quel droit êtes-vous montés sur ce bateau ?

– Par le plus sacré des droits... Vous êtes en train de voler le bateau de notre père !

Les trois frères dont le patronyme était Berge furent instantanément surnommés Berge un, Berge deux et Berge trois. En tant que nouveaux membres de l'équipage, ils firent preuve de beaucoup de bonne volonté en aidant à charger les derniers barils d'essence. Puis ils se retrouvèrent tous à bord. On mit le moteur en marche. Le vent était leur allié : il emportait le bruit du moteur vers le large. Le chalutier s'éloigna du quai tous feux éteints.

L'île truffée d'observatoires allemands, à la sortie du fjord, fut bientôt en vue. Au moindre bruit suspect, les projecteurs se mettraient à balayer la surface de l'eau. Quand Erik jugea le moment venu, il arrêta le moteur et le bateau se mit à dériver en silence. Dans la cabine, Berge trois se mit à vomir : ses nerfs avaient eu raison de lui. L'île disparut progressivement. On put remettre le moteur en marche. Ils se serrèrent tous la main.

Devant eux, s'étendait la pleine mer, le grand large...

Les Allemands n'autorisaient la pêche que dans certaines limites. Tout bateau surpris au-delà était présumé vouloir entrer en contact avec les Anglais et était passible d'une attaque de la Luftwaffe ou de la marine allemande. Erik projetait d'entraîner le chalutier aussi loin que possible en dehors de ces limites. Quand l'aube arriverait, il ne leur resterait plus qu'à espérer que la chance ne les abandonnerait pas et qu'ils atteindraient les îles Shetland, où les Britanniques les accueilleraient. Jon et lui seraient acceptés d'office dans la marine norvégienne libre et les trois amis qui avaient quitté la vallée avec lui ce matin pensaient rejoindre l'Armée de l'Air norvégienne libre. Depuis toujours, les jumeaux étaient passionnés d'aviation.

Vers minuit, Jon, en ciré, vint prendre la relève d'Erik à la barre.

– Que penses-tu du temps ? demanda Jon.

Il scrutait la mer à travers la vitre de la passerelle balayée par la pluie.

– Cela va aller en empirant, il n'y a aucun doute. Mais ce chalutier est construit pour naviguer par tous les temps. Et voilà... nous y sommes !

– Va dans la cabine, dit Jon, il y a de la soupe chaude qui t'attend...

Cette soupe brûlante fut la bienvenue. Erik s'assit, le bol entre les mains, et la but à petites gorgées. Il fit un rapide calcul mental des membres de l'équipage. Il se prit à espérer que personne d'autre que lui n'avait encore fait ce décompte : avec Jon à la barre, ils étaient treize à bord... Erik n'était pas superstitieux, mais, en la circonstance, cela le troubla.

Au matin, les nuages étaient au plus bas sur l'horizon. Cela leur donna une chance supplémentaire de ne pas être repérés par les avions. En revanche, la mer était de plus en plus houleuse. Le chalutier, balancé à la crête des vagues, retombait comme une pierre dans les creux, tandis que des murs d'eau verte déferlaient devant eux. Erik et Jon étaient les seuls vrais marins à bord. Ils se succédaient à la barre, aidés de l'aîné des frères Berge qui avait acquis un minimum d'expérience en naviguant avec son père. Le vent d'ouest était de plus en plus violent. Les vagues prenaient des proportions gigantesques. L'eau se brisait sur l'avant et rejaillissait en tourbillonnant sur la passerelle.

La nuit suivante n'apporta aucune amélioration...

Erik ne vit pas la vague qui les heurta de plein fouet à l'aube de ce deuxième matin. Il fut jeté à bas de sa couchette. Des hublots au-dessus de sa tête parvint un grondement tel qu'il pensa que le chalutier était en train de sombrer. Un des hommes avait été blessé. Il tenta de regagner la passerelle. Berge un le suivait. Jon, très pâle, leur cria dès qu'ils entrèrent :

– Le moteur est coupé. On dérive...

Quand ils eurent atteint la timonerie, ils ne purent que constater les dégâts. L'eau s'était frayé un chemin jusque-là, la salle était complètement inondée.

– La pompe de cale ne marchera pas tant que nous n'aurons pas fait repartir le moteur, déclara Berge un.

La suite fut un cauchemar. Tous se mirent à la tâche, à l'exception d'Arvid qui était resté dans la cabine à cause de son bras cassé. Le chalutier dérivait toujours, dangereusement enfoncé dans l'eau et ballotté sans répit. Il fallut vider la cale avec une pompe manuelle. Quand ils s'arrêtèrent, épuisés, la tempête avait décru. Mais personne ne réussit à mettre le moteur en marche. Il était complètement noyé. Ils ne risquaient plus seulement de sombrer, un autre danger les menaçait. La mer qui s'apaisait laissait deviner la ligne grise des îles Shetland à l'horizon mais le vent encore violent, soufflant de l'ouest, les repoussait vers les côtes de Norvège.

Ils dérivèrent ainsi pendant cinq jours. Ce fut vraiment par miracle qu'ils échappèrent aux contrôles aériens de l'ennemi. Quand ils arrivèrent de nouveau en vue des côtes de Norvège, ils se trouvaient très au sud de l'endroit d'où ils étaient partis. Depuis leur départ, les Allemands avaient eu largement le temps de constater la disparition du chalutier. Ils avaient dû recevoir un rapport sur la désertion de deux officiers affectés au service de la côte, et avaient également dû entreprendre des enquêtes afin de savoir qui d'autre, dans la région, manquait à son lieu de travail. À présent, ils étaient certainement en possession de la liste complète de ceux qui se trouvaient à bord. Ce ne serait hélas pas la première fois que le mauvais temps rejetterait sur la côte un bateau rempli de fugitifs qu'on arrêterait et qu'on exécuterait.

Erik décida de sortir les filets et de les suspendre au-dessus du bastingage. Ils auraient ainsi l'air de rentrer de la pêche. À proximité du littoral, ils furent interceptés par un autre bateau de pêche. Le capitaine accepta de les remorquer jusqu'à une petite crique et leur donna de précieuses informations.

– Disparaissez aussi vite que vous le pourrez, dit-il. Hier, les Allemands interrogeaient les gens en ville au sujet d'un chalutier disparu. D'ici, vous avez une chance de vous disperser dans la campagne sans trop vous faire remarquer.

Erik et Ingvar décidèrent de retourner dans leur région. Les autres en firent autant. Il leur serait plus facile de se débrouiller en terrain familier et, avec un peu de chance, ils pourraient trouver un autre bateau. Ils sauraient en tout cas qui éviter et à qui faire confiance, ce qui serait impossible dans un endroit inconnu. Les frères Berge furent les seuls à vouloir rester dans le pays; ils y avaient de la famille qui les cacherait quelque temps. Ils prendraient soin d'Arvid.

Ils se souhaitèrent bonne chance. Erik et Ingvar aidèrent Arvid, blessé, à débarquer. Puis ils rejoignirent les autres qui attendaient à couvert des rochers et ils détalèrent comme des lièvres vers les bois. Une fois à l'abri, ils prirent des directions différentes. Par chance, le jour déclinait. Il était près de minuit quand ils atteignirent le pied de la montagne. Ils grimpèrent jusqu'à ce qu'ils se sentent en sécurité, et se laissèrent alors tomber sur l'herbe sèche et s'endormirent.

Ils mirent deux jours pour atteindre Ryendal. Là, ils restèrent dans les hauts pâturages et s'abritèrent dans la cabane près du lac, où il n'y avait pas si longtemps, Erik avait passé la journée avec Karen. Il retrouva sa barrette d'écaille et la mit dans sa poche comme porte-bonheur. Ils se reposèrent pendant une journée et terminèrent les provisions qu'on leur avait données la veille dans une ferme isolée. L'air était clair et Erik aperçut Karen au loin à plusieurs reprises. On aurait dit qu'elle sentait sa présence. Chaque fois qu'elle sortait de la ferme, elle s'arrêtait et regardait dans la direction du lac. Il avait très envie de l'appeler, mais il ne voulait pas lui faire courir le moindre danger. Il savait qu'à la ferme, elle était en sécurité.

Il avait été décidé, sur le chalutier, que les jumeaux rejoindraient Erik et Ingvar près du lac. S'ils n'arrivaient pas en temps voulu, c'est qu'ils avaient été retardés ou arrêtés. À l'aube, ils n'étaient toujours pas là. Erik ferma donc la cabane et replaça la clef au-dessus de la porte. Puis ils descendirent au hameau par un chemin qui passait près de chez Ingvar. Erik ne tenait pas à être vu dans le coin. Leur nouveau plan de fuite dépendait du hasard et de la chance : à Ryendal, certains bateaux sortaient pêcher le jour et d'autres la nuit. Ils avaient prévu de monter à bord d'un de ceux qui venaient de rentrer et qui étaient déjà déchargés. Ensuite, ils se faufileraient dans le sillage de ceux qui s'en allaient. Ils atteindraient ainsi la mer sans être inquiétés. Le danger d'être repérés par la Luftwaffe serait, cette fois, encore plus grand : en effet, ce serait de jour qu'ils franchiraient les limites autorisées pour la pêche...

Dans l'aube grise, on déchargeait sur la jetée les caisses de poissons. Un peu à l'écart, trois bateaux étaient à l'ancre pour la journée. La pêche de la nuit avait déjà été débarquée et leurs propriétaires étaient partis. Personne ne les remarqua. Les sentinelles venaient d'être relayées et n'avaient aucune raison de suspecter quoi que ce fût. Ils étaient sur le point de démarrer quand les jumeaux arrivèrent et sautèrent à bord. Ils expliquèrent qu'ils avaient été retardés par un camion rempli de soldats allemands sur leur route.

Erik se mit à la barre et ils prirent le départ. Cette fois, ils n'avaient pas besoin de se cacher : l'équipage faisait semblant de préparer les filets pour la pêche.

Les jumeaux donnèrent alors des nouvelles. Elles étaient dramatiques. Berge un et Berge deux étaient tombés sur une patrouille allemande à la sortie du bois. Ils n'avaient pas voulu abandonner leur ami blessé et avaient été arrêtés. Ils avaient poussé leur plus jeune frère à s'enfuir. Les Allemands l'avaient abattu. Les jumeaux, dissimulés dans les sous-bois, avaient été témoins de toute la scène. La nuit, un fermier les avait cachés dans sa grange. Au matin, ils apprirent que cinq des autres fugitifs avaient été tués. C'était un terrible bilan. Le même sort les attendait peut-être. Erik se sentit soudain la bouche sèche.

Le propriétaire du bateau avait oublié sa pipe et sa tabatière dans la cabine de pilotage. Il revint sur la jetée. Il resta un long moment sur le quai. Songeur, il suivit des yeux son gagne-pain qui s'éloignait. L'idée ne lui vint pas de donner l'alarme aux garde-côtes. Il pensa avec mélancolie que s'il avait eu vingt ans de moins, lui aussi se serait enfui... Il espérait simplement que sa compagnie d'assurances ne le ferait pas attendre trop longtemps. Enfin, il eut une pensée de regret pour sa tabatière qui contenait du vrai tabac.

Trente-six heures plus tard, après une traversée relativement calme, Erik amarra le bateau dans le port de Lerwick, dans l'une des îles Shetland. Des soldats anglais vinrent les chercher à bord et les escortèrent jusqu'à un bâtiment officiel où ils subirent un interrogatoire serré de la part des Anglais et des Norvégiens. Les Allemands, en effet, essayaient souvent de faire passer des espions en Angleterre par la mer du Nord. Au bout de quelques jours, on cessa de les soupçonner. On leur donna de nouvelles cartes d'identité.

Le lendemain, escortés d'un policier, ils prirent le ferry pour l'Angleterre puis le train pour Londres. Ils arrivèrent dans la capitale de nuit, sous un violent bombardement. Les immeubles en flammes embrasaient le ciel et sous le vrombissement des avions ennemis l'explosion des bombes ébranlait le sol comme l'aurait fait un tremblement de terre.

Pendant deux semaines, on les retint dans un camp où on les interrogea – encore et toujours. Ils pouvaient détenir des informations utiles. Puis, les trois compagnons d'Erik furent enrôlés dans l'Armée de l'Air norvégienne libre. Ingvar s'envola pour le Canada pour y être entraîné au pilotage aérien dans un centre appelé « La Petite Norvège ». Les deux jumeaux furent envoyés quelque part en Angleterre : ils deviendraient mitrailleurs sur des avions de chasse. Le temps passait et l'impatience d'Erik grandissait. On l'appela enfin. Contrairement à ses prévisions, on ne lui confia pas le commandement d'un navire norvégien. L'un de ses compatriotes, dans un uniforme de marine impeccable, lui faisait face derrière une table bien cirée. La mine sévère, il commença par scruter Erik de ses yeux perçants.

– Je vous offre la chance, dit-il enfin, de vous porter volontaire pour une mission très spéciale. Nous avons besoin d'hommes qui connaissent chaque crique, chaque anse de la côte ouest de la Norvège. Nous voulons y faire entrer des agents et en faire sortir d'autres. Cette mission sous-entend des traversées en hiver en partant des îles Shetland avec des bateaux de pêche qui se mêleront à ceux des pêcheurs locaux à leur arrivée. Qu'en pensez-vous ?

– Quand puis-je commencer ?

Erik était heureux. Il devait quitter Londres le soir même. La section de la Résistance qu'il allait rejoindre avait gagné pour ses traversées secrètes et périlleuses un surnom fort respecté : « Shetland bus. »

Alors qu'il se rendait à la gare de Kingcross, son attention fut attirée par les gros titres des journaux. *Les Japonais ont bombardé Pearl Harbor.* Les États-Unis venaient d'entrer en guerre.

En ce Noël 1941, à Scalloway, dans les îles Shetland, le nom d'Erik figurait désormais sur la liste de ceux qui servaient les Forces norvégiennes libres. Ces hommes partageaient l'exil du roi Haakon; à l'occasion des fêtes de fin d'année, ils reçurent chacun un cadeau et une lettre de vœux du roi : des chaussettes chaudes, une écharpe tricotée, des cigarettes et du chocolat. Il y avait aussi un petit cadeau pour les femmes de ces « serviteurs » du pays. Il portait une étiquette : *Pour elle.* Cette année-là, ce fut un tube de rouge à lèvres. Erik sourit, le tourna et le retourna dans sa main. Il le garderait pour Karen. Cette décision était un vœu de fidélité. Un vœu nouveau pour lui, mais il entendait bien s'y tenir.

7

Johanna se rendit dans un café installé au-dessus d'une épicerie. Des fenêtres, on apercevait la rue pavée et les eaux glacées d'Alesund, sous le pont qui reliait la ville à l'île en face. Les entrepôts de planches se serraient frileusement les uns contre les autres, leurs toits recouverts d'une épaisse couche de neige.

La plupart des tables du café étaient occupées. Il y avait même des soldats allemands. Assis près de la fenêtre, quatre marins discutaient dans un nuage de fumée de cigarettes. Johanna se fraya un passage à travers les tables et s'assit dans la partie de la salle la moins fréquentée. Elle attendait Steffen.

Elle ne l'avait pas revu et n'avait reçu aucune nouvelle depuis la nuit du parachutage de Délia. Heureusement, les nombreux travaux de la ferme ne lui avaient pas laissé le temps de cultiver son vague à l'âme. En outre, peu après le départ d'Erik, l'état de santé de son père s'était encore dégradé; ses forces l'abandonnaient. Le vieux médecin du village était revenu le voir et lui avait prescrit des médicaments pour le cœur. Puis il avait laissé Edvard seul avec ses douleurs, sachant qu'il lui serait impossible de monter jusqu'à la ferme quand arriverait la neige.

Edvard était parfaitement conscient de son état. Il se nourrissait et recevait encore des visites mais il fallait s'occuper de lui constamment. Karen, infirmière dans l'âme, avait pris les choses en main. Elle laissait Gina et Johanna la relayer de temps à autre au chevet du malade, mais à contrecœur. C'était son affaire à elle. Elle avait décidé de remettre Edvard sur pied, comme pour compenser la fin de ses espoirs de maternité. Gina lui avait abandonné cette tâche qui lui donnait l'occasion de se surpasser en l'absence d'Erik.

Noël 1941 fut triste. La maladie d'Edvard et l'anxiété au sujet d'Erik assombrissaient cette fête. Le roi Haakon avait parlé à ses compatriotes à la BBC. Johanna en savait un peu plus que les autres sur le Noël de leur roi à Londres. Au cours d'une de ses livraisons de bulletins clandestins qui la conduisaient périodiquement dans la vallée, elle avait revu l'instituteur qui l'avait accompagnée dans la montagne pour y accueillir Délia lors de son parachutage.

– Cette année, lui dit-il, comme pour le premier Noël de l'Occupation, le roi aura un arbre de Norvège. À l'issue d'une de leurs missions ici, nos agents ont déraciné un petit arbre et l'ont emmené avec eux en Angleterre. Un cadeau qui rappellera son pays à notre souverain.

Johanna avait été émue par l'histoire de cet arbre de Noël norvégien traversant la mer, en pleine guerre, pour arriver à Londres.

Cet hiver-là, le Troisième Reich, engagé dans la campagne de Russie, se trouva à court de matériel. Les Norvégiens, à l'exception des fermiers et des pêcheurs, durent remettre aux occupants bottes de caoutchouc, couvertures, tentes, sacs à dos, vêtements chauds. Johanna fut désignée, avec quelques autres femmes de la vallée, pour trier ce qui devait être rassemblé à Ryendal. Personne ne pouvait se soustraire aux exigences des Allemands sous peine de récolter trois mois de prison ou une amende qui pouvait s'élever jusqu'à cent mille *kroner*.

Au début de 1942, une situation assez cocasse fit sourire les Norvégiens, mais amusa beaucoup moins les Allemands. Après l'interdiction du port de trombone (puni d'emprisonnement ou d'une lourde amende), les Norvégiens avaient trouvé une autre façon de manifester : la mode du bonnet de laine rouge.

C'était la couleur du drapeau national. Hommes, femmes, enfants, tout le monde se mit à porter un bonnet rouge. Les Allemands mirent un certain temps à comprendre. Puis les inévitables avertissements apparurent sur les murs et dans la presse : AVIS - *Objet : Bonnets de laine rouge tricotés. Le port de ce couvre-chef est formellement interdit sous peine de punition sévère.*

Johanna gardait les yeux fixés sur la porte du café. L'idée de revoir Steffen la rendait malade d'anxiété. Elle avait essayé de se convaincre qu'ils n'étaient plus que des amis : leur idylle n'était qu'un engouement passager favorisé par les hasards de la guerre. En fait, elle le savait bien, son amour pour lui était toujours aussi fort. Elle l'avait aimé dès le premier jour, quand il l'avait embrassée sur la place du marché d'Oslo, et il y avait des chances pour que cela dure longtemps encore. Elle n'y pouvait rien, elle ne connaissait aucun remède à cette maladie.

La porte du café s'ouvrit enfin sur un nouveau client. C'était Délia. Pendant quelques secondes, durant lesquelles son chagrin le disputa à sa colère, Johanna crut que Steffen lui avait envoyé Délia pour ne pas venir lui-même. Mais l'Anglaise s'assit dans un autre coin du café, sans lui adresser un regard.

Steffen entra à son tour. Il repéra Johanna et alla au comptoir commander deux tasses de café qu'il apporta à sa table. Son visage était tendu et son regard prudent, presque fuyant... Quand elle leva les yeux vers lui, elle comprit que son visage à elle reflétait sans doute la même expression.

Il tournait le dos à la salle.

– Je suis désolé d'être en retard, dit-il.

– C'est un endroit bien fréquenté pour se rencontrer !

Il jeta un coup d'œil par-dessus son épaule.

– C'est bien pour ça que je l'ai choisi, répondit-il. Je savais qu'on pourrait y parler sans être remarqué. En même temps, il faut que je surveille Délia.

– Elle est revenue plusieurs fois depuis notre dernière rencontre ? ne put s'empêcher de demander Johanna.

Steffen fit un signe affirmatif.

– Elle est agent de liaison. Elle repart ce soir. Il y a de fortes chances pour que la Gestapo ait mis la main sur des informations pouvant mener jusqu'à elle. Comme nous ne pouvons prendre aucun risque, elle ne reviendra pas.

Était-ce son imagination qui lui jouait des tours, ou bien avait-il insisté sur la dernière phrase ? De toute façon, cela n'avait plus grande importance à présent.

– Je lui souhaite un bon voyage, dit-elle.

Il but une gorgée de l'ersatz de café et grimaça.

– Ce « café » norvégien est de pire en pire.

Il s'accouda à la table et la regarda attentivement.

– Et toi... comment vas-tu ? Que s'est-il passé ?

Elle lui raconta la fuite d'Erik en Angleterre, puis lui parla de Rolf. L'école reprenait après les vacances de Noël et, dans tout le pays, les instituteurs commençaient à s'inquiéter. On disait que Quisling travaillait à un projet qui leur enlèverait tout pouvoir.

– J'ai entendu parler de tout cela, dit-il. Cela pourrait conduire à une situation explosive. Mais je ne t'ai pas dit quel bon travail tu avais accompli à Oslo. Félicitations ! Je sais presque tout, sauf la façon dont tu t'es tirée des pattes de la Gestapo quand elle a envahi l'immeuble.

Elle lui raconta l'épisode de la petite fille au ballon. Il secoua la tête et la regarda de plus près.

– La chance était avec toi ce jour-là. Je ne dis pas cela pour minimiser ton exploit; mais, en fait, tu t'en es tirée deux fois...

– Deux fois ? Comment ça ?

– La première fois, c'était à la descente du train où tu as failli te faire épingler par hasard à cause d'un contrôle des Sections d'Assaut. C'est un des risques du métier. Un de nos agents a délibérément créé une diversion en te poussant et en simulant la fuite.

– L'a-t-on arrêté ? Que lui est-il arrivé ?

– Rien de grave, Dieu merci ! Il a prétendu qu'il avait été pris de panique parce qu'il avait égaré son laissez-passer. On l'a retrouvé dans la doublure de son manteau : il avait un trou dans sa poche... Il s'en est tiré avec un séjour d'un mois dans un camp de travail.

Il remarqua combien elle paraissait affectée par cette information.

– Ne t'en fais pas pour lui. Il était dans le train uniquement pour t'aider. Ce que tu transportais était d'une telle importance qu'il était hors de question de te laisser sans protection. Nous aurions agi de même avec un agent expérimenté.

Elle inclina la tête pour le remercier de son explication.

– Quand me donneras-tu une autre mission ?

– Ne t'inquiète pas, ça va venir... Pour l'instant, tu dois arrêter la diffusion de journaux clandestins.

Nous ne voulons pas que tu te fasses remarquer ou arrêter pour cela. Ce que nous attendons de toi sera autrement sérieux.

Il reprit d'un ton plus grave :

– J'ai autre chose à te dire; ce ne sont pas de bonnes nouvelles, j'en ai peur. J'ai saisi cette chance de te rencontrer parce que je suis de retour à Alesund pour le départ de Délia. En vérité, la partie est devenue très difficile pour la Résistance, depuis les grèves des syndicats. En outre, le Reichskommissar Terboven n'abandonnera la lutte que lorsqu'il aura la conviction d'avoir détruit notre mouvement. L'invasion de la Russie place la Norvège aux portes du conflit international. La plupart des réseaux sont désorganisés, les contacts que nous avions recrutés avec soin sont désormais presque tous inutilisables. Des membres de la Résistance, trahis par des informateurs à la solde de Quisling, ont été torturés. Inévitablement, certains d'entre eux ont donné des informations qui ont permis de nouvelles arrestations. C'est un cercle vicieux. Pour beaucoup de nos amis, après la torture, c'est le peloton d'exécution. Les Allemands les fusillent dans une petite cour du château d'Akershus.

Johanna était effondrée.

– As-tu autre chose à me dire ? demanda-t-elle avec appréhension.

– Oui... mais partons d'abord d'ici.

– Et Délia ?

– Elle nous suivra dans une ou deux minutes.

Ils sortirent du café. Dehors, des flocons de neige tourbillonnaient légèrement dans l'air. Un instant, il leva le bras pour le passer autour des épaules de Johanna, puis il se ravisa et ils marchèrent côte à côte jusqu'à un parapet auquel ils s'accoudèrent. De là on pouvait contempler la mer argentée qui clapotait au pied des hangars. Les mouettes planaient en poussant des cris aigus, les bateaux de pêche à l'amarre se balançaient sur l'eau.

Le moment de répit que lui procurait cette promenade permit à Johanna de rassembler son courage. Elle osa enfin poser la question qui lui brûlait les lèvres.

– Est-ce que Leif Moen a été arrêté ?

– Non, pas lui, mais ton amie, Sonja Holm... La Gestapo a fait une descente dans une imprimerie clandestine, elle et d'autres ont tenté de s'enfuir. Elle a été mortellement blessée.

Johanna se couvrit le visage de ses mains. Il l'attira à lui et la prit dans ses bras. Ce geste de tendresse fut interrompu par la voix rude d'une sentinelle allemande.

– *Achtung !* Vous devriez savoir que tout rassemblement et toute conversation sont interdits dans la rue. Circulez ! *Schnell ! Schnell !*

Steffen entoura Johanna de son bras et ils se remirent à marcher. Ils n'avaient pas le choix. Elle pleurait en silence. Délia les suivait à quelque distance, sans toutefois les perdre de vue. Ils s'arrêtèrent pour se dire au revoir sous la voûte d'un passage, momentanément à l'abri des regards.

– Nous allons nous séparer ici, Jo. Pars de ce côté et moi j'irai de l'autre. J'aurais tant aimé ne pas être le messager de si tristes nouvelles.

Les yeux de Johanna s'emplirent à nouveau de larmes... Son regard alla à Délia de l'autre côté de la rue puis revint sur Steffen.

– De toute manière, j'aurais fini par l'apprendre; je préfère que ce soit par toi. Mais je ne dois pas te retenir plus longtemps, ce serait dangereux. Au revoir.

Elle s'éloigna rapidement sous la neige. Le chagrin la submergeait. Elle pleurait rarement mais aujourd'hui elle ne pouvait retenir ses larmes.

Une semaine plus tard, de retour à la ferme, Johanna aperçut entre les talus enneigés de la route un camion allemand qui montait de la vallée. Elle ne put s'empêcher de trembler lorsqu'il s'immobilisa devant la maison. Des soldats casqués se postèrent autour des bâtiments pour prévenir toute fuite. Quelques-uns se dirigèrent vers la porte d'entrée. Gina était à l'étage, au chevet d'Edvard. Karen était absente. Des poings martelèrent la porte et Johanna dut aller ouvrir. Un sergent se tenait sur le seuil, encadré de trois soldats armés. Son visage était jeune mais décidé, avec un sourire arrogant.

Il passa la porte et dit en norvégien :

– Je voudrais voir Edvard Ryen.

– Il est au lit. Il est malade, répondit Johanna.

Les yeux bruns du sergent se rétrécirent.

– Comme c'est pratique ! Où est-il ? Là-haut ?

Elle tenta de lui barrer l'accès à l'escalier.

– Je viens de vous dire qu'il est malade, très malade. Je vous prie de ne pas monter. Que lui voulez-vous ? Je suis sa fille, je peux répondre pour lui.

– C'est impossible. Nous devons l'emmener comme otage.

Elle le regarda, stupéfaite et atterrée.

– Comme otage ! Mais pour quelle raison ?

L'Allemand expliqua avec une certaine impatience :

– Vous avez bien un frère appelé Erik Ryen, n'est-ce pas ? Il a transgressé la loi en quittant le pays pour entrer en contact avec les ennemis du Troisième Reich. Comme nous ne pouvons le traduire en justice, votre père doit se porter garant pour lui jusqu'à ce qu'il soit arrêté.

Johanna s'affola.

– Mais mon frère est majeur ! Mon père n'est plus responsable de ses agissements !

– De nouvelles lois viennent d'entrer en vigueur. L'âge de votre frère n'a rien à voir là-dedans. Ne me retardez pas, mademoiselle.

Il fit un mouvement de la main pour l'inviter à s'écarter. On entendit des pas précipités. Le sergent, levant la tête, aperçut Gina en haut de l'escalier.

– Que voulez-vous ? Mon mari est malade. Il dort et je ne veux pas qu'on le réveille.

– Votre fille et vous-même faites preuve d'une grande coordination dans votre détermination à le protéger... commenta-t-il, sarcastique.

Il posa une main sur la rampe et commença à monter, suivi des trois soldats. Tout en gravissant les marches, l'officier allemand continuait à s'adresser à Gina.

– Surtout... pas d'hystérie, madame. Je suis venu ici pour emmener votre mari. Il n'est pas seul dans ce cas, d'ailleurs. Tous les pères des jeunes gens qui ont traversé la mer du Nord en compagnie de votre fils ont déjà été arrêtés.

Gina, dont la nature était tout sauf celle d'une hystérique, porta une main à sa gorge. Soudain elle manqua d'air. Ses pupilles se dilatèrent. Elle venait de comprendre ce que signifiait cette visite. Elle resta fermement plantée en haut de l'escalier, barrant le passage.

– Eh bien, emmenez-moi à la place de mon mari ! dit-elle simplement.

Johanna cria :

– Non, mère ! J'irai, moi !

Impassible, le sergent repoussa Gina.

– Je suis venu chercher Edvard Ryen et personne d'autre.

Il entra dans la chambre. Gina courut après lui et se plaça devant le lit de son mari. Le sergent s'immobilisa : le vieil homme paraissait mourant, avec son visage émacié et ses yeux soulignés de cernes profonds.

Edvard regarda sa femme et dit faiblement :

– Que se passe-t-il ? Que veut ce soldat ? Est-ce au sujet du bétail ?

Gina prit sa main amaigrie dans les siennes et lui répondit d'une voix mal assurée :

– Je crois qu'il veut te demander ton nom, Edvard.

Pour la première fois depuis le début de sa carrière militaire, le sergent Müller se sentit perplexe. La situation prenait un tour qui le dépassait. Cette affaire mettait en péril son prestige personnel. Il était le fils d'un vétéran de la Grande Guerre et son père lui avait inculqué un sens de l'honneur propre à la vieille école de l'armée prussienne. Il était un soldat avant tout. Il avait reçu le baptême du feu en Pologne et avait appris avec amertume son affectation dans un territoire occupé, alors qu'il rêvait d'aller se battre sur le front russe. Sa seule erreur avait consisté, un jour, à remplir un formulaire de l'armée sur lequel il avait indiqué qu'il parlait couramment le norvégien. Le résultat ne s'était pas fait attendre : il se trouvait désormais en Norvège avec pour mission de maintenir l'ordre ! Faire des prisonniers dans les combats était tout autre chose que d'arracher à leurs maisons et à leurs terres des fermiers têtus pour les enfermer dans des camps de travail. Il comprenait bien qu'il fallait faire un exemple pour réprimer les activités de la Résistance. Mais de là à chasser de son lit un vieil homme malade ! Il jeta un bref coup d'œil à la femme. Elle n'avait ni crié, ni supplié. Elle s'était simplement offerte à la place de son mari. Un tel courage plaisait au sergent Müller.

– Je vois que vous n'avez rien exagéré, dit-il au bout d'un moment. Je dois cependant avoir l'avis de notre médecin. Je vais revenir.

Ses trois soldats l'attendaient sur le palier. Il en désigna un qui devrait rester à la ferme et repartit avec les deux autres. Il sortit, alla au camion et rassembla le reste de ses effectifs. Il n'avait pas le moindre doute sur l'issue de cette affaire mais il lui fallait une « couverture » hiérarchique. Il examina le plateau du camion où deux fermiers costauds et débordant de santé étaient tenus sous bonne garde, les mains liées derrière le dos. Il retourna à l'avant du camion et monta à côté du chauffeur.

– Alesund. En route !

Le camion revint une heure plus tard, suivi d'une voiture militaire qui transportait l'officier médecin. C'était un homme sec, à l'air lugubre, portant des lunettes à monture d'écaille. Il avait la réputation d'être un praticien habile mais sans pitié pour les tire-au-flanc. Sa voiture s'arrêta devant la ferme et le chauffeur en descendit promptement pour ouvrir la portière arrière. L'officier médecin était de fort mauvaise humeur. Il n'appréciait pas du tout d'avoir été dérangé, sans doute pour rien : l'expérience lui avait enseigné que la maladie paraît toujours plus grave chez un homme alité.

– Conduisez-moi, sergent !

À l'étage, dans la chambre, Gina et Johanna les attendaient au chevet d'Edvard. Il était tout à fait éveillé et on l'avait averti de la venue du médecin allemand. Il devinait que quelque chose n'allait pas et se préparait au pire.

Johanna alla à la fenêtre.

– Les voici, dit-elle.

Elle revint près de Gina et posa ses mains sur les épaules de sa mère pour tenter de l'apaiser. Deux paires de bottes martelaient déjà l'escalier. Le médecin, en entrant, leur jeta à peine un regard. Il se débarrassa de son manteau de cuir, le lança au sergent et s'assit sur la chaise qu'on lui avait préparée. Il se pencha sur Edvard, lui souleva les paupières et lui prit le pouls. Puis il se mit à le questionner :

– Mal dans les os ? Dépression ? Jambes lourdes et gonflées ? Toujours froid ? Quand tout cela a-t-il commencé ?

Il dut baisser la tête vers le malade pour entendre les réponses d'Edvard.

– Ces blessures ont peut-être aggravé votre état mais vous étiez déjà malade. Depuis combien de temps êtes-vous au lit ?... Si longtemps que ça ?... Hum...

Il se leva, attrapa son manteau, le balança sur ses épaules, puis dit d'une voix plus aimable, en allemand :

– Vous avez bien fait de m'appeler, sergent, vous vous seriez retrouvé avec un cadavre sur les bras en moins de temps qu'il ne faut pour le dire.

– Nous pouvons donc le laisser ici, monsieur ?

Il donna sa réponse avec la plus complète indifférence :

– Oui... Il va bientôt mourir.

Et il sortit avec le sergent Müller.

Edvard, sur ses oreillers, les suivit du regard. Ce qu'il venait d'entendre ne l'avait pas surpris, mais il aurait préféré que Gina apprenne la nouvelle d'une façon moins brutale. Elle se pencha sur lui. Des larmes ruisselaient sur son visage. Il ne se rappelait pas l'avoir vue pleurer depuis les premiers temps de leur mariage. Elle souffrait, alors, du « mal de sa vallée » – les siens lui manquaient. Au prix d'un grand effort, il leva une main qu'il posa sur sa joue. Elle la recouvrit de la sienne.

Karen revint juste à temps pour apercevoir le camion et la voiture qui s'en allaient. Elle s'écarta sur le bord de la route, au pied d'un talus neigeux. La voiture passa comme un boulet, puis le camion déboucha à la même allure.

Elle aperçut un officier à côté du chauffeur. En arrivant à sa hauteur, il se pencha par la portière et la regarda en face. En un éclair ils se reconnurent. Comme le camion la dépassait, il se pencha encore mais elle lui tourna le dos et se mit à courir en direction de la ferme.

Elle fit irruption dans la maison en criant :

– Qu'est-il arrivé ?

Johanna, seule au salon, essayait de reprendre ses esprits.

– Viens t'asseoir là. Je vais tout te raconter.

Karen écouta jusqu'au bout et bondit de son fauteuil en serrant les poings.

– Edvard ne mourra pas. Je ne le laisserai pas. Je le jure sur la tête d'Erik, je le sauverai.

Elle aurait volé en haut de l'escalier si Johanna ne l'avait pas rattrapée.

– Ne monte pas maintenant, maman est avec lui.

Karen se rassit en se tordant les doigts nerveusement.

– Je connais le sergent qui est venu ici, dit-elle enfin.

– Tu le connais ? Comment ça ?

– Il s'appelle Carl Müller. Il est arrivé dans notre village à l'époque du Plan Nansen. Et il est resté plus longtemps que la plupart des autres enfants allemands. D'ailleurs, je pense qu'il serait resté chez les Foster si son père, qui était veuf, ne s'était remarié, lui donnant ainsi un foyer à Munich. Il est donc rentré en Allemagne et s'est engagé dans les Jeunesses hitlériennes. Il m'a écrit pendant un certain temps. Oh ! il n'y avait rien de romantique dans ses lettres ! C'étaient de longs discours dans lesquels il m'exposait tout ce qu'il faisait pour répondre aux vœux du Führer, qui ne désirait que la grandeur de l'Allemagne.

– Quel âge avais-tu la dernière fois que tu l'as vu ?

– Nous avions quinze ans tous les deux.

– Est-ce qu'il t'a reconnue ?

– Oui. J'en suis certaine. J'espère qu'il est cantonné loin d'ici et que je n'aurai pas à le rencontrer. J'ai été un peu amoureuse de lui, autrefois...

Johanna n'avait jamais entendu Karen parler si durement. Elle partageait sa façon de penser et elle espérait bien que Karen venait de revoir le sergent Müller pour la première et la dernière fois de sa vie.

Trois jours plus tard, Carl Müller revint. Quand Gina l'aperçut sur le pas de la porte, elle blêmit.

– Je ne suis pas en service, dit-il rapidement. Karen est-elle ici ?

– Si vous n'êtes pas en service, vous n'avez aucun droit d'entrer dans la maison, répondit Gina. Si Karen consent à vous parler, elle le fera hors de chez nous !

L'expression du sergent se durcit.

– Si Karen refuse de me voir, j'userai de mon autorité.

– Je vais lui annoncer que vous êtes ici, conclut Gina.

Le sergent Müller attendit sous le porche, piétinant sur place pour se réchauffer.

Autrefois, jamais personne ne l'aurait laissé sur le seuil en cette saison. Dans le village de Karen, il faisait partie de la communauté. Ils allaient à l'école ensemble et sa maison lui était aussi familière que celle des Foster.

Karen apparut, chaudement emmitouflée. Ses yeux brillants exprimaient la méfiance. Mais rien ne pouvait lui ôter sa beauté.

– Tu n'as pas changé, Karen, tu es toujours celle que j'ai connue.

Le visage de la jeune femme resta de marbre.

– Que veux-tu ?

Il aurait pu simplement répondre qu'il se sentait seul; qu'il était fatigué de la promiscuité des casernes; qu'il avait besoin de la compagnie d'une femme...

– Je voulais te revoir et te parler.

– À quel sujet ?

– Du bon vieux temps, pour commencer. Nous étions très liés. C'est une raison suffisante, je pense, pour souhaiter savoir ce que tu es devenue et avoir des nouvelles de tous ceux que je connaissais au village.

– Si tu voulais des nouvelles, tu aurais pu écrire à tes « parents » Foster après ton départ.

– J'ai écrit, quelquefois... Mais après mon retour en Allemagne, j'ai été très occupé.

Il lui tendit la main.

– Marchons un peu ! Tu vas prendre froid à rester immobile.

Elle ignora sa main tendue. Il la suivit et ils marchèrent côte à côte. Il se pencha en avant pour regarder son profil dissimulé par son col relevé et son écharpe.

– Tu n'as aucune raison d'être fâchée, dit-il. Je t'ai écrit.

Elle s'arrêta et lui fit face, les yeux flamboyant de colère.

– Fâchée ? Tu crois vraiment que je me suis souciée une seconde de ce que tu as pu faire ou ne pas faire pendant tout ce temps ? Je te hais, toi et ceux de ton espèce, pour tout le mal que vous commettez ici aujourd'hui.

Le sergent Müller était amer et déçu : il était venu là plein d'espoir, leur affection ancienne aurait dû les aider à surmonter les difficultés du présent. Il s'était même attendu à une certaine reconnaissance pour avoir épargné le vieux fermier.

– Mais je ne t'ai fait aucun mal et je n'ai aucun désir de t'en faire, tu devrais le savoir ! Je vais même te dire une chose : si vous aviez eu affaire à quelqu'un d'autre que moi l'autre jour, le vieil homme serait mort à l'arrière d'un camion de l'armée allemande.

Il pointa un doigt en direction de la ferme, puis tourna son pouce vers sa poitrine en avançant vers elle.

– Tu devrais me remercier !

Si subtil que fût le changement d'expression de Karen, il vit qu'il avait marqué un point. Bien que son attitude n'eût pas varié, elle était assez honnête pour admettre la vérité.

– Personne n'aurait dû venir de toute façon, dit-elle. Il est cardiaque et votre apparition soudaine a dû être un grand choc pour lui. Trop grand pour qu'il y survive.

Il répondit avec impatience, sans même penser à ce qu'il disait :

– Mais il n'a pas le cœur malade. Tu ne peux quand même pas me rendre responsable de son état.

Elle se calma soudain et l'observa avec intérêt.

– Qu'est-ce qui te fait dire qu'il n'est pas malade du cœur ?

– Je sais bien ce qu'il a. J'ai dû le mentionner dans le rapport qui le concerne. As-tu des doutes à ce sujet ?

– J'ai surtout des doutes au sujet de son médecin qui est très vieux et qui aurait dû cesser d'exercer depuis longtemps. Peux-tu me dire ce qu'il y a dans ce rapport ?

Le sergent Müller sentit qu'il reprenait l'avantage.

Elle demandait des informations qu'elle ne pouvait obtenir que de lui.

– Cela ne changera malheureusement rien au dénouement, dit-il.

– Je sais. Mais il serait peut-être bon de lui donner d'autres médicaments pour soulager ses douleurs. Son vieux docteur est trop têtu pour m'écouter, mais il tiendra probablement compte des remarques de l'infirmière qui s'occupe de la région. Si tu me dis ce qu'il a, je pourrai lui en parler.

Müller se sentit à nouveau plein d'espoir. Le désir de Karen d'apprendre ce qu'elle ignorait lui avait fait perdre toute agressivité.

– Bon, d'accord ! Il souffre d'une anémie pernicieuse. C'est sûrement cela qui affecte l'état de son cœur.

Elle ne s'était pas attendue à cela. C'était une maladie dont elle ne savait rien.

– Je te suis très reconnaissante de me l'avoir dit... Je ne pense pas que cela changera grand-chose à son état; mais j'en parlerai tout de même à l'infirmière.

– Où habite-t-elle ?

– Plus bas dans la vallée.

– Nous pourrions y aller ensemble maintenant...

Il avait dit cela spontanément, sans se rendre compte de ce que cela impliquait pour elle. Elle l'avait entraîné en haut de la vallée, loin de toute habitation. Descendre, se montrer aux voisins, aux amis, en compagnie d'un soldat allemand était impensable...

Il tenta de regagner l'avantage qu'il venait de perdre.

– Si je te propose ça, c'est pour te prouver ma bonne volonté. Je comprends que tu te sentes obligée de refuser. Je pense que tu te méprends à mon égard. Mais je te comprends.

Il leva les mains et les laissa retomber en signe de découragement. Puis il s'éloigna. Comme il l'avait espéré, elle le rappela.

– On y va, dit-elle.

L'expression de joie qui envahit le visage de Müller la consterna. Elle ne voulait à aucun prix qu'il accorde de l'importance à une situation qui ne se reproduirait pas. Il la regardait comme il avait l'habitude de le faire dans le temps, lorsqu'ils se rencontraient par hasard ou qu'elle arrivait en retard à l'un de leurs rendez-vous.

Ils descendirent ensemble le sentier qui menait au fond de la vallée. Les souvenirs affluaient. Ils parlèrent sans arrêt. Elle se prit à sourire et même à rire avec lui.

Il l'accompagna jusqu'à la porte de l'infirmière et l'attendit sur le bas-côté de la route. Elle y resta à peu près dix minutes et en ressortit radieuse. Elle courut vers lui, le long du talus enneigé.

– L'anémie pernicieuse peut se guérir ! Il n'est peut-être pas trop tard ! L'infirmière va voir le médecin. S'il est d'accord, elle ira faire de nouvelles piqûres à Edvard. Il devra suivre un régime à base de foie, ce qui est relativement facile dans une ferme. Elle a été indignée d'apprendre que le docteur n'avait même pas ordonné d'analyse de sang. Tu te rends compte ? Edvard peut guérir !

Carl Müller se taisait. Son visage avait perdu toute expression. Le jeune homme qu'elle avait connu n'était plus, pour elle, qu'un soldat ennemi. Il dit d'un ton neutre :

– Ce sont de bonnes nouvelles, en effet.

La joie se retira également du visage de Karen. Plantée au milieu de la route, elle l'examina et s'exclama avec amertume :

– Ainsi, tu récupéreras ton otage !

Il répondit en martelant les mots :

– Pas nécessairement. Allons, rentrons !

Elle marcha en silence à ses côtés, tout en lui jetant des coups d'œil anxieux. Il regardait droit devant lui.

– Il n'arrivera rien avant demain, dit-il enfin. La maladie d'Edvard Ryen est peut-être trop avancée pour qu'on puisse le sauver. Je suis décidé à attendre. Comme je te l'ai dit, Karen, je suis ton ami. Si les habitants de la ferme te tiennent à cœur, j'aurai des égards envers eux. Je me répète, Karen, mais tu me connais et tu devrais me faire confiance, comme autrefois.

Elle ne savait plus très bien comment interpréter ses paroles. Il n'avait fait aucune promesse à propos de l'arrestation d'Edvard. Mais, d'un autre côté, il l'avait rassurée d'une façon claire; et il était vrai qu'il serait peut-être obligé d'exécuter des ordres. Elle comprit soudain qu'elle tenait la clef du problème : il était évident qu'il désirait plus que tout reprendre leurs anciennes relations. Et sans doute espérait-il davantage ! Elle n'en eut pas moins pitié de lui.

– Je veux bien te faire confiance à toi, mais pas à ton uniforme.

– Mon uniforme et moi ne faisons qu'un, coupa-t-il sèchement.

Elle savait à présent qu'elle devait rester sur ses gardes. De retour à la ferme, il lui fit ses adieux, enfourcha sa moto, ajusta ses lunettes protectrices et démarra dans un retentissant ronflement du moteur. Elle ne savait pas quand elle le reverrait; mais elle pressentait qu'il reviendrait...

L'infirmière avait conseillé de commencer sans attendre le nouveau traitement d'Edvard. Le vieux docteur leur fit comprendre qu'il cesserait volontiers de s'occuper de son patient. Il se sentait offensé aussi bien en tant que patriote qu'en tant que médecin. C'était un diagnostic de l'ennemi qui avait contredit le sien !

Johanna ne sut jamais comment l'infirmière lui présenta la chose. Toujours est-il que l'état d'Edvard s'améliora de façon notable vers la mi-février.

En revenant du hameau où elle était allée faire des provisions avec les bons de rationnement, Johanna s'arrêta à l'école comme elle le faisait souvent. Comme la santé d'Edvard n'était plus préoccupante, Rolf ne passait plus le voir chaque jour. Il avait trop à faire pendant la journée et après la classe. Il organisait des réunions avec d'autres instituteurs qui avaient leurs propres réseaux dans la Résistance.

Leur position devenait précaire. Quisling avait fait passer une loi obligeant tous les enseignants à adhérer à la nouvelle Association nazie pour l'Éducation, tandis que les élèves étaient appelés à se joindre au mouvement des Jeunesses nazies.

Dans le hall, l'odeur familière de la craie fit frémir les narines de Johanna. La salle de classe se trouvait à gauche, les appartements de Rolf à droite. Un escalier conduisait aux chambres. Rolf y avait caché une radio, plus astucieusement que le barbier du pays qui avait dissimulé la sienne dans le fauteuil qui servait à ses clients. Un jour, à l'heure de la fermeture, un soldat allemand était venu se faire couper les cheveux. Quelle ne fut pas sa surprise lorsqu'il entendit une voix qui montait de son siège et disait : « *Ici Londres...* »

Johanna entra dans la salle de classe. Les vingt-deux élèves se levèrent dans un raclement de chaises. Les nœuds des rubans s'agitèrent dans les cheveux des petites filles. Johanna les salua.

Rolf écrivait au tableau. Il fit signe à ses élèves de se rasseoir et se tourna vers elle.

– Attends un moment, le cours est bientôt fini.

Il donnait une leçon d'arithmétique. Johanna se promena à travers les rangées en jetant un coup d'œil sur les cahiers. Elle connaissait chacun de ces enfants. Ils appartenaient tous aux hameaux ou aux fermes de la vallée. Quand elle arriva au dernier rang, la classe était terminée. Elle écouta les bras croisés les ultimes instructions que donnait Rolf avant de rendre leur liberté aux enfants.

– Aujourd'hui, c'était le dernier jour de classe. Comme vous le savez, vous êtes en vacances pour quatre semaines à cause du manque de combustible.

Vous ferez le travail que je vous ai donné. Si l'un de vous a besoin d'aide, vous savez où me trouver... C'est tout, les enfants, vous pouvez rompre les rangs.

Rolf maintenait une stricte discipline dans son école et les gamins filaient doux. On entendit dans le hall des bavardages et une légère bousculade, ils enfilaient leurs manteaux. Les bras toujours croisés, Johanna alla lentement vers le bureau de son frère et s'y appuya de la hanche. Rolf essuyait le tableau.

– Qu'est-ce que c'est que cette histoire de manque de combustible ?

Elle avait posé sa question avec une certaine sécheresse, tout en pointant le menton en direction du poêle qui allait du sol au plafond et répandait une bonne chaleur dans toute la pièce.

– La plupart des écoles du pays disposent de tout le bois dont elles ont besoin. Il n'y a de problèmes que dans les villes.

Il posa son chiffon et secoua ses mains blanchies par la craie.

– Ce n'est pas la vraie raison pour laquelle nous fermons l'école. Nous avons mis Quisling au pied du mur. Douze mille des quatorze mille enseignants du pays ont refusé d'adhérer à son Association nazie pour l'Éducation. Quisling ne peut évidemment pas tous nous révoquer; ce mois de « vacances » lui permettra de réfléchir. Nous savons non seulement que le Reichskommissar Terboven est mécontent de sa façon de manœuvrer, mais que Hitler lui-même en a assez.

Johanna éclata de rire.

– C'est la nouvelle la plus agréable que nous ayons eue depuis l'amélioration de la santé de papa.

– Karen a-t-elle revu son Allemand ?

– Non, Dieu merci ! Elle devient très nerveuse dès qu'elle entend une moto. Karen est une bénédiction pour la famille. Je me demande ce que maman et moi aurions fait sans elle. Elle a soigné papa avec un tel dévouement ! Maintenant, pour lui faire plaisir, il se plie à tous les exercices qu'on lui a recommandés, même s'ils sont désagréables. Bon, il faut que je rentre. Je te verrai plus longuement à la maison puisque tu as désormais du temps devant toi.

Il l'accompagna à la porte.

– Il doit y avoir du travail en retard à la ferme, je viendrai donner un coup de main.

Johanna, en sortant de l'école, lui fit un signe de la main. Elle ne devait jamais le revoir au milieu de ses élèves. Avant la fin du mois de « vacances », un voisin accourut un jour à la ferme.

– Ils ont arrêté votre frère ! Ils arrêtent les instituteurs par centaines.

Johanna s'élança hors de la maison, telle qu'elle était, en chemisier, jupe et chaussons. Quand elle arriva en vue de l'école, des soldats allemands finissaient de fixer une bâche à l'arrière d'un camion militaire. Rolf devait la guetter, il bondit en criant :

– Occupe-toi de tout, Johanna !

Un garde le repoussa de la crosse de son fusil.

– Ne t'inquiète pas ! lui lança Johanna.

Les gens du pays s'étaient rassemblés et contemplaient la scène en silence. Ils étaient trop bouleversés par ce qu'ils venaient de voir pour songer à se disperser. Ils se détachaient sur la neige qui étincelait sous le soleil de midi. On aurait dit les pièces d'un jeu d'échecs. Tous connaissaient Rolf et l'aimaient bien. Elle les salua chacun à son tour; quelques femmes s'essuyaient les yeux. Quand elle monta le perron de l'école, un des hommes la suivit.

– Puis-je vous aider, Johanna ?

Elle le remercia. Ils s'assurèrent que toutes les fenêtres étaient fermées, rassemblèrent les cendres chaudes et vérifièrent que tout était en ordre. Dans le bureau, elle releva une chaise renversée pendant l'arrestation de Rolf et ramassa un porte-plume qu'elle replaça dans son encrier. Puis elle ferma la porte et donna un tour de clef. L'homme qui l'accompagnait faisait partie du conseil municipal, et elle lui confia la clef. Elle avait enfilé l'anorak de son frère.

Sur le chemin du retour, sa main serrait dans sa poche une autre clef. Celle qu'elle avait discrètement retirée de la serrure de la porte de derrière, à un moment où personne ne pouvait l'observer.

Elle retourna à l'école le soir même pour accomplir la tâche que Rolf lui avait implicitement confiée. À l'intérieur, elle alluma la lumière du palier. Aucune lueur ne pouvait filtrer à l'extérieur parce que, dans l'après-midi, elle avait pris la précaution de baisser les stores noirs destinés à assurer le black-out imposé par les Allemands. Elle posa le sac qu'elle avait apporté pour y transporter le récepteur-radio. On ne pouvait le laisser là; Rolf lui avait montré où il était caché. Elle se dirigea immédiatement vers une gravure accrochée au mur dans le coin le plus sombre du palier. Si elle n'avait pas connu l'emplacement, elle aurait eu du mal à le trouver. Rolf avait habilement découpé un panneau de bois de la dimension de l'encadrement. Elle le dégagea avec précaution. La radio était bien là. Elle la retira de sa cachette et la posa à terre. Elle allait replacer le panneau, quand elle s'avisa qu'il serait peut-être plus prudent de s'assurer que rien d'autre n'était caché dans la cavité. Elle tâta le bois au fond; il bougea légèrement. Elle recommença, parvint à pousser le panneau sur le côté et découvrit une mallette. Elle contenait un émetteur dont elle n'avait jamais soupçonné l'existence. La phrase que Rolf lui avait criée prenait maintenant toute sa signification.

Elle admira l'ingéniosité de son frère. Il avait choisi cet endroit en pensant qu'en cas de fouille on trouverait la radio et que l'on n'irait pas chercher plus loin. Soudain, elle se figea. Elle avait cru entendre un bruit quelque part dans la maison... Elle ravala sa peur et reporta toute son attention sur la cavité. Il devait y avoir des fils. Ses doigts les trouvèrent enfin; des mètres de fil soigneusement enroulés. Elle resta confondue devant les risques que son frère avait pris. Il avait dû émettre à partir de différents lieux, changeant continuellement de place, dans une cabane, à l'abri des rochers...

Une planche craqua de nouveau, en bas. On aurait dit que cela venait de la cuisine. Elle était maintenant persuadée que quelqu'un d'autre se trouvait dans la maison. Ce ne pouvait être qu'un soldat allemand revenu ici dans le but de chaparder ce qu'il trouverait. Elle éteignit immédiatement la lumière. Elle n'avait plus le temps de remettre le panneau à sa place. Elle replaça rapidement la radio et l'émetteur dans leur cachette. Dans sa précipitation, elle heurta le mur. Puis, dans le noir, elle retrouva la gravure et chercha le clou où l'on devait la suspendre. Dans le hall, la porte de la cuisine s'ouvrit en grinçant sur ses gonds.

Elle retint son souffle. Une peur affreuse lui serrait la gorge. Quelque part sur le sol gisait le panneau de bois. Elle devait absolument le faire disparaître. Elle se mit à genoux et parcourut le plancher de ses doigts. L'intrus venait d'allumer une torche. Un rayon lumineux dansait dans l'escalier et projetait l'ombre de la rampe sur le plafond en pente juste au-dessus d'elle. Quand le rayon quitta l'escalier pour revenir dans l'entrée, elle se glissa dans la chambre par la porte entrouverte et la repoussa derrière elle. Elle se mit alors debout et se cogna contre le lit sur lequel elle faillit tomber. Elle souleva le matelas et glissa au-dessous le panneau de bois. Juste à temps.

On ouvrit la porte d'un coup de pied. Elle reçut la lumière de la torche en plein visage et eut le temps d'apercevoir le canon luisant d'un revolver pointé sur elle. Elle se mit à hurler et se jeta par-dessus le lit pour aller s'aplatir par terre de l'autre côté.

– Dieu du ciel ! C'est toi ! J'ai cru que c'était un Boche...

C'était la voix de Steffen.

Il chercha l'interrupteur et alluma. Une lampe à abat-jour crème emplit la pièce d'une lueur diffuse. Le lit peint en bleu était recouvert d'un édredon de coton à carreaux. Il y avait plusieurs meubles assez simples. Tout d'abord il ne la vit pas. Elle avait roulé entre le lit et le mur.

– Jo ? Ça va ?

Steffen replaça son revolver dans son étui et mit sa torche dans la poche de sa veste fourrée. La nouvelle de l'arrestation de Rolf avait rendu impérative la recherche de l'émetteur. La Résistance chancelait sous les perquisitions : de nombreuses caches de matériel et d'armes avaient été découvertes, entraînant les inévitables arrestations, les interrogatoires, les tortures...

Johanna l'entendit traverser la chambre. Mais elle resta roulée en boule derrière le lit, les ongles enfoncés dans l'édredon. La rage l'envahissait et elle se mit à trembler. Une fureur inexplicable s'était emparée d'elle. Elle bougea une jambe et repoussa légèrement le lit dont les pieds raclèrent le parquet. Elle se cacha la tête dans les bras tout en continuant d'agripper la couverture du lit, comme on s'accroche à une bouée de sauvetage. Steffen atteignit l'espace entre le lit et le mur. Il se pencha vers elle.

– Mais, pour l'amour du ciel, Johanna, regarde-moi !

Johanna venait de comprendre qu'il avait été à deux doigts de la tuer. Elle ne se contrôlait plus, ses dents s'entrechoquaient et tout cela augmentait sa fureur. Elle voulut lui crier de ne pas s'approcher, de ne pas la toucher, de la laisser se calmer. Il fallait qu'il s'en aille, vite. Il l'appela par son nom et se pencha un peu plus encore. Alors, elle respira l'odeur fraîche de la nuit dans ses vêtements, celle de ses cheveux et de sa peau. Un désir fou balaya ses dernières forces. Elle sentit qu'il la touchait et ce fut comme si l'air s'embrasait entre eux...

La main de Steffen se referma sur son bras. Elle fut saisie d'un violent frisson et rejeta la tête en arrière avec des yeux de somnambule, grands ouverts dans son visage livide. Ses cheveux tournoyèrent, sa bouche s'entrouvrit. Il était aussi pâle qu'elle et ses mâchoires étaient contractées. Il l'arracha du sol et elle se jeta contre lui avec furie. Ils tombèrent sur le lit lourdement, empêtrés dans leurs vêtements de ski. Johanna le sentit soudain, puissant et chaud, sur elle, en elle... Elle perdit la notion de l'espace et du temps. Quand elle reprit pied, elle pouvait à peine respirer, comme si elle venait d'échapper à la noyade. Steffen, effondré en travers d'elle, était trempé de sueur. Elle ferma les yeux, à la fois délirante de joie et meurtrie.

Steffen roula sur le côté pour arracher son anorak. Il le jeta au loin comme s'il était en feu. Ses autres vêtements prirent le même chemin. Puis il se tourna vers elle et la déshabilla avec lenteur et dévotion. Elle gardait les yeux fermés, subjuguée par son ardeur. Alors de grosses larmes roulèrent lentement le long de ses joues. Il prit son visage dans ses mains et écrasa ses larmes, une à une, sous ses pouces.

– Ne pleure pas, Jo, je t'en supplie ! Rien, plus jamais, ne viendra se mettre entre nous. Je n'avais jamais aimé avant de te rencontrer. Tu es ma seule raison de vivre.

La tendresse de ses paroles, ses caresses lui firent rouvrir les yeux. Elle sourit, émerveillée. Ils restèrent là, ensemble, jusqu'à l'aube.

8

Parqués dans leur wagon à bestiaux, Rolf et ses camarades somnolaient. Le train se dirigeait vers le Nord. Treize cents instituteurs avaient été arrêtés et répartis dans des camps de concentration où on les traitait durement. Un très petit nombre s'étaient laissé intimider. Ils avaient obtenu leur remise en liberté en échange de leur adhésion à l'Association nazie pour l'Éducation. C'étaient souvent des malades qui n'auraient pas survécu à la déportation.

Le train ralentit. Les hommes se mirent à bâiller, puis remuèrent afin de dégourdir leurs membres endoloris. Leurs estomacs criaient famine. En arrivant dans les faubourgs de Trondheim, Rolf essaya de percer l'obscurité. Il avait quitté cette ville à la fin de ses études et n'aurait jamais pensé y revenir en prisonnier. Après plusieurs secousses, le train s'arrêta enfin sur une voie de garage. Ils entendirent des bruits de verrous et de cadenas et la porte glissa, laissant entrer à flots la lumière crue. Les hommes clignèrent des paupières et s'abritèrent les yeux derrière leurs mains.

– Dehors ! Dehors ! *Schnell !*

Les gardes criaient, fusil en main.

Rolf sauta à terre, parmi les premiers. Les plus lents reçurent quelques coups de crosse. Il prit place dans la file qui se formait sur deux rangs. Ils étaient cinq cents dans ce convoi. Ils devaient être acheminés par bateau dans un camp de travail tout au nord du cercle arctique. Un directeur d'école proche de la retraite prit place près de Rolf dans la rangée.

Ils n'avaient pas le droit de parler.

– Ça va ? murmura Rolf.

– Un peu meurtri, mais j'ai pu dormir sur de la paille pendant le voyage. Ça m'a aidé à reprendre des forces.

Le vieil homme parlait avec dignité, comme s'il était dans sa classe. Son arrestation avait été une honte; on l'avait emmené sous les yeux de ses élèves terrifiés. La veille, il était de ceux qu'on avait fait courir autour du camp, jusqu'à l'épuisement. Lorsqu'ils tombaient, on les obligeait à se relever à coups de pied.

La colonne s'ébranla. Rolf pensait à Johanna; il espérait de toutes ses forces qu'elle avait pu mettre la main sur l'émetteur radio. Il ne fallait pas que les Allemands le découvrent au cours d'une fouille de routine à l'école. C'est ce qui l'avait décidé à lui crier cette phrase depuis le camion qui l'emmenait. Il faisait confiance à la finesse et à la présence d'esprit de sa sœur... Mais il l'avait délibérément poussée à entreprendre une action subversive qui la mettait en danger. Il s'en sentait coupable. Il faudrait bien qu'un membre de la Résistance entre en contact avec elle pour récupérer l'appareil.

En tête de file, on aboya un ordre.

– En avant, marche !

Rolf et ses camarades avancèrent. Au moment de leur arrestation, on leur avait distribué des tenues de prisonniers : des vêtements informes, faits d'une étoffe grossière, qui leur battaient les jambes et flottaient autour du corps. Pour compléter le tout, on leur faisait porter une espèce de bonnet fourré qui se rabattait sur les oreilles pour les protéger du froid. Ils en auraient bien besoin à Kirkenes, à deux pas de la frontière finlandaise. Là-bas, le printemps ne se manifesterait pas avant un bon mois et le climat était rude. Rolf se consolait en se disant qu'ils restaient dans leur pays, au lieu d'être envoyés en Allemagne comme beaucoup de leurs compatriotes. Le premier jour de leur captivité, un instituteur avait été sorti du rang : sa carte d'identité portait un « J ». Ils apprirent qu'on l'avait transféré sur un bateau rempli de juifs norvégiens pour les déporter en Pologne dans un camp qui s'appelait Auschwitz.

Tandis qu'ils marchaient vers le port, Rolf ne put s'empêcher d'admirer la ville aux teintes douces. Les maisons du XVIIIe siècle ressemblaient à des pièces montées recouvertes de sucre glace. La flèche de la cathédrale Nidaros dominait l'horizon. Il connaissait chaque rue, chaque ruelle. Il les avait tant parcourues à bicyclette !

Quelquefois il avait emmené Solveig, juchée sur la barre transversale de son vélo. Les cheveux toujours indisciplinés de la jeune fille lui chatouillaient le visage et sa proximité le troublait. En fait, il avait toujours été amoureux. Solveig était aussi ambitieuse que lui. Ils avaient travaillé dur, avaient joué ensemble, et s'étaient aimés très fort.

L'avortement avait tout fait voler en éclats. Il n'en avait rien su sur le moment. Avant leurs examens de fin d'année, ils s'étaient séparés pour de courtes vacances. Elle était revenue complètement changée. Toute sa joie de vivre, sa gaieté, son exubérance avaient disparu. Elle avait pris sa décision seule, sans lui en parler. Il s'était mis à la haïr pour le mal qu'elle s'était fait et qu'elle lui avait fait. Elle l'avait rejeté et humilié.

Elle lui avait hurlé en pleine figure, les cheveux défaits, le visage barbouillé de larmes :

– Arrête de dire que nous aurions pu nous marier. Je ne veux pas t'épouser. Je n'ai jamais voulu t'épouser. Nous n'aurions pu rester les mêmes. Pourquoi ne veux-tu pas l'admettre ?

Rolf n'avait pas voulu l'admettre. Ils avaient passé leurs examens côte à côte sans échanger un coup d'œil, ni avant, ni pendant, ni après. Ils s'ignoraient délibérément. La dernière image qu'il avait d'elle se situait à la gare de Trondheim : un jeune homme la tenait par la taille. La blessure qu'elle lui avait infligée était encore trop vive pour qu'il prononce les mots qui auraient fait d'elle une amie. Son train à lui s'en allait dans la direction opposée. Il l'avait aperçue une dernière fois : l'ovale pâle de son visage s'était brouillé dans la fumée puis s'était évanoui. Cet été-là, elle avait émigré aux États-Unis, dans le Dakota du Nord, où elle avait de la famille.

Un bateau en bois était amarré le long du quai. Il était depuis longtemps hors service. Rolf le reconnut : le *Skjaerstad.* Pendant quelque temps, Erik y avait accompli ses classes d'officier. Le navire transportait alors jusqu'à cent cinquante passagers. Aujourd'hui, à quai, il devait en compter cinq cents plus les cinquante gardes allemands.

– La traversée va être rude, dit Rolf.

Ce fut pire que tout ce qu'il avait pu imaginer.

Les prisonniers étaient entassés dans les cales, sans pouvoir bouger. Au bout de quelques heures, le bateau, propre au départ, dégageait l'odeur d'une fosse à purin. Rolf était coincé dans un espace où il ne pouvait se tenir debout. L'obscurité était presque totale, seul un rai de lumière filtrait au travers des trappes d'accès, dans le plafond.

Rolf n'avait pas le mal de mer mais beaucoup de ses compagnons en souffraient. Depuis que le bateau avait quitté le port, le vent soufflait en tempête. Ils firent escale. Un médecin appartenant au parti de Quisling monta à bord et effectua une inspection de pure forme.

La traversée reprit dans des conditions atmosphériques et matérielles qui se détérioraient lentement mais sûrement. De nombreux gardiens étaient aussi victimes du mal de mer. Leur attitude envers les prisonniers s'en ressentait. Le voyage dura treize jours. En temps ordinaire, il n'en fallait que quatre pour atteindre Kirkenes. Quand ils entrèrent dans le port et que l'on ouvrit enfin la cale, Rolf pensa que la puanteur insoutenable qui s'en échappait allait envahir le port tout entier.

L'air de l'Arctique lui fouetta le visage. Un air glacé et propre, une vraie bénédiction ! Son compagnon âgé pouvait à peine marcher. Rolf l'aida à mettre pied à terre. Il ne connaissait pas cette petite ville qui vivait de la pêche et de l'exploitation minière. Après l'obscurité de la cale, l'agglomération lui sembla aussi lumineuse qu'un tableau d'Astrup. Ses couleurs se détachaient sur la neige qui recouvrait une large vallée fertile. En temps de paix, les touristes, qui allaient plus au nord pour voir le soleil de minuit, s'arrêtaient ici avec les bateaux desservant la côte. Aujourd'hui, les gens du pays regardaient passer, pris de pitié et d'horreur, ce cortège d'hommes dépenaillés qui se soutenaient les uns les autres.

Au coin d'une rue, une femme s'élança et mit une pomme dans la poche de Rolf. Des soldats allemands crièrent, menaçants, brandissant leurs armes. La femme s'enfuit précipitamment. Un autre prisonnier reçut, de la même façon, des cigarettes faites d'un tabac que l'on cultivait dans la région, un autre encore, un filet de poisson séché. Les habitants possédaient peu de choses, mais ils tenaient à les partager avec les prisonniers.

Après tout ce qu'ils avaient subi pendant la traversée, Rolf n'aurait jamais pu imaginer qu'un tel enfer existât dans son propre pays. Dans le camp où on les enferma, tout était gris : les guérites des sentinelles, les clôtures de barbelés électrifiés, les longs baraquements surpeuplés où ils étaient parqués la nuit dans des conditions d'hygiène indescriptibles. Les sanitaires étaient pratiquement inexistants.

Les prisonniers étaient condamnés aux travaux manuels les plus durs – souvent au-dessus des forces des plus âgés. La nourriture se résumait la plupart du temps à un bol de soupe très claire accompagnée d'un morceau de pain noir aussi dur que les cailloux qu'ils cassaient. Les conditions de vie, déjà très rudes pour les enseignants norvégiens, étaient pires pour les prisonniers de guerre russes et pour les Prussiens de l'Est. Leurs rations de nourriture étaient encore plus réduites et les punitions plus terribles. Ce n'étaient que des squelettes ambulants, au visage ravagé et au corps couvert de plaies.

L'un d'eux fut abattu alors qu'il travaillait à la construction de la route; il avait essayé d'attraper une feuille de chou fanée qui dérivait dans un caniveau. Sa faim avait été plus forte que la peur. Rolf et ses compagnons transportèrent le corps au camp pour l'y enterrer. Ses compatriotes ne montrèrent pas la moindre émotion, la mort ici était devenue chose courante.

À Ryendal, Gina revenait du service religieux dominical. Elle marchait lentement dans le soleil printanier. Elle avait mis ses plus beaux habits : un long manteau noir, démodé, sur l'une de ses meilleurs robes agrémentée d'un col de dentelle. Son chapeau de paille noire s'était un peu déformé avec les années. Neuf, il ne lui allait déjà pas. Cet achat avait été une erreur, mais elle n'avait jamais pu se résigner à le mettre au rebut. Elle n'était pas coquette, mais ses vêtements étaient toujours impeccables, parfaitement repassés et raccommodés. Elle tenait à la main un brin de muguet qu'elle venait de cueillir au bord du chemin. Ces fleurs légères poudraient la vallée de blanc comme de la neige. Leur parfum délicat embaumait l'air. À l'église, un gros bouquet de muguet ornait l'autel ce matin-là.

Quisling avait retiré tout pouvoir au clergé depuis sa protestation contre le régime nazi. Les églises restaient pourtant pleines.

Aujourd'hui, Gina avait prié pour ses fils absents et elle avait remercié le Seigneur d'avoir rendu la santé à son mari. Il se remettait lentement. Mais, bien sûr, il ne serait plus jamais aussi fort que par le passé.

Sur le chemin du retour, elle admira la nature autour d'elle. Elle était née et avait grandi à la campagne, et prenait autant d'intérêt à regarder pousser les récoltes de ses voisins qu'à contempler les siennes. Le dimanche était jour de repos; on nourrissait les animaux et on trayait les vaches. C'était tout. Gina souhaita que cette paix atteignît tous ceux qui se trouvaient au cœur de la bataille.

Elle aperçut Johanna qui venait à sa rencontre. Elle se balançait d'un pas souple sur ses longues jambes fines et musclées. À la vue de cette jeunesse radieuse, de toute cette énergie, Gina se sentit soudain sèche et usée par les ans. Mais en même temps cette vision de sa fille la réchauffait comme l'aurait fait le soleil. Elle ne s'attendait pas à la voir là. Johanna avait simplement décidé de rendre visite à Astrid Larsen. À l'église, Gina avait aussi prié pour sa fille. Elle avait souvent l'air préoccupée et était de plus en plus distraite quand on lui parlait. Un après-midi en compagnie d'une amie plus âgée la divertirait et lui ferait du bien.

– Tu t'en vas ? demanda Gina.

– Oui, mais je ne rentrerai pas tard.

– Tu transmettras toutes mes amitiés à Froken Larsen.

Rien dans l'expression sévère de Gina n'indiquait qu'elle se sentait concernée par la vie de sa fille.

– Je n'y manquerai pas, mère.

Mais comme Johanna passait près d'elle, Gina eut un geste inattendu. Elle posa une main gantée de noir sur la manche de Johanna.

– Attends, dit-elle en donnant le brin de muguet à sa fille. Ce sont tes fleurs préférées. Porte-les aujourd'hui.

Elle détacha une épingle du revers de son manteau et la lui tendit.

– Merci, dit Johanna.

Et elle épingla la fleur à sa veste tout en jetant un regard de côté à sa mère : son intuition la prenait toujours au dépourvu. En descendant le chemin, Johanna respira avec délices le parfum des minuscules clochettes. C'était une bénédiction de les porter sur elle pour ce qui serait peut-être le rendez-vous le plus important de sa vie : la Résistance venait de la convoquer.

Gina, au moment de poser la main sur la poignée de la porte, fut saisie d'un pressentiment. Elle se retourna et faillit rappeler Johanna dont la silhouette était sur le point de disparaître au tournant du chemin...

Les dimanches après-midi étaient particulièrement calmes à Alesund. Des couples se promenaient en poussant des voitures d'enfants. On voyait aussi des pères seuls avec leur progéniture, munis de cannes à pêche. Devant la maison d'Astrid étaient garées, comme d'habitude, toutes sortes de voitures, dont les chauffeurs bâillaient d'ennui. Quelques-uns commençaient à connaître Johanna de vue. Ils avaient informé les nouveaux qu'elle n'avait rien à voir avec les « hôtesses » de la maison. Elle échappait ainsi aux commentaires déplacés. Certains la gratifiaient même d'un : *Guten Tag* poli. En principe elle ne leur rendait pas leur salut, mais la haine qu'elle éprouvait pour eux se mêlait de pitié. Ce n'étaient après tout que des hommes ordinaires qui souhaitaient un geste d'amitié.

Astrid, la tante de Steffen, avec sa chevelure argentée aux ondulations impeccables et sa robe de soie imprimée, ouvrit la porte et lui dit avec sérénité :

– Entre donc !

Astrid restait toujours parfaitement naturelle. Elle vivait avec une bombe explosive sous les pieds, mais cela ne paraissait l'affecter en rien. Elle dormait aussi bien que par le passé. Elle était reconnaissante à la vie de ce qu'elle lui avait offert et remerciait le ciel d'être encore utile à son pays. Si elle se faisait du souci, c'était pour la vie des jeunes et sa grande préoccupation était que rien, jamais, dans son attitude ni dans ses paroles, ne pût laisser soupçonner les activités qui se déroulaient dans son cellier. Mais, pensait-elle, à moins qu'on ne la trahît délibérément, elle était à l'abri de tout soupçon.

– Garde ta veste sur toi, dit Astrid à voix basse sitôt la porte refermée.

– Pourquoi ? Je dois y aller tout de suite ?

– Oui. Ils t'attendent.

Johanna sentait que Steffen serait là. C'était lui qui l'avait contactée par message codé.

– Savez-vous qui se trouve avec votre neveu ?

Elle ne considérait pas Délia comme une rivale. Mais elle ne tenait pas à la revoir.

Astrid lui adressa une petite grimace.

– Tu le sauras quand tu y seras. J'ai appris à ne plus poser de questions. Dépêche-toi, je ne dois pas te retarder.

Une fois sous l'escalier, Johanna tapa en morse sur le panneau de bois le signal « V » pour victoire.

Contrairement à son attente, ce ne fut pas Steffen qui ouvrit, mais un homme corpulent d'une trentaine d'années. Il avait des cheveux bruns et drus, les sourcils épais et un visage bronzé plein de bonhomie. Il l'accueillit avec une vigoureuse poignée de main qui lui broya les doigts.

– Heureux de vous connaître ! Dans la Résistance mon nom est Gunnar, lança-t-il d'une voix puissante.

Elle lui sourit. Un courant de sympathie passa immédiatement entre eux. Elle sentit qu'on pouvait lui faire confiance.

– Allons-nous être compagnons de lutte ? demanda-t-elle.

– À partir d'aujourd'hui, vous allez probablement me voir assez souvent. Notre ami qui est ici, celui qu'on appelle l'Anglais, dirige les opérations.

Et il montra du pouce par-dessus son épaule le coin obscur du cellier où Steffen l'attendait en silence.

Elle connaissait désormais le nom de guerre de Steffen. Ce choix la fit sourire parce que cela lui rappelait la plaisanterie de Viktor Alsteen. Elle s'avança pour s'asseoir en face de Steffen. Elle ne put s'empêcher de penser qu'il était tout de même curieux qu'un homme qui prétendait l'aimer fût capable de la regarder d'une façon si neutre. Mais elle comprenait son attitude : il voulait se donner la force de l'envoyer en mission, quel que soit le danger à courir. Sa réserve, la nuit du parachutage de Délia, avait été une première démonstration du contrôle qu'il savait exercer sur lui-même.

Gunnar installa son imposante carrure sur un banc et Steffen entra directement dans le vif du sujet :

– J'ai attendu que se présente une tâche à ta mesure, Jo. Dans les petites annonces régionales, on propose un poste dans une certaine entreprise. Je veux que tu l'obtiennes. Tu travailleras pour le cousin de ton père, Tom Ryen.

Elle resta stupéfaite.

– Mais il est du côté de Quisling.

– C'est bien pour ça que je veux que tu travailles chez lui.

Un journal était déployé devant lui. Steffen le lui tendit. L'annonce qui les intéressait était entourée d'un trait de crayon. Elle la lut. Ses qualifications correspondaient parfaitement à l'offre d'emploi, y compris la pratique de l'allemand.

– Alors, Jo ?

– J'ai toutes mes chances si je réussis à me montrer aimable avec lui. Quand je l'ai rencontré sur le bateau, je ne savais absolument pas qu'il collaborait avec les Allemands... Heureusement que je ne l'ai pas revu depuis !

Steffen dit calmement :

– Tu seras aimable, Jo. Des questions ?

– Tom ne m'accordera aucun passe-droit au nom de notre vague parenté, commenta Johanna. Au contraire, il va sûrement prendre en compte le fait qu'un de mes frères s'est enfui en Angleterre et que l'autre se trouve dans un camp de concentration. Tout cela ne jouera pas en ma faveur. À ses yeux, je représenterai un risque d'autant plus grand que son service est maintenant rattaché au quartier général allemand.

Steffen balaya ces objections d'un geste.

– Il y a bien peu de familles norvégiennes, de nos jours, dont l'un des membres n'ait eu maille à partir avec les Allemands. De toute façon, les collaborateurs ne font confiance à personne. Si Tom Ryen pense que tu veux ce poste seulement parce que tu souhaites retravailler, il te le donnera.

Il la regarda avec intensité et reprit :

– Mais je dois te prévenir : ce n'est pas le moment idéal pour commencer ce travail. La semaine dernière, dix-neuf de nos membres ont été arrêtés par la Gestapo. Ils avaient tous à peu près notre âge. Ils ont été exécutés pour moins que ce que tu vas devoir faire.

Gunnar étudiait attentivement Johanna. Elle en

était consciente. Elle pointa avec assurance son index vers la petite annonce.

– Je rédigerai ma lettre de candidature ce soir même à la maison.

Une expression de satisfaction passa sur les traits de Steffen et il échangea un coup d'œil avec Gunnar. L'atmosphère se détendit et Johanna mesura à quel point son emploi chez Tom était important pour eux.

– D'accord, dit Steffen. Ne perdons pas de temps. Gunnar va t'expliquer de quoi il s'agit.

Gunnar se pencha vers elle.

– Vous devrez ouvrir vos yeux et vos oreilles en permanence et nous rapporter tout ce qui pourrait nous être utile. Écoutez toutes les conversations qui se tiendront en votre présence. Restez continuellement en alerte : ne laissez rien passer, aucune lettre, aucun document, aucun papier officiel, ne serait-ce qu'une simple lettre d'engagement, sans l'avoir regardé à deux fois. Repérez tous les fichiers, qu'ils se trouvent dans le bureau de Ryen ou ailleurs...

Il s'arrêta pour laisser la parole à Steffen.

– Pour faciliter les communications, nous te demandons de quitter la ferme de tes parents et de venir habiter ici avec Astrid. Elle est d'accord.

– Mais que dois-je rechercher en priorité chez Tom Ryen ? demanda Johanna.

– D'abord et avant tout, les liens, même lointains, avec les usines de produits chimiques, les laboratoires ou les dépôts, y compris l'expédition par voie maritime d'un produit fini, ou au contraire la pénurie de tel ou tel matériel. Tout est important...

Gunnar intervint.

– Tom Ryen, comme vous le savez, est chargé de recruter des ouvriers pour les Allemands. Il transfère ses contingents de travailleurs d'un endroit à un autre selon les besoins du moment. Ces mouvements sont une indication précieuse pour l'Intelligence Service, particulièrement lorsque débute la construction d'un nouveau chantier. Ce sont ces informations que nous devons envoyer à Londres et que nous attendons de vous.

Steffen reprit la parole.

– Vois-tu, Jo, quelques-uns d'entre nous savent qu'un projet allemand particulièrement dangereux est en train de prendre forme.

Les deux hommes se montraient très graves. Johanna en eut froid dans le dos.

– Les Allemands sont en train de mettre au point une nouvelle bombe. On sait déjà que l'effet en sera dévastateur.

Elle frissonna et pressa ses mains l'une contre l'autre.

– Est-ce que la bombe sera fabriquée dans notre pays ?

– Non. Mais dans la région de Telemark, à la centrale hydroélectrique du Nord, on produit un modérateur vital, du nom d'eau lourde, essentiel à sa fabrication.

– C'est à Vemork, dit Johanna. Rolf est allé là-bas pour une visite d'instruction dans le cadre de ses études.

– J'y suis allé moi-même assez souvent autrefois. L'endroit est aujourd'hui entouré du plus grand secret et placé sous haute sécurité. Si les Allemands détiennent cette arme monstrueuse, c'en est fini de la liberté.

Johanna fixa Steffen avec incrédulité. Elle avait du mal à admettre une telle horreur. Elle comprenait maintenant pourquoi on l'avait gardée en réserve pour la plonger au cœur de la bataille au bon moment. Elle avait désiré devenir membre de la Résistance à part entière; son but était atteint. Elle était si émue que son pouls s'accéléra.

– À qui ferai-je mon rapport ?

Le visage de Steffen était impassible.

– À Gunnar ou à moi-même, selon le cas. Si la Gestapo met la main sur l'un de nous, les Services secrets enverront un remplaçant. On te donnera alors un code.

Steffen repoussa sa chaise et se leva.

– Je dois m'en aller. Gunnar restera en rapport avec toi. J'attendrai que tu sois installée dans la place pour reprendre contact. Nous verrons alors quelques points de détail concernant ta mission.

Le soir même, elle rédigea avec application sa lettre de candidature. Après une semaine d'attente, une réponse impersonnelle lui parvint : on la convoquait pour une entrevue.

Le grand jour arriva. Johanna choisit sa tenue avec le plus grand soin. Tom Ryen aimait les femmes très féminines. Il serait flatté de montrer à ses visiteurs une secrétaire élégante. L'enjeu était trop important pour qu'elle ne mette pas toutes les chances de son côté. Il fallait absolument qu'elle obtienne ce poste.

Son choix s'arrêta sur un tailleur noir qu'elle n'avait pas porté depuis les derniers jours fastes d'Oslo. Une veste longue bien épaulée, une jupe assez courte – cette mode avait été lancée au moment de l'invasion de la Pologne par Hitler. La silhouette en était curieusement prophétique : elle devançait d'une certaine façon les uniformes qui, depuis, étaient devenus le vêtement quotidien de nombreuses femmes. Elle enfila d'abord une blouse de mousseline blanche à collerette froncée qui ondoyait autour de son cou. Elle se décida pour une paire d'escarpins à talons hauts. Il y avait belle lurette qu'elle ne possédait plus de bas de soie. Elle choisit une paire de bas noirs tricotés. Ils ne feraient pas autant d'effet que des bas de soie, mais ils n'épaissiraient pas trop la jambe. Elle compléta sa toilette par un béret de soie noire qui portait une griffe parisienne et lui avait coûté presque une semaine de salaire. Une extravagance qu'elle regrettait moins que jamais.

Dans son bureau, Tom Ryen s'accordait un moment de détente en fumant une cigarette avant de recevoir la prochaine candidate. Il disposait de tabac allemand; c'était l'un des avantages de sa situation... Dans un placard du bureau et dans son cellier, il possédait aussi un assortiment précieux de vins et d'alcools. Il ne lui manquait que du whisky. Il n'avait jamais connu la faim depuis le jour de l'invasion hitlérienne. Ce jour-là, il était prêt à mourir pour son pays. Mais l'ultime sacrifice lui avait été épargné, comme par hasard, au moment où les Allemands s'étaient rendus maîtres de la situation. Il avait alors décidé, sans hésiter, qu'il valait mieux tirer le meilleur parti de la situation. Il n'avait jamais regretté sa décision. Il se flattait d'être un réaliste.

Il se leva péniblement de son fauteuil et s'approcha de la fenêtre. Son bureau était une pièce confortable, aux meubles en teck et aux rideaux tissés à la main. Le soleil, à travers la fenêtre, commençait à répandre une douce chaleur. À l'extérieur, le vent, qui venait de la mer, battait les longs manteaux des sentinelles allemandes. Il y en avait surtout à l'entrée des fortifications que les Allemands avaient creusées dans les rochers. Tom Ryen décida de se mettre à l'aise et déboutonna son veston. Il avait grossi ces derniers temps et il en était conscient. Il avait pieusement conservé son uniforme de l'armée norvégienne dans sa garde-robe mais il doutait fort de pouvoir désormais le fermer. Les Allemands, qui respectaient par-dessus tout les systèmes militaires, l'appelaient major, selon son grade. Cela l'emplissait de satisfaction même si cette appellation était tout ce qui restait de sa carrière.

Il était né à Bergen. Naturellement doté de l'humeur joyeuse des gens du pays, il était dépourvu de leur goût du travail. Fils cadet de la branche la plus aisée de la famille, il avait voyagé à l'étranger. Puis il était rentré pour faire carrière dans l'armée – carrière plus mondaine que militaire, surtout dans un pays neutre et en temps de paix. Dès qu'il avait obtenu le grade de major, il s'était estimé satisfait.

Il avait épousé sa femme après de brèves fiançailles. Cela avait été un vrai mariage d'amour. Elle était gaie et aimait la vie. Ni l'un ni l'autre n'avait désiré d'enfant. Ils se suffisaient à eux-mêmes. Dix ans de veuvage avaient émoussé chez lui la douleur d'un deuil prématuré : il était sur le point de se remarier avec une Suédoise quand l'invasion de la Norvège avait compromis son projet. Chacun devait rester à l'intérieur de ses frontières. Quand les Alliés seraient définitivement vaincus, la vie, pensait-il, reprendrait son cours normal. Et il espérait bien renouer avec sa Suédoise.

En dépit des apparences, Tom Ryen n'aimait pas vraiment les nazis; il n'avait fait que s'incliner devant les événements. À ses yeux, il n'y avait pas de mal à être opportuniste. Il était donc apprécié des Allemands qui le considéraient comme un collaborateur intelligent, prenant à cœur leurs intérêts, sans négliger pour autant ceux de ses compatriotes. S'il avait été un traître, ils l'auraient méprisé, tout comme ils méprisaient Quisling.

Tom écrasa sa cigarette dans un cendrier en argent. Il fréquentait le mess des officiers allemands. Il y allait et venait à sa guise. C'est là qu'il avait eu vent du mécontentement de Hitler au sujet de la politique de Quisling. Il avait même entendu dire que le Führer ne tolérerait plus aucun trouble en Norvège. Leur talon d'Achille, à ces Allemands, c'était leur manque de perspicacité, leur incompréhension totale du tempérament norvégien. Ce peuple aimait avant tout la liberté et avait une volonté d'acier. Les Allemands devraient la briser s'ils voulaient instaurer dans ce pays leur « ordre nouveau ». C'était ce que pensait Tom Ryen, sans être particulièrement fier de son attitude.

Il retourna à sa table de travail et appuya sur un bouton pour que l'on introduise la candidate suivante. S'il l'avait demandé, les Allemands lui auraient trouvé un secrétaire parmi le personnel administratif de l'armée. Mais il voulait tenir les militaires à l'écart de ses affaires. Il préférait engager une femme, car il appréciait dans un bureau le froufrou d'une blouse sur une belle poitrine, le cliquetis de hauts talons et les reflets d'un bas de soie sur une jolie jambe. Sa précédente secrétaire s'était mariée à un officier allemand : elle était donc mieux habillée que les Norvégiennes. Sa présence avait égayé le bureau, mais elle s'était retrouvée enceinte, sa silhouette et son visage s'étaient alourdis. Elle avait démissionné et Tom Ryen lui en avait été reconnaissant.

La porte du bureau s'ouvrit.

– Froken Ryen.

Un soldat introduisit Johanna dans la pièce.

Tom se leva avec un large sourire et tendit sa main droite à la jeune femme. À son petit doigt brillait une bague en or.

– Bonjour, Johanna ! Quel plaisir de te voir ! Quand je pense que nous ne nous sommes pas revus depuis notre rencontre sur le vapeur ! Assieds-toi donc.

Johanna lui serra la main. Sa paume était comme de la soie, ses ongles parfaitement manucurés et sa poigne solide. Elle remarqua qu'il avait énormément grossi, chose peu courante ces derniers temps en Norvège. Cela confirmait tout ce qu'elle avait entendu à son sujet.

Sachant ce qu'elle savait, il lui était dorénavant impossible de le considérer comme un ami. Pourtant, elle ne pouvait s'empêcher d'éprouver encore un peu d'affection pour lui. Bien sûr, il était faible, il collaborait avec l'ennemi et il y avait largement de quoi le détester. Mais Johanna ne pouvait oublier toutes les gentillesses dont il avait fait preuve, les temps heureux où ils riaient ensemble, et les encouragements qu'il lui avait prodigués quand elle avait décidé d'aller travailler à Oslo malgré l'opposition de ses parents...

– Vous avez l'air en forme, Tom.

– Je ne me suis jamais mieux porté, dit-il en souriant, heureux.

À travers ses cils blonds, il la contemplait avec ravissement, ses yeux se rétrécissaient de plaisir et disparaissaient presque sous les plis de graisse. La beauté de Johanna le fascinait.

Elle était un vrai bonheur pour les yeux, avec son aspect soigné et son petit béret posé coquinement sur ses cheveux dorés. Tom Ryen fit la moue en voyant ses bas, mais il fallait avouer qu'elle les portait tout de même avec une certaine allure. De tels bas, tricotés à la maison, n'étaient certes pas à leur place sur des jambes comme les siennes. Son sens de l'humour revint et il se prit à penser que s'il avait pu avoir quelque influence sur le Führer il l'aurait persuadé d'approvisionner les magasins norvégiens en bas de soie. Les Allemands n'avaient vraiment pas le sens des priorités. Une étincelle alluma son regard.

– J'ai été agréablement surpris de recevoir ta candidature, Johanna. En aurais-tu assez de la vie à la ferme ? Cela a dû être dur de t'y remettre.

Johanna avait prévu la question.

– Je suis revenue à la ferme parce qu'on avait besoin de moi. Mais depuis qu'un médecin allemand a fait un diagnostic correct de la maladie de mon père, nous avons pu le soigner et les choses ont heureusement bien changé. Sa santé s'améliore et nous sommes bien organisés, nous avons de l'aide. Je suis donc libre de reprendre un vrai travail.

– Je sais qu'Edvard va mieux. J'ai téléphoné à Gina pour prendre de ses nouvelles. Je savais aussi que tu désirais retourner à Oslo.

– J'aimerais bien... mais un peu plus tard. En ce moment, la vie là-bas est trop incertaine.

Il laissa glisser cette remarque sans aucun commentaire. Elle faisait sûrement allusion aux vagues d'arrestations qui sévissaient dans la capitale. Les activités de la Gestapo le rendaient malade, lui aussi. Il préférait ne pas y penser.

– Bien, dit-il. Venons-en au fait. Quelle est ta vitesse en sténo ?

Les questions et les réponses de routine se succédèrent. Puis il lui expliqua en quoi consistait le travail qu'il attendait d'elle et lui indiqua les horaires du bureau. Il conclut en lui donnant un aperçu de son système de classement. Il fut impressionné par sa connaissance de l'allemand et se rendit compte qu'elle saurait faire face à tout avec compétence. C'était une vraie professionnelle. Parmi toutes les candidates qu'il avait reçues, elle était de loin la plus qualifiée. En outre, elle était la plus agréable à regarder. Il restait néanmoins un problème à régler, le plus épineux.

Il s'appuya lourdement contre le dossier de son fauteuil et se mit à tapoter l'accoudoir.

– À propos de tes frères...

Le moment critique était arrivé. Johanna serra ses mains sagement posées sur ses genoux.

– Cela aurait été très embarrassant pour moi, ajouta-t-il, si quelqu'un, ici, avait fait le rapprochement entre nos deux noms. Mais cela ne s'est pas trouvé. Et je ne te cache pas que je préfère qu'il en soit ainsi. Comprends-tu ce que je veux dire ?

– Parfaitement, répondit Johanna.

– Tu ne vois aucune objection à ce que je ne prenne pas position sur ce sujet ? Je dois me protéger... La neutralité est nécessaire à ma tranquillité.

– Je remplirai mes fonctions du mieux que je le pourrai, répondit Johanna. C'est tout ce qui m'intéresse.

Tom Ryen se sentit soulagé. Il se doutait bien que les convictions de Johanna n'avaient pas changé, mais il était clair qu'elle ne les manifesterait pas durant son travail. C'était tout ce qu'il demandait. Il décida de l'engager.

– Si je t'engage, dit-il, continueras-tu à vivre à la ferme ?

Il avait de bonnes raisons de poser cette question.

– Non. J'ai une amie qui habite à Alesund. Elle s'appelle Astrid Larsen. Elle est d'accord pour m'héberger.

– C'est un très bon arrangement.

Quand ses intérêts n'étaient pas en cause, Tom

Ryen pouvait se montrer généreux. Il voulut prouver à Johanna qu'elle n'aurait rien à perdre – et donc tout à gagner – en travaillant pour lui.

– Tes parents et toi avez dû être très anxieux du sort de tes frères. Je ne sais rien en ce qui concerne Erik mais je peux te donner des nouvelles de Rolf...

La voix de Johanna faiblit légèrement. Elle devait rester sur ses gardes.

– Où est-il ? Nous ne savons rien de lui si ce n'est qu'il est quelque part dans un camp...

Il chaussa une paire de lunettes d'écaille et sortit d'un tiroir une liasse de feuilles qu'il parcourut rapidement.

– Après son arrestation, Rolf a été emmené à Grini.

– Grini ? dit-elle en pâlissant.

C'était un nom qu'on ne prononçait qu'avec terreur en Norvège : le camp réputé le plus dur du pays.

– Depuis, il a été transféré dans un camp de travail près de Kirkenes et il y restera jusqu'à ce que les instituteurs – ceux qui sont emprisonnés et les autres – signent leur adhésion à l'Association nazie pour l'Éducation.

– Ils ne signeront pas ! laissa-t-elle échapper.

– Je suis bien d'accord avec toi, commenta-t-il sans autre précision.

Il replaça la liasse de fiches dans son tiroir et referma le tout.

– Comment êtes-vous en possession de cette liste ? demanda Johanna.

– On m'en donne copie dans des cas comme celui de ton frère. Quand un nombre important de prisonniers se trouvent rassemblés d'un coup, cela peut me servir de réserve de main-d'œuvre en cas de besoin, mais je n'ai rien à voir avec les travaux forcés allemands. J'en suis informé, c'est tout.

Il mit ses mains derrière son dos et regarda Johanna par-dessus ses lunettes.

– Es-tu toujours d'accord pour travailler avec moi ?

Elle sursauta.

– Bien sûr ! Je deviendrais folle si je devais retourner à la ferme après avoir remis les pieds dans un bureau.

– Très bien. Alors le poste est à toi. Peux-tu commencer dès lundi ?

– Bien entendu, Tom. Je serai là lundi.

Elle exultait. Il la raccompagna jusqu'à la porte, puis retourna à sa fenêtre pour la regarder descendre la rue pavée. Les sentinelles, elles aussi, se retournaient pour la suivre du regard.

Johanna traversa la ville pour se rendre chez Astrid. Elle voulait lui faire part de la bonne nouvelle. Elle ne remarqua pas un pêcheur à la barbe fournie qui étudiait avec intérêt le matériel de pêche en haute mer dans la vitrine d'une boutique.

Erik, qui avait débarqué la nuit précédente dans une crique voisine, se demandait d'où venait sa sœur et où elle pouvait bien aller. Elle avait l'air en pleine forme, c'était bon signe. Il avait déjà effectué, via le « Shetland Bus », un certain nombre de voyages en mer du Nord. C'était la première fois qu'il apercevait un membre de sa famille tout en étant obligé de se dissimuler. Les consignes étaient très strictes : trop de vies étaient impliquées et l'enjeu trop important pour prendre le moindre risque. Les représailles avaient toujours été terribles.

Ainsi, le village de pêcheurs de Telavagen avait été rayé de la carte pour avoir abrité deux résistants. Les habitants avaient vu leurs maisons brûlées, leurs bateaux coulés, leur bétail confisqué avant d'être eux-mêmes emmenés, les hommes de plus de seize ans dans des camps de concentration en Allemagne, les femmes et les enfants dans des camps de travail en Norvège.

Erik attendait la nuit pour reprendre la mer en direction des Shetland. Il aurait à bord un agent secret qui se rendait auprès du gouvernement norvégien à Londres et deux hommes qui fuyaient le régime nazi. Ce serait son dernier voyage avant l'automne. Les jours presque sans nuit rendaient les traversées difficiles : impossible de ne pas se faire repérer par les avions ou les bateaux ennemis.

Dans le Nord, aux environs de Kirkenes, la neige commençait à fondre. Elle ne résistait que sur les hauteurs. Le sol brun, que la neige avait dénudé, se garnissait de petites pousses vertes et de fleurs tendres : c'était la fête du printemps arctique. Cependant, il faisait toujours aussi froid et la vie au camp était toujours aussi dure.

Rolf, dans son uniforme rapiécé, la barbe épaisse et les cheveux longs, tendit son visage au soleil comme pour s'en imprégner. Il venait de recevoir des nouvelles qui allaient dérider ses compagnons de misère. Il les tenait d'un commerçant du pays qui livrait des marchandises au commandant du camp. Le courrier était interdit, on ne pouvait rien recevoir ni expédier.

Il en fit l'annonce à ses camarades dans la cour, debout sur une vieille caisse d'emballage. Tous se pressèrent autour de lui. Rolf sourit, les cheveux au vent.

– Mes amis ! J'ai une grande nouvelle ! Ceux que nous avons laissés à Grini et ceux qui sont actuellement dans d'autres camps vont être libérés. Les écoles vont rouvrir, nous pourrons y enseigner de nouveau. Est-ce que vous comprenez ce que cela signifie ? Quisling est battu ! L'Association nazie pour l'Éducation est virtuellement éliminée et le mouvement des Jeunesses hitlériennes, tué dans l'œuf ! Nous avons gagné !

Ce fut une formidable explosion de joie. Ils se serraient les mains, se donnaient de grandes tapes dans le dos. Quelques-uns pleurèrent... Ils n'avaient pas souffert en vain même si, dans les pires moments, la victoire leur paraissait aussi périlleuse et lointaine que la quête du Saint-Graal. Ensemble, ils avaient fait reculer les nazis. C'était tout ce qui importait.

Rolf sauta à bas de la caisse et se mêla à ses collègues. Cette victoire allait donner de la force à tous ceux qui résistaient sur d'autres fronts. À présent, il allait lutter pour que l'on libère les malades en priorité. Pour les autres, rien, désormais, ne serait aussi terrible que ce qu'ils venaient d'endurer !

9

Johanna avait mis quelque temps à s'habituer à son nouvel univers. Elle avait un bureau pour elle seule, bien situé, avec une grande fenêtre sur la rue, ornée de rideaux aux impressions vives qui se reflétaient sur le sol laqué brillant comme un miroir. Tout était parfaitement net, dans la tradition scandinave : l'équipe de nettoyage était composée de femmes du pays.

Son travail ne présentait rien de particulièrement difficile; mais la proximité constante des uniformes allemands la mettait mal à l'aise. Au début, chaque fois qu'un soldat entrait dans son bureau, elle ne pouvait s'empêcher de sursauter. Tous les matins, elle devait présenter sa carte d'identité à l'entrée et subir de continuelles allées et venues ponctuées du *Heil Hitler*... Au moins, dans son bureau, l'inévitable portrait du Führer lui avait été épargné. Il n'y en avait d'ailleurs pas non plus dans celui de Tom.

Annoncer à ses parents qu'elle allait devenir la secrétaire de Tom Ryen n'avait pas été facile. Son père s'y était fermement opposé. Gina, elle, avait paru plus surprise que fâchée.

– Tu aurais pu reprendre ta place à la boutique, à Oslo, avait-elle simplement dit.

– J'y retournerai peut-être, plus tard. Je préfère rester près de vous pour l'instant. Je serai là si vous avez besoin de moi.

Son père, lui, n'avait rien voulu savoir. Mais Gina

avait fini par l'apaiser. Ce n'était pas la première fois que Johanna remarquait l'extraordinaire intuition de sa mère.

Johanna s'était préparée à toute éventualité. Elle avait élaboré un code bien à elle pour se rappeler les informations qu'elle pourrait glaner çà et là. Dans son sac, elle avait un petit carnet pour noter en sténo sous forme d'une liste de courses tout ce qui pourrait se révéler intéressant...

Depuis qu'elle était dans la place et qu'elle en connaissait les habitudes, elle n'avait eu qu'une entrevue avec Gunnar pour régler les derniers détails. Ils convinrent de signaux par lesquels elle lui ferait savoir qu'elle détenait des informations.

Elle avait très vite compris que la paresse de Tom Ryen jouerait en sa faveur. Il ne s'était pas écoulé deux semaines qu'il avait déjà commencé à se décharger sur elle d'une part de ses responsabilités. Elle s'en était acquittée très volontiers, sachant qu'elle glanerait ainsi plus d'informations qu'en se contentant d'exécuter ses directives.

Johanna s'attendait également à être invitée un jour ou l'autre par un officier allemand. Dès son arrivée, elle avait été le point de mire des soldats de tous grades qui la voyaient passer dans les couloirs ou dans l'escalier. Tous la croyaient favorable aux Allemands, à l'instar de son employeur.

Le lieutenant qui entrait en ce moment dans le bureau était grand et portait bien l'uniforme. Une médaille sur sa poitrine attestait de sa vaillance dans l'une des campagnes de l'armée du Reich. Johanna était en train de taper une lettre. Elle leva la tête et esquissa un sourire de bienvenue puisqu'il se trouvait dans son territoire.

– *Guten Tag*, dit-elle. Avez-vous rendez-vous avec le major Ryen ?

Il secoua la tête et se planta résolument devant son bureau.

– *Nein, Fräulein.* C'est vous que je viens voir. Mon bureau est à l'étage au-dessus et j'aimerais me présenter : Kurt Scheidt. Si je puis vous être utile en quoi que ce soit, n'hésitez pas à me le faire savoir.

– Merci. Je m'en souviendrai.

– Vous êtes une parente du major Ryen, je pense ?

– Nous sommes cousins.

Puis, en souriant, elle montra la lettre sur sa machine.

– J'ai beaucoup de travail en ce moment.

– Excusez-moi ! Seriez-vous libre ce soir ? Il y a une soirée au mess des officiers du quartier général... Je serais enchanté de vous y emmener.

– Je suis désolée, mais ce soir, je suis prise.

– Eh bien, demain alors ? Je connais un hôtel où les officiers sont extrêmement bien traités. Nous pourrions y dîner ?

La porte de séparation avec le bureau de Tom Ryen s'ouvrit et celui-ci fit son entrée, imposant et affable. Il n'avait jamais rien eu d'un chevalier sans peur et sans reproche. Néanmoins, il vola au secours de Johanna. Il s'adressa à l'officier comme s'il n'avait rien entendu de la conversation.

– Ah ! vous vouliez me voir, lieutenant Scheidt ?

– Euh... pas exactement, major, je parlais avec Fräulein Ryen.

Tom répondit avec indifférence :

– Ah bon ? (Puis il se tourna vers Johanna et repoussa sa manchette pour consulter sa montre en or.) Disons six heures moins le quart au lieu de six heures, ce serait mieux. J'ai encore deux lettres à dicter, veux-tu bien passer dans mon bureau ?

Le lieutenant prit congé et Johanna s'empressa de suivre Tom.

– J'aurais pu m'en sortir seule, dit-elle. Et mieux que vous ne l'avez fait...

– Je le sais, mais je ne veux pas qu'on te harcèle. Le menu fretin doit être tenu en respect.

Il s'assit derrière son bureau. Elle prit une chaise et posa son bloc de sténo et son crayon sur ses genoux.

– Que vouliez-vous me dicter ?

– Aucune importance pour l'instant, nous en reparlerons demain.

La première fois qu'Edvard quitta sa chambre pour descendre au rez-de-chaussée, ce fut au bras de Karen. Gina les attendait au pied de l'escalier.

La jeune femme était rouge d'excitation. Ses cheveux blond cendré, retenus par un ruban noué sur le dessus de sa tête, lui donnaient l'air innocent et émerveillé d'une petite fille se rendant à une fête. Elle parlait à Edvard comme à un enfant.

– Voilà ! Comme ça, c'est bien... Allez, une autre marche et encore celle-ci...

Gina aurait pu achever cette litanie comme une comptine; une marche pour Erik, et encore une autre pour Erik... À chacun ses méthodes pour faire face à la séparation. Celles de Karen étaient peu ordinaires.

À la fin de la semaine, Edvard put s'asseoir sous le porche pour prendre le soleil. Karen venait de le raccompagner à l'intérieur et était ressortie pour ramasser la couverture qui était restée sur son fauteuil. Soudain, elle entendit qu'on l'appelait. Carl Müller se tenait sur le pré devant la maison, les pieds écartés et les pouces dans la ceinture. Il ne portait pas de casque mais un bonnet fourré. Il plissait les yeux à cause du soleil.

– Depuis combien de temps es-tu là ? demanda-t-elle.

– Assez longtemps pour avoir vu Edvard Ryen sur ses pieds.

– Cesse de nous espionner, on dirait un vampire. Pourquoi ne veux-tu pas oublier notre existence ?

Il avança jusqu'au perron et leva la tête vers elle :

– Je te l'ai déjà dit : je ne veux de mal à personne. J'ai pu me rendre compte qu'il n'est encore qu'un convalescent. Je ne l'ai pas emmené quand il était malade et je ne l'emmènerai certainement pas tant qu'il ne sera pas complètement rétabli.

Elle agrippa la couverture d'Edvard avec désespoir.

– Et pourquoi devrais-tu l'emmener à tout prix ?
– Cela ne dépend que de toi... Viens, nous allons en parler.
Il lui tendit la main.
Effrayée, elle posa la couverture sur le fauteuil et descendit les marches. À leur dernière rencontre, il lui avait tendu la main et elle l'avait ignorée. Cette fois-ci, il n'avait pas l'intention de se laisser faire. Il resta la main tendue avec autorité, attendant qu'elle obéisse. Ce fut sans enthousiasme qu'elle lui abandonna la sienne. Il s'en empara avec un plaisir évident, entrecroisant leurs doigts, sa paume sur la sienne.
– Nous irons de l'autre côté, aujourd'hui. Je serai très fier d'être vu en ta compagnie. J'aimerais que le monde entier sache que nous sommes amis.
– Si tu tiens à me parler, répliqua-t-elle, fais-le tout de suite ! Je préférerais en finir le plus vite possible.
– Rien ne presse... Un camion m'a déposé au hameau et il ne repartira pas avant deux heures au moins. J'ai pensé que nous pourrions boire quelque chose au café près de la crique. J'ai deux tickets de rationnement pour toi.
– Merci ! Je n'en veux pas.
– Tiens ! Vous ne subissez donc pas de restrictions à la ferme des Ryen ?
Elle s'arrêta pile et arracha sa main de la sienne.
– Je n'admettrai pas que tu te moques de moi, que tu essaies de m'acheter ou que tu me fasses le chantage à l'amitié. Dis ce que tu as à dire et restons-en là !
Il comprit qu'il était allé un peu trop vite, un peu trop loin.
– Allons, allons ! Calme-toi ! Ne prends pas tout de travers. Pour être franc, je suis ici pour une raison et une seule. Quand je t'ai revue, j'ai su que je tenais toujours à toi. Je sais bien que nous avons changé depuis nos quinze ans, nous étions amoureux... Mais, moi, je n'ai pas cessé de penser à toi

depuis des semaines. Je ne revendique rien. J'essaie simplement de t'expliquer mes sentiments.

Sa sincérité transparaissait dans sa voix comme dans l'expression de son visage. Il continua :

– Si je dois échanger mon silence au sujet de la guérison d'Edvard contre la promesse de te revoir, je le ferai. Et puis j'espère que, avec le temps, ce sera de ton plein gré que tu me retrouveras...

Le visage de Karen se décomposa. Elle était atterrée. Elle aurait voulu fuir, courir aussi loin que possible pour échapper à l'ultimatum qu'il lui imposait. Lui, il la regardait tranquillement, attendant sa réponse.

– Je sortirai avec toi, dit-elle à mi-voix.

Il triomphait. Avec le temps, il saurait la conquérir.

– Tu verras... Ce sera comme avant, entre nous. Ce jour est l'un des plus heureux que j'aie jamais connus dans ce pays.

Ils prirent le sentier qui menait à la vallée. On s'arrêta de travailler pour les regarder passer. Personne n'y croyait. On avait déjà entendu dire que Johanna travaillait chez un cousin collaborateur; et voici que, maintenant, l'autre jeune fille de la maison paradait avec un Allemand.

Le trajet parut interminable à Karen. Lorsqu'ils atteignirent le hameau, ce fut la même chose ! À son grand soulagement, Carl ne tenta même pas de l'emmener au café fréquenté en général par les soldats allemands. Il ne se sentait pas assez sûr de lui ni d'elle; en public, elle risquait de changer d'avis. Ils allèrent donc dans la prairie au-dessus du fjord. C'était une de ces journées qu'elle aimait. Il n'y avait pas une ride à la surface de l'eau. Les rives du fjord s'y reflétaient comme dans un miroir. Ils s'assirent côte à côte. Lui, les bras appuyés sur les genoux; elle, les jambes repliées sous elle. Elle cueillit un bouton d'or et l'effeuilla. Elle ne savait que dire... Il fit donc la conversation. Il lui décrivit sa maison, tous les endroits où il était allé, ce qu'il avait fait depuis qu'ils s'étaient quittés.

– J'aimerais que personne ne connaisse notre contrat, dit-il. Peux-tu me le promettre ?

– Je pense que Gina Ryen le devinera.

– Laisse-la à ses devinettes, mais ne les confirme pas. Nous vivons un moment intermédiaire, Karen. Un jour viendra où nous partirons ensemble.

Il croyait ce qu'il disait. Il était plein de confiance en l'avenir et se voyait déjà revivant leur amour d'adolescents. Elle envisagea un instant de lui annoncer qu'elle aimait Erik Ryen, qui, indirectement, était la cause de leur rencontre, mais elle rejeta cette idée. Il ne fallait pas qu'il arrête Edvard. L'autorité qu'il avait gagnée depuis ses années d'adolescence l'avait complètement changé. Il était imprévisible et dangereux.

Heureusement pour Karen, ils restèrent ainsi, à bavarder longuement sur les bords du fjord. Il n'avait plus le temps de la ramener à la ferme. Elle l'accompagna jusqu'à son camion. Il grimpa à côté du chauffeur et posa un coude sur la vitre baissée pour lui faire ses adieux. Il plastronnait devant ses compagnons allemands.

Elle revint seule à la ferme. Gina l'attendait, malade d'anxiété.

– Est-il revenu pour arrêter Edvard ?

– Non. Il est revenu pour moi. Ce qui n'a rien d'étonnant parce que nous étions très bons amis, il n'y a pas si longtemps.

Gina la regarda, sans un mot. Elle avait tout compris. Sa famille – elle considérait Karen comme sa future belle-fille – était en train de se désagréger : ses fils s'étaient envolés, sa fille travaillait chez un partisan de Quisling et son mari était entre la vie et la mort.

Johanna aimait vivre dans la maison d'Astrid. Elles prenaient leurs repas ensemble, jouaient quelquefois aux cartes dans la soirée et se quittaient peu. Johanna pouvait aller et venir à sa guise, ce que la vie de famille à la ferme ne lui avait jamais permis, chacun étant plus ou moins dépendant des autres. Elle ressentait pour Astrid la même affection que pour les Alsteen. Elle pensait souvent à eux et espérait qu'ils étaient sains et saufs.

Les nazis, désormais, déportaient les juifs de Norvège dans des camps de concentration en Pologne ou en Allemagne, ce qui avait conduit l'Église norvégienne à une rupture totale avec le gouvernement de Quisling. Dans toute cette désolation, il y avait cependant une nouvelle positive : on libérait les instituteurs prisonniers dans la région arctique s'ils étaient malades. Rolf n'en faisait pas partie, ce qui signifiait qu'il se portait bien.

La chambre de Johanna, chez Astrid, n'était guère plus grande qu'un débarras. Mais l'air et la lumière entraient à flots par la fenêtre, qui donnait sur la mer. Johanna pouvait voir les îles les plus lointaines. On racontait que c'était de là qu'un Viking était parti pour aller fonder une dynastie en Normandie.

Johanna avait fort heureusement le sommeil profond. Elle n'entendait pas les bruits qui provenaient à certaines heures des chambres voisines. Astrid, au contraire, avait le sommeil léger et souffrait de cette intrusion dans sa vie privée. Elle s'efforçait d'ignorer ces nuisances et expliquait, avec une remarquable dignité, en croisant ses mains gracieuses :

– Ce qui se passe derrière, c'est leur affaire. Mais c'est pour ma maison que je suis navrée.

Johanna s'aperçut qu'il n'était pas désagréable de travailler avec Tom Ryen. Il se montrait généralement jovial, d'humeur égale. Il aimait les plaisirs simples de la vie. Il dépendait des autorités allemandes qui occupaient une longue série de bureaux dans un autre bâtiment. Il s'y rendait dès qu'on le convoquait. Johanna tapait tous les rapports qu'il devait soumettre et elle avait accès à tout ce qui entrait ou sortait du bureau.

Quand elle tombait sur une information qu'elle jugeait intéressante, elle prenait contact avec Gunnar et apportait ses notes au lieu et à l'heure indiqués. C'était toujours Gunnar qu'elle voyait. Steffen n'était jamais là. Elle possédait un code spécial pour le cas où elle mettrait la main sur une nouvelle urgente à transmettre. Jusque-là, elle n'avait pas eu l'occasion de s'en servir.

Après quelques semaines, Johanna alla passer un week-end à la ferme. C'était l'époque de la moisson. Elle monta le sentier, son sac sur l'épaule. Aux abords de la première ferme, elle salua toutes les personnes qu'elle connaissait. On ne lui répondit pas. Elle pensa qu'ils étaient trop absorbés dans leur tâche... Un peu plus haut, à la ferme suivante, ce fut la même chose.

C'était bien la première fois qu'elle remontait le chemin qui la conduisait chez elle sans recevoir un mot amical, sans qu'on lui adresse le moindre sourire. Ces voisins, chez qui elle se rendait depuis son enfance, comme si elle était de la famille, ne paraissaient pas la reconnaître. Des élèves de Rolf, grimpés sur une charrette, allèrent jusqu'à faire taire un enfant plus jeune qui avait eu l'innocence de répondre à son salut. Quand elle les eut dépassés, l'un des garçons sauta à terre et cria dans son dos :

– On ne veut pas de collaborateurs à Ryendal !

C'était donc ça ! Ils savaient tous qu'elle travaillait au quartier général allemand. Ils en avaient tiré les conclusions qui paraissaient s'imposer. Elle ne pouvait leur en vouloir. Cependant elle supportait très mal cette hostilité collective.

Elle continua de monter sous le regard glacé des gens de son pays. Elle arriva devant l'école. Un nouvel instituteur y remplaçait son frère.

Edvard, lourdement appuyé sur sa canne, sortit sans aide sous le porche pour l'accueillir. Johanna vola en haut des marches et ils s'embrassèrent. Elle recula pour mieux le voir et s'exclama :

– Comme tu as bonne mine !

C'était vrai. À rester au soleil, son visage buriné

par les années avait un peu repris de ses anciennes couleurs.

– Voilà ce que c'est que d'être paresseux, répondit-il en souriant. C'est à peine si je peux m'occuper des paperasses. Ta mère a tout pris en main. Et Karen est son bras droit.

Il avançait non sans difficulté. Puis il se laissa tomber dans un fauteuil. Johanna s'assit à côté de lui.

– Ceci ne veut pas dire que tout aille bien ici, reprit-il. Je devrais être aux champs, au lieu de fainéanter à la maison. Ta mère est là-bas à ma place. Et, pour comble de malheur, c'est un Allemand qui nous aide à rentrer la moisson. Ma moisson ! Te rends-tu compte ?

Johanna fronça les sourcils.

– Je n'étais pas au courant de tout ça, dit-elle. S'agit-il du sergent avec lequel Karen est allée à l'école ?

– Oui. Ils se promènent ensemble. Et ça a duré tout l'été. J'avais cru qu'Erik et elle allaient se marier. On dirait que ce n'est plus à l'ordre du jour... (Edvard secoua la tête avec irritation et poursuivit :) De nos jours, les filles ne savent plus attendre. Cela devient grave. Autrefois, une jeune femme attendait, des années parfois, que son homme s'établisse en Amérique. Alors il la faisait venir. Elle restait fidèle à sa parole.

Johanna tourna la tête et observa la vallée.

– Sur le chemin, personne ne m'a dit bonjour. Je sais maintenant pourquoi Karen est, elle aussi, accusée de collaborer. Cela n'a pas dû être facile pour mère et pour toi.

– Ah, ça, tu peux le dire !

Johanna sentit que, durant ce week-end, l'atmosphère serait tendue. Elle se leva et lui tapota l'épaule.

– Je vais me changer. Puis j'irai rejoindre les autres aux champs.

– Essaie, je t'en prie, de persuader ta mère et

Karen qu'il est inadmissible qu'un ennemi travaille sur mes terres.

– Ne t'en fais pas, je leur en parlerai, promit Johanna.

Elle monta dans sa chambre et enfila une robe légère. Elle prit dans un tiroir un foulard fleuri qu'elle mit sur ses cheveux, pour les protéger de la poussière de maïs. Elle le noua très serré sur sa nuque. Puis elle redescendit et sortit par la porte de derrière. Elle passa le pont qui enjambait le ruisseau et parvint à un endroit d'où l'on pouvait voir tous ceux qui travaillaient aux champs. Sur son chemin, elle vit, pendues à un poteau, une veste de l'armée allemande et une casquette. Cela constituait un curieux épouvantail. C'était déjà la troisième moisson sous l'Occupation. Quand donc tout cela finirait-il ? Combien d'étés passeraient encore avant que ces uniformes maudits disparaissent ?

En se rapprochant, elle reconnut Carl Müller, en bras de chemise, qui travaillait dur. Il détachait les gerbes de la corde où elles séchaient et les lançait dans la charrette à un journalier qui les empilait. Karen et Gina maniaient le râteau sur le sol pour ramasser les feuilles de maïs. Elles la virent de loin et lui firent des signes. Carl fit une pause et s'essuya le front. Ses cheveux étaient trempés de sueur et tout en lui respirait le bonheur de vivre. Comme s'il se trouvait ici chez lui, comme s'il était né dans ces montagnes.

Il s'appuya sur sa fourche et dit avec amabilité :

– Nous nous sommes déjà rencontrés, je crois. Vous voyez, je fais désormais partie de votre équipe.

– C'est ce que m'a dit mon père...

Elle remarqua tout de suite que Gina détournait les yeux et semblait vouloir se concentrer sur son travail.

Karen avait énormément changé. Elle avait maigri et paraissait si fragile qu'on aurait dit qu'elle allait se casser d'un moment à l'autre. Mais elle avait, en apparence, gardé son calme habituel. Elle était toujours aussi serviable et efficace.

Le samedi soir, Carl vint chercher Karen pour l'emmener danser. Elle portait une robe claire. Avec son visage amaigri couronné de cheveux pâles, elle semblait immatérielle. Johanna observa, par la fenêtre, que Carl lui passait un bras possessif autour de la taille, sans qu'elle réagisse d'aucune façon.

Johanna s'éloigna de la fenêtre et enfonça d'un geste décidé ses mains dans les poches de sa jupe. Gina était en train de repriser une chaussette sur un œuf de bois. Edvard s'était endormi en lisant son journal, la tête renversée sur un coussin de velours. Il respirait bruyamment.

– Pourquoi permettez-vous à ce sergent de venir ici ? demanda Johanna.

Sa mère ne leva même pas la tête.

– Il ne rentre jamais dans la maison, dit-elle simplement.

– Là n'est pas la question, vous le savez bien. Pour les voisins, vous avez l'air de cautionner cette liaison. Je viens de découvrir qu'ils me condamnaient aussi, mais ils ne peuvent rien vous reprocher puisque je n'habite plus ici.

– C'est vrai, répondit sa mère. On m'a même demandé de renvoyer Karen dans son village. J'ai répondu qu'elle serait ici chez elle aussi longtemps que cela lui plairait.

Johanna se percha sur le bras d'un fauteuil et, considérant sa mère toujours penchée sur son raccommodage :

– Je suis heureuse de te l'entendre dire, maman. Vous avez l'air très complices, Karen et toi. De quelle façon cet Allemand peut-il vous tenir ?

Gina laissa tomber son ouvrage sur ses genoux. Elle regarda sa fille avec une expression anxieuse. Elle jeta un coup d'œil à son mari pour juger de la profondeur de son sommeil. Puis elle se redressa. Elle s'était ressaisie.

– Je dois d'abord te dire, sincèrement, que Karen et moi n'en avons jamais parlé. Ce n'était pas la peine. La première fois que le sergent Müller est revenu la voir, à son retour, sa pauvre petite figure en disait long... c'est très simple : en échange de l'amitié de Karen, il gardera le secret sur la guérison de ton père.

– Oh, mon Dieu ! s'exclama Johanna, bouleversée. Mais papa n'est pas au courant ? Pourquoi ne lui avez-vous rien dit ?

– Tu le connais. Il serait capable de commettre une folie.

– Se livrer aux Allemands, par exemple ?

– Je préfère ne pas y penser, conclut Gina qui courba les épaules comme si elle avait à supporter un fardeau écrasant.

Son visage se durcit jusqu'à faire saillir ses pommettes.

– La vertu de Karen est remplaçable; pas la vie de ton père.

Johanna ne répondit pas.

Karen rentra tard dans la nuit. Johanna l'attendait.

– Il est tard, pourquoi ne dors-tu pas ? demanda Karen.

– Je voulais te parler. Allons dehors...

Elles sortirent sous le porche. Le seul bruit dans la nuit était la musique de la chute d'eau. Karen se laissa tomber dans le fauteuil en lattes de bois qu'occupait en général Edvard.

– Tu as tout deviné ? dit-elle.

– Ce n'était pas très difficile. Nous voici donc tous avec une dette envers toi : mes parents, mes frères et moi.

La voix de Karen resta sans expression :

– Je n'attends aucune reconnaissance. Carl n'est pas Hitler. Au fond de lui-même, il est resté le jeune garçon que j'ai connu autrefois. Quelquefois j'en arrive à oublier son uniforme. Cela aurait pu être pire, bien pire. Je le laisse m'embrasser... Cela fait partie du marché. Nous ne sommes pas allés plus loin, pour l'instant du moins. Il est amoureux de moi, assez pour espérer qu'avec le temps, nos relations deviendront plus sérieuses. Souvent, il me fait pitié.

– Y a-t-il la moindre chance qu'on l'envoie ailleurs – enfin, loin d'ici ?

– Pas pour l'instant. De toute façon, je préfère que tu saches la vérité. Tu es la seule à qui je puisse parler. J'aime Erik, je l'ai toujours aimé et j'attends son retour. S'il m'aime autant que je l'aime, il n'écoutera pas les ragots qu'on ne manquera pas de lui rapporter. L'idée qu'il puisse m'en vouloir ne me fera pas changer d'avis. Edvard ne sera pas pris comme otage tant que je pourrai l'empêcher.

Johanna remarqua, pour la première fois que Karen et sa mère se ressemblaient. En dépit de leur apparence fragile, elles possédaient l'une et l'autre une volonté de fer.

La fin du week-end fut un soulagement pour Johanna. Gina, qui craignait sans doute qu'elle ne laisse glisser dans ses propos quelque chose pouvant alerter Edvard, se montra irritable. Elle n'épargna personne. Johanna décida qu'elle ne reviendrait pas à la ferme de sitôt. Elle se contenterait de téléphoner chaque semaine.

Le lundi matin, Tom Ryen lui demanda gentiment :

– As-tu passé un bon week-end ?

– Pas vraiment. Grâce à vous, je me suis mis tout le monde à dos.

– Que veux-tu dire ?

Elle lui raconta son week-end; l'hostilité des voisins, l'attitude de ses parents. Il resta assis à son bureau devant la pile de courrier qu'elle venait de lui apporter. Il la regarda bien en face.

– Alors, tu ne retourneras plus à la ferme pendant quelque temps ?

– Eh oui !

– Assieds-toi un moment.

Elle obéit en se demandant ce qui allait suivre. Tom était toujours tiré à quatre épingles. Il lissa ses cheveux, déjà impeccablement coiffés, avec la paume de sa main et se gratta la gorge.

– Une idée me trotte dans la tête depuis un certain temps déjà. Depuis ton arrivée ici, pour être exact. J'aimerais que tu m'écoutes jusqu'au bout avant de prendre une décision.

– Je vous écoute, dit-elle, intriguée.

– Ce n'est pas le patron qui te parle, c'est l'ami et le cousin. Tu te souviens de ma femme ? Tu devais avoir douze ou treize ans quand elle est morte.

– J'avais treize ans et je m'en souviens très bien. Elle était si gentille. C'était toujours un plaisir de se trouver avec elle. Mais nous ne la voyions pas très souvent...

– Oui, c'est vrai. Elle avait l'art de recevoir. Elle me manque toujours, particulièrement quand j'invite des amis en fin de semaine. Accepterais-tu d'être mon hôtesse ? Tu es jeune, tu es belle et je serais ravi de te voir chez moi. Je te rassure tout de suite, tu n'as aucune crainte à avoir, personne ne t'ennuiera, je te le promets. Je te prendrai sous mon aile, comme on dit. Me suis-je bien expliqué ?

Elle savait qu'il recevait des officiers nazis le samedi et le dimanche. Sa première réaction fut de refuser. Mais elle n'ignorait pas quel bénéfice la Résistance pourrait tirer de sa position. Elle décida de gagner du temps afin de rester totalement maîtresse de la situation.

– Je ne comprends pas très bien, dit-elle en souriant. Voulez-vous dire que vous laisseriez croire à vos invités qu'il y a quelque chose entre vous et moi dans le but de les écarter ?

– Quelque chose comme ça...

Elle se mit à rire.

– Tom, voyons ! Vous êtes terriblement vieux jeu. Je n'arrive pas tout droit de ma ferme. J'ai travaillé à Oslo et je sais me défendre !

Elle l'amusait. Il lui sourit avec indulgence.

– Comme tu voudras ! J'avais trouvé cette parade parce que je ne veux pas qu'on t'importune. Je suis sincère, je t'assure.

– Je n'en ai jamais douté. Que voulez-vous que je fasse ? Que je choisisse les menus ? Que j'organise les réceptions et que je loue un orchestre ? Je suis sûre que vous avez une liste de femmes à inviter quand c'est nécessaire.

– Tu as exactement saisi ce que je désirais. J'avais une excellente gouvernante depuis la maladie d'Astrid. Dès qu'elle a vu des officiers allemands chez moi, elle m'a donné son congé. Sa remplaçante est loin d'être satisfaisante. Tu pourrais diriger la maison et, bien sûr, engager qui te plaira pour les tâches ménagères.

– Donnez-moi quelques jours pour réfléchir, conclut Johanna.

Elle avait surtout besoin de consulter la Résistance. Il ajouta pour la décider :

– Bien sûr, tu pourrais prendre le temps que tu voudrais sur tes heures de bureau. On s'organisera pour que tu puisses t'absenter quand tu en auras besoin. Certains week-ends, il ne vient qu'un ou deux officiers; mais parfois, c'est une vraie réception qu'il faut organiser !

Elle secoua la tête et dit avec fermeté :

– Ne croyez surtout pas que je vais prendre en main tous vos problèmes domestiques. Je suis secrétaire d'abord et avant tout. Parce que vous êtes mon cousin, je veux bien réorganiser votre intérieur. Quand ce sera fait, je ne viendrai que dans les grandes occasions.

Il était plus satisfait que jamais de Johanna. Il ne s'était pas passé un jour sans qu'il se félicite de son travail... et de sa beauté. En outre, elle avait abandonné, depuis que le temps le permettait, ses affreux bas de laine : ses jolies jambes désormais dénudées ajoutaient à son charme. Les officiers allemands posaient souvent des questions à son sujet : elle avait la réputation de refuser toutes les invitations. Un ou deux d'entre eux s'étaient même montrés un peu trop curieux. Ils ne la suspectaient pas vraiment de déloyauté envers le Troisième Reich, mais ils s'étaient livrés à une enquête en règle. Tom Ryen y avait mis un terme en faisant valoir ses liens de parenté avec elle.

– Si tu acceptes ma proposition, cela t'aidera beaucoup. Je peux bien te le dire maintenant, j'espère entrer au gouvernement. Tu comprends donc que les contacts que j'établis en ce moment me seront très utiles plus tard.

– Mais alors, il vous faudra entrer au parti nazi ! dit-elle impulsivement.

Elle comprit aussitôt, à la manière dont il la regarda, qu'il en était déjà membre. Elle s'en voulut de s'être laissée aller à oublier, ne serait-ce qu'un instant, que malgré leurs excellentes relations de travail, il était lié à l'ennemi.

Il haussa les épaules.

– Je suis membre du parti de Quisling depuis que j'ai enterré mon ancienne vie. C'est ce qui m'a permis d'obtenir ma position actuelle. Je n'en serais pas là autrement. Je ne ferai pas pression sur toi pour que tu t'inscrives au parti, je sais que tu n'y es pas prête. Je comprends aisément les tiraillements de ta conscience, je suis passé par là moi-même. Cela fait du bien de pouvoir parler franchement. J'aimerais que tu restes avec moi, Johanna. Tu pourrais me suivre à Oslo plus tard. Que dirais-tu d'être la secrétaire du successeur de Quisling ?

Elle parvint à émettre un petit rire badin.

– Nous n'en sommes pas encore là !

– Oui, je le sais.

Elle allait se lever pour partir. Mais il fit un geste pour la prier de rester assise. Il avait autre chose à lui demander.

– Je serais très heureux si tu acceptais de m'accompagner à une réception au mess des officiers, ce soir. Nous ne ferons qu'une brève apparition, une heure ou deux suffiront. Ce sera une sorte d'introduction. On a remarqué que tu évitais la compagnie des Allemands.

La réponse lui vint rapidement, bien qu'elle se sente maladroite.

– C'est que je suis difficile, Tom. Je ne sors pas avec le menu fretin.

Il gloussa.

– Tu es une fille avisée, Johanna. C'est décidé, tu viens ce soir.

Il fixa l'heure du rendez-vous; il passerait la prendre en voiture.

De retour dans son bureau, Johanna contempla un moment sa machine à écrire, puis poussa un long soupir. Les choses commençaient à bouger, mais pas exactement dans la direction prévue.

Astrid ne s'étonnait jamais de rien, elle prenait les événements comme ils arrivaient. Elle lui posa la question cruciale :

– Que vas-tu mettre ce soir ?

– C'est là le vrai problème. Tom m'a dit que les femmes seraient très habillées. Je n'ai pas de robe du soir ici. Je vais tâcher de m'arranger avec une robe blanche et quelques roses du jardin.

– Je crois pouvoir t'aider. Allons dans ma chambre.

Johanna la suivit à l'étage. Astrid ouvrit la porte d'une penderie.

– Tu trouveras peut-être quelque chose là-dedans...

Elle tira, au hasard, sur les jupes de plusieurs robes du soir. Des corail, des roses, des grises, des vertes perlées et scintillantes de fils d'argent...

– Qu'en penses-tu ? Elles devraient t'aller, nous avons à peu près la même taille.

– Elles sont superbes ! Puis-je les essayer ?

Johanna passa la première robe pendant qu'Astrid sortait les autres de la penderie. Chacune était recouverte d'une housse de coton. Elles étaient toutes impeccables.

– Les vêtements ont toujours été ma folie, dit Astrid. Avant l'Occupation, j'allais régulièrement au théâtre, à Oslo, à Bergen, ou bien à des soirées...

Johanna aurait facilement pu porter la première robe qu'elle avait trouvée. Mais, après trois ans de privations, elle voulut les essayer toutes. Elle en était littéralement grisée. Elle les enfila l'une après l'autre, paradant comme si elle défilait dans un salon de haute couture. Assise au bord du lit, Astrid jouait les clientes et applaudissait. Elles s'amusèrent comme des folles.

Tom se gara devant la maison à l'heure prévue. Il avait déjà été invité à des « fêtes » dans la partie réquisitionnée de la maison; il connaissait donc parfaitement l'adresse. Il sortit de la voiture et se dirigeait vers la barrière quand Johanna, qui le guettait, sortit par la porte latérale et vint à sa rencontre. S'il avait été plus jeune, il se serait laissé aller à lui faire des compliments. Elle était tout simplement radieuse dans sa robe de crêpe de Chine très simple, mais de coupe superbe, couleur de poire mûre. Ses cheveux, brillants comme de la soie dorée, étaient retenus sur sa tempe droite par une barrette d'ivoire. Elle ne portait rien d'autre, aucun bijou, rien qu'un châle de gaze qui flottait derrière elle.

– Bonsoir, Tom. Je savais que vous seriez à l'heure. C'est votre voiture ? Elle est splendide !

Il se précipita pour lui ouvrir la portière. Il n'avait toujours pas dit un mot. Il s'assit au volant et retrouva enfin sa voix.

– Ce sera une soirée agréable, n'est-ce pas ?

– Magnifique, sûrement...

Tout en faisant marche arrière pour gagner la route, il pensait à l'effet qu'elle allait produire là-bas. Il eut un large sourire.

La soirée avait été organisée au quartier général de la garnison, dans un château en bordure de la ville. Johanna s'arrêta sur le seuil de la longue pièce qui avait servi, autrefois, aux réceptions de la municipalité. Malgré les bruits joyeux qui s'en échappaient, tintements de verre, musique de fond jouée par des militaires allemands, où prédominaient les accordéons, elle ne put réprimer un frisson de répulsion. Elle pensait s'être habituée, au bureau, à la présence constante des uniformes allemands et aux drapeaux frappés du svastika. Elle ne savait pourquoi, mais voir tout cela dans cette atmosphère de fête avivait sa colère.

Un officier se détacha d'un groupe et s'avança vers elle. Elle pensa avec ironie à ce qu'Astrid lui avait dit avant son départ :

– Tu es assez belle pour rencontrer le roi en personne...

– Si seulement c'était possible ! avait-elle répondu.

Mais ce n'était qu'un capitaine de la Waffen SS qui s'avançait vers elle. Elle venait d'en repérer plusieurs avec leurs uniformes gris à col bleu-vert. Comme il s'inclinait devant elle en claquant les talons, elle se demanda pourquoi un régiment d'élite avait été posté sur la région côtière d'un pays déjà occupé alors qu'on aurait sûrement eu besoin de lui sur le front russe. Elle ne devait comprendre que plus tard que cette pensée lui avait sauvé la vie. Elle leva la tête avec un sourire éblouissant. Son sourire à lui découvrait une denture parfaite.

– Fräulein, je suis réellement très heureux de faire votre connaissance. Que puis-je vous offrir à boire ? Aimeriez-vous danser ?

Johanna dansa avec plusieurs d'entre eux, distribuant ses sourires à tous. Elle glissa délibérément sur tout sujet touchant de près ou de loin à la Wehrmacht, changeant de conversation si l'un de ses partenaires y faisait référence, même de façon anodine. Elle savait qu'une règle importante était imposée aux hommes dans la Résistance : en dehors du fait de ne pas se faire remarquer et de ne jamais entrer en contact avec leur famille, ils ne devaient jamais faire confiance à une femme inconnue. De toute évidence, les officiers de la Wehrmacht avaient reçu la même consigne. Elle comptait s'immiscer dans le cercle de Tom de façon telle que les conversations se dérouleraient en sa présence sans que l'on fasse attention à elle. Elle ne s'attendait pas, bien sûr, à ce qu'on expose devant elle des secrets militaires, mais elle espérait pouvoir ajouter des pièces supplémentaires au puzzle que l'on reconstituait à Londres.

Tom bavarda avec quelques femmes mais il ne dansa pas. Il observait Johanna pour s'assurer qu'elle ne s'ennuyait pas. Par moments, il sentait qu'elle le perçait à jour avec une clairvoyance mordante.

Il la retrouva, avant le dîner, au milieu d'un groupe d'officiers un tantinet ivres, d'une gaieté tapageuse. Ils s'essayaient à faire les beaux comme de jeunes coqs. Bien que Johanna semblât s'amuser de leurs plaisanteries, Tom ne fut pas sans remarquer un éclair de soulagement dans ses yeux lorsqu'il s'approcha d'elle.

Elle ne lui donna même pas le temps de dire quoi que ce fût...

– Je pense qu'il est temps de rentrer, Tom.

Mais les jeunes officiers, eux, n'étaient pas du tout disposés à la laisser partir. Ils lui barraient le passage et se bousculaient bruyamment. Elle souriait, mais elle était fermement décidée à s'en aller. Elle glissa sa main sous le bras de Tom et l'entraîna vers la sortie.

– N'as-tu vraiment pas faim ? demanda Tom.

Il pensait avec nostalgie à la table qu'on avait dressée.

– J'ai pris un petit quelque chose avec Astrid avant de partir, répondit-elle.

La vision de cette table l'avait rendue malade. Cette abondance de nourriture, étalée là, l'avait choquée plus encore que la masse désolante des uniformes allemands. Elle songeait aux heures de queue que faisaient ses compatriotes pour rapporter chez eux presque rien. Astrid ne s'en plaignait jamais, mais elle rentrait souvent épuisée de ces longues stations debout où elle arrivait au seuil de la boutique pour voir disparaître devant elle le dernier morceau de viande.

– Je veux bien une orange, dit-elle.

Il répondit immédiatement :

– Je vais t'en chercher deux.

Il rentra dans la maison et elle le suivit pour l'attendre dans le hall. C'est ce qui leur sauva la vie. Au même moment, une explosion énorme secoua l'air et le dépôt de munitions sauta. Les fenêtres éclatèrent, Tom et Johanna furent projetés sur le sol du hall qui se mit à trembler sous eux. Les balustrades en bois de la galerie cédèrent et dégringolèrent les unes après les autres comme les pièces d'un jeu de quilles. Un miroir se brisa et ses éclats frôlèrent le visage de Johanna recroquevillée sur l'escalier où elle avait atterri.

La voix de Tom lui parvint, tel un croassement.

– Johanna, comment te sens-tu ?

– Ça va, je crois que ça va...

Étourdie, elle releva la tête et s'assit avec difficulté. Elle aperçut alors Tom étendu près d'elle, le visage en sang.

– Vous êtes blessé !

– Je crois bien qu'une des balustres m'a éraflé en passant. Rien de sérieux. Laisse-moi t'aider et allons voir si on ne peut pas porter secours à quelqu'un.

Il l'aida à se relever et, enjambant les débris, ils retournèrent au mess des officiers. Johanna avait quelques notions de secourisme, et Tom se montra très expérimenté. L'officier médecin apparut enfin. On l'avait tiré du lit et il avait jeté un manteau sur son pyjama. Tom trouva une bouteille de cognac qu'il offrit à Johanna. Elle avala goulûment l'alcool et la lui rendit.

– Eh bien, ça au moins, c'est du cognac ! dit-elle.

– Fais-moi confiance pour trouver le meilleur, répondit Tom.

Quand ils eurent fait tout ce qui était en leur pouvoir, Tom prit Johanna par le coude et la conduisit à travers les décombres jusqu'à l'extérieur. Un nuage de fumée s'élevait dans l'air et masquait la lueur des étoiles. Des soldats couraient dans toutes les directions. On entendait des ordres hurlés, des coups de sifflet. C'était la confusion la plus totale. Tom jeta un coup d'œil à ce qui restait de sa voiture. Il commenta tristement :

– Le chemin est long jusqu'à ta maison, nous ferions mieux de nous mettre en route.

La corpulence de Tom ne se prêtait guère à la marche à pied. La route grimpait avant de replonger dans une vallée. Johanna avait perdu une de ses chaussures et marchait pieds nus sur l'herbe du bas-côté. Il y avait des soldats partout.

À un barrage de contrôle, on leur demanda leurs papiers. Tom sortit sa carte de membre du parti nazi et leur tenue dépenaillée fit le reste. On les laissa passer sans autre question. Il laissa Johanna au pied de la route qui montait en lacet jusqu'à la maison d'Astrid. Avant de partir, il plongea la main dans sa poche et en sortit une orange.

– La table du dîner était un vrai carnage. J'ai réussi à trouver celle-là en cherchant le cognac.

– Oh ! Tom, merci !

Elle prit l'orange tout en se demandant comment il se pouvait que cet homme fût un tel mélange de tout ce qu'elle aimait et de tout ce qu'elle détestait.

Elle suivit la route sinueuse tout en humant le parfum du fruit. Dans la maison, la lumière du palier était allumée et l'ombre d'Astrid se profila en haut de l'escalier.

– Tu dois aller au cellier, Johanna.

Astrid eut un sursaut, elle venait de se rendre compte de son apparence : robe du soir déchirée, plus de chaussures, visage défait et maculé.

– Étais-tu là où a eu lieu l'explosion que j'ai entendue ?

Johanna fit un signe de tête affirmatif, d'un air las. Soudain elle se sentait épuisée... Et il fallait descendre au cellier !

– J'ai une orange que j'ai gardée pour le petit garçon des voisins... Et j'ai bien peur que votre si jolie robe ne soit fichue.

– Cela n'a aucune importance, répondit Astrid, du moment que tu n'es pas blessée. Descends au cellier, tu me raconteras tout demain. On dirait que tu vas t'écrouler.

– Savez-vous qui est en bas ?

– J'ai vu Gunnar. C'est lui qui a demandé que tu descendes. Je ne sais pas s'il y a quelqu'un d'autre avec lui.

Johanna retint un soupir, se rendit au passage sous l'escalier et frappa le signal convenu. Le panneau glissa. En un éclair, elle comprit que l'animosité et la suspicion avaient aussi leur odeur. Elle s'en trouva immédiatement imprégnée, de la tête aux pieds, tandis qu'on la saisissait sans ménagement et qu'on la poussait en avant dans la lumière crue d'une torche braquée sur son visage. Ses pieds ne touchaient plus le sol. Elle protesta. Pour toute réponse, on la jeta sans cérémonie sur une chaise. La voix de Gunnar s'éleva de l'obscurité, derrière le cercle de lumière. Il était en colère.

– Mais où avez-vous donc bien pu aller ? Vous nous avez fait attendre.

Elle lui répondit sur le même ton en clignant des yeux :

– J'ai été danser avec la Wehrmacht pour le compte de la Résistance; j'ai failli me faire tuer dans une explosion provoquée par mes compagnons de lutte; enfin, je suis rentrée pieds nus à la maison. Est-ce suffisant pour justifier mon retard ? D'autant plus que j'ignorais que vous seriez ici...

Elle mit une main devant ses yeux pour essayer de voir quelque chose au-delà du rayon lumineux qui l'aveuglait; mais elle ne put rien distinguer.

– Quel double jeu êtes-vous en train de jouer? demanda Gunnar. On vous a postée dans le bureau de Ryen pour glaner des informations, pas pour fraterniser avec l'ennemi. On vous a aperçue dans la voiture de Ryen ce soir et on vous a vue au quartier général de la garnison. Nous devons vous questionner.

– Un interrogatoire ?

– Nous voulons la vérité et nous l'aurons coûte que coûte.

Tout cela lui semblait irréel. Elle se souvenait, mais trop tard, des instructions qu'on lui avait données : ne jamais prendre d'initiative de son propre chef, à moins bien sûr que sa vie et celle de ses compagnons dans la Résistance ne soient en danger. Son rôle devait rester sédentaire. En sortant de ce rôle, elle avait fait preuve d'irresponsabilité.

Elle essaya de nouveau de s'abriter les yeux derrière son avant-bras mais on lui fit relever la tête en lui tirant les cheveux.

– Je vais vous expliquer comment c'est arrivé, dit-elle. Je n'aurais peut-être pas dû me rendre ce soir au quartier général ennemi sans votre autorisation, mais c'était un coup à tenter... Il paraît que j'ai refusé trop de rendez-vous avec les Allemands. Tom Ryen a insinué que des doutes commençaient à peser sur moi.

Elle entendait, comme en écho, sa voix tranquille. Elle ne voyait rien. Mais elle sentait bien la présence de plusieurs hommes autour de la table, autour de Gunnar. Elle comprit que l'explosion du dépôt de munitions était leur œuvre et qu'ils s'étaient abrités ici pour échapper aux Allemands. Elle était certaine qu'il s'en trouverait bien quelques-uns parmi eux qui n'hésiteraient pas à la faire taire pour toujours si elle ne réussissait pas à les convaincre de son innocence.

Quand elle eut terminé sa première explication, Gunnar la soumit à un feu roulant de questions.

– Quand vous avez été arrêtée à Oslo, vous avez été relâchée aussitôt ? Est-ce de ce moment que date votre sympathie pour l'ennemi ? La liberté en échange de la collaboration ? N'est-il pas curieux que ce soit l'intervention d'un Allemand qui ait empêché l'arrestation de votre père ? Qui a fabriqué l'histoire que vous venez de nous débiter ?

Sa situation lui apparut dans toute son horreur. Elle avait encore toute sa lucidité. Elle pouvait garder son calme. Et elle réfléchit avant de répondre, déterminée à ne laisser échapper aucun mot qui pourrait être mal interprété. Le procès continuait, elle était à bout. Elle avait la plus grande difficulté à garder la tête droite. La peur, seule, l'empêchait de se laisser tomber et de s'endormir.

L'interrogatoire se poursuivait.

– Non ! Tom ne m'a pas parlé de collaboration lors de notre rencontre sur le vapeur. Je ne sais plus de quoi nous avons parlé...

– La bonne excuse ! Il vous a invitée à venir le voir à son bureau, n'est-ce pas ?

– Non ! Et s'il l'avait fait j'y serais probablement allée parce que j'ignorais, à ce moment-là, qu'il travaillait pour les nazis.

– Je vous accuse d'être de mèche avec Ryen pour trier des informations inutilisables que vous nous passez ensuite !

Elle prit ses tempes à deux mains pour maintenir sa tête droite et garder les idées claires. Puis elle abaissa soudain ses mains sur ses genoux et leva la tête. Sa voix, rendue rauque par la soif, retrouva toute sa force, ses yeux se durcirent.

– Je viens tout juste de retrouver une de ces informations inutilisables, comme vous le dites. C'est à vous que je l'ai transmise, Gunnar. Je n'avais pas bien compris sa signification sur le moment. Mais, à présent, je me l'explique. Si je n'avais pas été là, aucun de vous, ce soir, n'aurait su que les Allemands projetaient d'acheminer ces munitions au nord de Narvik, en deux jours. Un détachement de travailleurs conscrits devait participer au chargement.

Elle sentit que l'atmosphère se détendait. Il y eut comme un mouvement dans l'assemblée. Son interrogatoire touchait à sa fin. La voix de Gunnar s'éleva avec une intonation complètement différente.

– Quelques-uns d'entre nous savaient, d'autres l'ignoraient. L'interrogatoire est terminé. Vous vous en êtes bien tirée. Restez où vous vous trouvez pour l'instant, des hommes que vous ne connaissez pas vont partir d'ici. Vous ne devez pas les voir !

Il détourna le faisceau de lumière de son visage;

si elle avait eu la force de maintenir sa tête droite plus longtemps, elle aurait aperçu les ombres qui quittaient le cellier. Mais elle s'affaissa sur son siège, à bout de résistance. Gunnar s'approcha d'elle et lui toucha l'épaule, elle ne bougea pas.

– Nous avons de nouvelles consignes. Si vous êtes arrêtée, essayez de taire les noms de ceux que vous connaissez au moins pendant vingt-quatre heures. On ne peut en demander plus avec les tortures pratiquées par la Gestapo.

– Je m'en souviendrai, dit-elle.

– Comment vous sentez-vous ? Quand vous êtes arrivée, tout le monde a remarqué que vous veniez de traverser une rude épreuve, ce qui rend votre attitude en face de cet interrogatoire d'autant plus louable. Vous avez réussi à convaincre ceux qui se demandaient si vous tiendriez le coup devant la Gestapo.

– Je suis ravie de vous l'entendre dire ! Mais je n'aimerais pas être soumise de sitôt à une autre plaisanterie de ce genre. Savez-vous que la Waffen SS se trouve dans la région ?

– Nous le savons. Le Troisième Reich s'attend à une invasion des Alliés dans le nord de la Norvège.

– Pensez-vous que c'est probable ?

– C'est en tout cas ce que nous espérons tous. L'explosion de cette nuit avait deux buts : cacher la quantité d'armes que nous avons subtilisées et détruire le reste. Allez dormir maintenant, vous l'avez bien mérité !

Elle l'entendit parler à quelqu'un avant de sortir. Il emporta la torche avec lui. On gratta une allumette et la lampe sur la table s'éclaira, sa lueur arriva jusqu'à elle. Deux heures au moins s'étaient écoulées depuis qu'on l'avait poussée sur cette chaise. Elle redressa son dos avec peine et rapprocha ses talons l'un de l'autre pour se remettre sur pied. C'est alors qu'elle leva la tête et aperçut Steffen. Il se tenait de l'autre côté de la table. Éclairé par la lampe, il la regardait avec sollicitude.

Elle aspira une bouffée d'air, serra furieusement les poings et bondit vers lui, les traits contractés :

– Tu étais là ! Et tu ne m'as même pas défendue !

Elle saisit le bord de la table et la fit basculer sur lui. La lampe, s'écrasant par terre, plongea le cellier dans l'obscurité. Johanna se retourna dans la direction du panneau, essayant de trouver les premières marches. La flamme d'une allumette s'éleva. Elle vit alors l'escalier et s'élança. L'allumette s'éteignit mais Steffen la rattrapa. Elle se débattit violemment.

Il la tenait serrée contre lui, tout en lui parlant d'une voix haletante.

– Je t'ai défendue avant même que tu n'arrives. Gunnar ne te soupçonnait pas vraiment, mais pour les autres, il devait faire ce qu'il a fait... Que crois-tu que j'aie ressenti quand j'ai su que tu te trouvais au quartier général allemand au moment de l'explosion ? Tu aurais pu mourir. Cesse de te débattre !

Il prit sa bouche et elle lui rendit son baiser, sauvagement. Puis elle trouva la force de le repousser. Elle dit avec rage, en se détournant de lui :

– Craque une allumette, je m'en vais.

Il tâta sa poche, prit sa boîte d'allumettes et en gratta une à contrecœur. La lampe était à ses pieds. Le verre en était brisé mais la mèche paraissait utilisable. Il l'alluma. Un faible halo de lumière se mit à trembloter. Il alla à la table, la redressa et y posa la lampe. Johanna ne bougeait plus, appuyée de tout son poids contre le mur, les bras le long du corps. Elle était épuisée. Elle essaya de se détacher du mur mais laissa tomber sa tête en arrière en fermant les yeux. Alors, avec un grand effort, elle alla jusqu'à l'escalier et commença à monter les marches, lentement.

Steffen la suivit, la prit par les hanches, la fit pivoter et enfouit son visage contre sa poitrine.

– Quand comprendras-tu que tu es plus précieuse que ma propre vie ?

Sa voix était rauque et son expression si fervente

qu'elle en fut touchée. Son souffle traversait l'étoffe légère de sa robe.

– Laisse-moi partager ton lit ce soir ! dit-il. Ne te détourne pas de moi, pas maintenant !

Elle baissa la tête, hébétée, sans réaction. Les événements de cette longue nuit l'avaient vidée. Elle entrevit soudain le déchirement et la solitude d'une vie sans lui. Pendant quelques instants ses mains errèrent comme des oiseaux pâles autour de sa tête pour s'enfouir enfin dans sa chevelure épaisse. Elle le serra contre elle avec un petit cri qui ressemblait à une plainte.

Il lui releva le visage pour plonger ses yeux dans les siens. Puis il enserra sa taille de ses bras et la fit glisser contre lui.

10

Le lendemain, Johanna se rendit au bureau à l'heure habituelle. Ses papiers d'identité et sa carte d'accès à la base militaire furent soigneusement vérifiés. Il y avait des chiens à la porte. Les Allemands s'en servaient pour traquer les fugitifs. Quand on n'avait pas besoin d'eux, on les enfermait dans des cages dans une cour adjacente. Ils montraient les crocs et aboyaient férocement derrière leurs barreaux. Ils étaient retenus par de solides chaînes, mais Johanna fit un large crochet pour les éviter.

Elle pénétra dans le hall et monta l'escalier; il y avait des soldats partout. Le sabotage de la nuit les avait tous mis sur le pied de guerre. Elle allait devoir se montrer prudente pendant quelque temps.

Elle s'assit à son bureau, jeta un coup d'œil au courrier. Tom Ryen était en retard, ce qui l'arrangeait. Elle avait besoin de quelques minutes de tranquillité pour réfléchir aux événements de la veille.

Tom entra, un pansement sur la tête. Il s'en montra embarrassé.

– L'estafilade, expliqua-t-il, était plus profonde que je ne l'avais pensé. J'ai dû aller me faire recoudre ce matin à l'hôpital. Mais toi, tu es fraîche comme une rose. On ne dirait jamais que tu as échappé à une explosion !

– Votre courrier est prêt, répondit-elle simplement.

Un mois s'écoula avant que Tom n'obtienne une nouvelle voiture. On lui en offrit plusieurs. Il les refusa toutes jusqu'à ce qu'on lui procure le même modèle qu'avant.

Le week-end suivant, il emmena Johanna chez lui. Elle n'y était allée qu'une seule fois dans son enfance. Elle se souvenait d'une résidence somptueuse. Tom y aurait volontiers accueilli toute sa famille; mais Gina les désapprouvait déjà ouvertement, lui, sa femme et leur façon de vivre. La mère de Johanna avait également mis beaucoup de mauvaise volonté à rendre les invitations; les relations s'étaient espacées. Tom passait parfois à la ferme pour saluer Edvard, voir les enfants. Après la mort de sa femme, Gina n'avait pas changé d'attitude. Tom, aujourd'hui, était d'autant plus heureux que Johanna fasse un peu partie de sa vie.

Tout en conduisant, il lui jeta un coup d'œil. Elle semblait perdue dans ses pensées. Après l'explosion, lorsqu'elle avait entendu parler de représailles et de déportations dans les camps de concentration, elle avait pâli.

Tom Ryen partageait les sentiments de Johanna tout en considérant que ni lui ni elle n'avaient voix au chapitre.

– Quand Rolf doit-il revenir ?

Les instituteurs emprisonnés dans la région arctique venaient d'être libérés. Il n'y avait plus aucune raison de les retenir là-bas. En Norvège, l'Association nazie pour l'Éducation et les mouvements des Jeunesses hitlériennes avaient échoué. Beaucoup d'enseignants qualifiés s'étaient enfuis en Angleterre et leur absence se faisait grandement ressentir. On avait besoin d'eux dans les écoles.

– Je n'en ai pas la moindre idée, dit-elle. Si ce que j'ai lu est exact, on les relâche par petits groupes. Cela n'a pas d'importance, du moment qu'il rentre à la maison. Il faudra lui trouver une autre école. On ne peut pas chasser comme ça l'instituteur qui l'a remplacé.

Elle savourait cette promenade en voiture. La campagne entière baignait dans les teintes de l'automne...

– Pourquoi avez-vous pris un appartement à Alesund alors que vous pourriez vivre ici toute la semaine ? dit-elle.

– J'ai pris cet appartement parce que je n'avais plus de voiture. Celle qui fonctionnait au bois me donnait beaucoup trop de tracas pour mes déplacements de tous les jours. En fait, ça m'arrange de rester en ville pendant la semaine. Je n'aimerais pas que ma maison devienne une résidence permanente à la disposition de mes relations allemandes. Si je vivais là constamment, il leur viendrait peut-être à l'idée d'y prendre pension. Je veux maintenir les choses au point où elles en sont.

Johanna aurait aimé lui répondre que rien, dans un pays en guerre, n'était jamais acquis; que tout changeait sans cesse. Beaucoup s'accommodaient du nouveau régime, non parce qu'ils l'approuvaient mais par lassitude et dans l'espoir d'éviter les représailles de l'ennemi. Certains s'opposaient à la Résistance uniquement pour cette raison.

La voix de Tom l'arracha à ses pensées.

– Nous voici bientôt arrivés.

Elle s'attendait à trouver la maison plus petite qu'elle ne se la représentait dans sa mémoire : les souvenirs d'enfants donnent toujours aux choses des proportions exagérées. Elle fut surprise de découvrir qu'elle n'avait pas « diminué ». Construite à la fin du XVIIIe siècle par un ancêtre de la femme de Tom, natif de Trondheim, c'était la réplique d'une maison qu'on pouvait voir sur un tableau, dans la cathédrale d'Alesund. De loin, on l'aurait crue sculptée dans l'ivoire, avec les ornementations entourant portes et fenêtres et l'envolée gracieuse de son escalier en forme de fer à cheval. Elle était en bois, ce qui allait parfaitement avec l'environnement forestier et marin.

Johanna descendit de voiture et la contempla en silence.

– On dirait qu'elle sort d'un conte de fées, dit-elle enfin.

Tom prit les sacs de voyage. Il s'était arrangé pour ne recevoir personne ce week-end. Il voulait qu'elle ait tout son temps pour inspecter la maison et pour décider ce qu'il y avait à faire.

Johanna fit une pause en haut de l'escalier pour admirer la vue que l'on avait sur l'anse du fjord. On apercevait une petite île boisée, des bateaux à voiles amarrés à côté de canots à rames. Le site était idyllique. Dans les pièces, la plupart des meubles étaient restés à la même place qu'autrefois. Des tableaux aux teintes un peu passées ornaient les murs. Les commodes, les armoires et les sièges étaient décorés de motifs « peinture à la rose ». Les planchers étaient en pin clair. Les nœuds du bois luisaient comme des morceaux d'ambre incrusté. Les pièces en enfilade rappelaient un décor de théâtre.

Tom précédait Johanna, ouvrant des portes à double battant, ravi de la voir admirer sa demeure. La partie habitée était confortablement meublée dans le style des années 30, époque où la femme de Tom était encore en vie.

– Les autres pièces ne servent qu'aux réceptions, dit Tom.

– J'ai vu, répondit Johanna. Il y a des taches de vin et de graisse sur les parquets. C'est dommage, ils sont si beaux.

Tom fit un geste d'impuissance.

– C'est bien ce que je t'avais dit. Il faut tout réorganiser dans cette maison.

– Mais... où est la femme de charge ?

– Dans la cuisine, je suppose. Je l'ai prévenue de notre arrivée.

Il n'y avait personne dans la cuisine, bien équipée mais loin d'être nette... Johanna sortit sous le porche. La domestique était étendue sur une chaise longue dans un coin abrité. Elle avait fermé les yeux. Sa jupe remontée haut sur ses cuisses indiquait qu'elle tentait de prolonger le bronzage de ses jambes. Elle devait avoir dix-neuf ou vingt ans. Johanna mit ses poings sur ses hanches et jeta à Tom un regard ironique.

– Vous l'avez engagée pour ses talents de cuisinière ou pour ses jambes ?

Il sourit et répondit :

– C'est sa mère qui fait la cuisine pendant le week-end.

– Bon ! Donnez-lui son congé et une semaine de gages. Je vais faire un tour là-haut et je verrai ensuite ce que je peux trouver pour le dîner.

De la fenêtre d'une des chambres, Johanna observa le départ de la fille : elle était furieuse, sa valise bourrée à craquer dans une main, un énorme sac dans l'autre. Johanna termina l'inspection de l'étage par la chambre de la bonne. Elle sentait le renfermé. Elle bloqua sa respiration, alla à la fenêtre et l'ouvrit en grand. Tom arrivait en haut de l'escalier avec les bagages.

– As-tu choisi ta chambre ?

– Oui, celle du bout.

Tom transporta la valise de Johanna. Elle avait choisi cette pièce parce qu'elle donnait sur un balcon au-dessus d'une véranda – en cas d'urgence elle pourrait s'enfuir facilement. Elle observait tout, prévoyait tout en fonction d'un éventuel danger.

– Elle n'est pas très grande, dit Tom. J'espère que tu viendras souvent, c'est pourquoi je désire que tu te sentes à l'aise ici.

– Cette chambre est parfaite, répondit Johanna.

Dans la cuisine, elle trouva sans difficulté ce qu'il lui fallait pour préparer un bon repas. Tom obtenait des rations supplémentaires afin de recevoir dignement ses invités allemands. Il y avait de tout en abondance. Elle n'en composa pas moins son menu avec économie, ce qui enchanta Tom.

– J'aimerais te persuader de diriger complètement cette maison.

Elle secoua la tête en souriant.

– Je vous l'ai déjà dit, Tom, c'est hors de question.

– Alors tu dois trouver quelqu'un d'aussi efficace que toi.

Son ton était jovial mais c'était tout de même un ultimatum. Il était conscient du gaspillage qui régnait dans sa cuisine et savait qu'avec le temps les rations supplémentaires allouées aux collaborateurs diminueraient inévitablement. Il avait appris par ses amis de la Wehrmacht que Hitler était convaincu que les Alliés allaient tenter d'envahir la Norvège. Le renforcement des troupes avait porté les effectifs de l'armée allemande sur le sol norvégien à deux cent cinquante mille hommes et il était fort probable qu'il en viendrait d'autres.

– Je vais vous trouver quelqu'un de bien. Ne vous inquiétez pas.

Elle savait que Gunnar attendait l'arrivée d'une sympathisante de la Résistance qui accepterait de servir les Allemands.

Après le dîner, Tom alluma un feu dans la cheminée du salon. Les bûches de bouleau s'enflammèrent avec des craquements joyeux. Johanna parcourut la collection de livres tout en écoutant la radio. Collaborateur, Tom avait le droit de posséder autant de récepteurs qu'il le désirait.

Le lendemain matin, Johanna alla se promener, seule. Elle suivit la courbe de la crique et arriva en vue d'un village de pêcheurs. Elle vit une sentinelle allemande sur la jetée; décidément l'uniforme allemand était partout !

Elle suggéra à Tom de ne lancer aucune invitation

avant la rénovation de son intérieur. Il ne lui fut pas difficile d'organiser un transport de l'équipe de femmes de ménage du bureau. Une fois leur travail du matin terminé, on les conduisait à la propriété. Petit à petit, la grisaille qui voilait les peintures murales et les plafonds s'effaça, les taches des parquets disparurent. Un week-end, Johanna dénicha dans un placard des pots d'une peinture tout à fait adaptée à ce qu'elle voulait faire : masquer les marques de brûlures de cigarettes sur les meubles. Elle y mit un soin infini, suivant de la pointe de son pinceau les volutes des feuilles et des fleurs. Elle faisait cela non pas pour Tom, mais pour l'amour de cette maison ancienne et des belles choses qu'elle contenait. C'était une part de l'héritage que son pays lui avait légué.

Elle laissa sa restauration en suspens le temps d'un week-end : Rolf était revenu à la ferme. Il avait fait partie des derniers groupes d'instituteurs à être libérés. Elle lui avait déjà parlé au téléphone.

Tom, qui s'était pourtant habitué à sa présence chez lui à chaque fin de semaine, se montra très compréhensif.

– Je vais te donner une bouteille de champagne pour que vous fêtiez l'événement en famille.

– J'ai bien peur, Tom, qu'elle ne soit pas très bien acceptée.

Il se racla la gorge, mal à l'aise. Il était humilié de se voir rejeté par les siens.

– En tout cas, présente mes meilleurs vœux à Rolf. Tu vois, je ne suis pas rancunier.

Le retour de Rolf fut particulièrement poignant pour Karen : bien que les rations de nourriture et les conditions de détention se soient légèrement améliorées pendant l'attente de leur libération, il avait beaucoup maigri, ce qui accentuait sa ressemblance avec Erik.

Les retrouvailles du frère et de la sœur la réjouirent cependant. Ils étaient retombés en enfance; ils se taquinaient, riaient et s'embrassaient. Les trois enfants Ryen avaient hérité la nature chaleureuse de leur père. Edvard avait retrouvé son humeur joviale depuis qu'il pouvait de nouveau se rendre utile. Il ne parlait que de ce qu'il allait faire pour la ferme au retour du printemps.

Une fois l'euphorie générale un peu calmée, ils s'assirent autour de la table pour prendre le café.

– Que vas-tu faire maintenant, Rolf ? demanda Johanna.

– On m'a proposé un poste dans une école d'Ålesund. Je commence après les vacances de Noël.

– Alors, je te verrai souvent.

– Bien sûr.

Gina resservit du café. Au milieu de la conversation, elle jeta un coup d'œil par la fenêtre et aperçut Carl Müller qui s'avançait vers la maison. Quand il comprit que Gina l'avait vu, il s'arrêta. Il attendait Karen. Gina se tourna vers la jeune femme et lui adressa un regard qui en disait long. Karen sortit de la pièce sans un mot, d'un air résigné. Gina et elle faisaient tout ce qu'elles pouvaient pour cacher ces visites à Edvard qui ne les acceptait toujours pas.

– Ce nazi est encore ici ! dit-il. Cette situation me tue. D'autant que je sais bien qu'elle n'est pas amoureuse de lui. Il y a certainement quelque chose là-dessous...

Gina s'avança et lui posa une main sur l'épaule.

– Ne commence pas à t'imaginer des choses ! Rappelle-toi ce que je t'ai dit. Nous lui devons beaucoup : elle t'a soigné et t'a sauvé la vie.

Johanna, qui avait prévenu Rolf de la situation, lui murmura :

– Père est capable de tout deviner un jour ou l'autre.

– On aurait dû lui dire la vérité dès qu'il s'est senti mieux, répondit Rolf. Karen aurait sûrement réussi à le persuader de ne pas faire de bêtises.

– C'est ce que j'ai toujours pensé.

Dans l'entrée, Karen enfilait son manteau et mettait son bonnet de laine. Bien qu'on fût en décembre, la vallée n'était pas encore recouverte par la neige. Le Gulf Stream qui faisait des siennes. Sur les hauteurs, tout était différent. Les neiges d'hiver étendaient leur manteau d'hermine sur les forêts. Carl, aujourd'hui, portait son casque, ce que Karen détestait par-dessus tout... Il était équipé de pied en cap, avec son fusil et son long manteau qui le faisait paraître deux fois plus large qu'il ne l'était en réalité.

Elle arriva près de lui. L'expression du jeune homme l'alarma.

– Que se passe-t-il ? demanda-t-elle.

– Je suis affecté à un nouveau poste. Je m'en vais aujourd'hui...

Elle le considéra, pénétrée, envahie tout entière par cette nouvelle aussi merveilleuse qu'inespérée. Le cauchemar prenait donc fin. Il s'en allait... Avec un peu de chance, elle ne le reverrait plus jamais. Elle avait un désir fou de crier son soulagement, de sauter, de danser de joie. Elle se contenta de couvrir son visage de ses mains. Il se méprit, une fois de plus :

– Ne sois pas triste, Karen. On m'envoie sur la côte. Nous sommes en état d'alerte à cause d'une invasion que nous attendons d'un moment à l'autre. Mais il n'y a aucune crainte à avoir, nous ne laisserons pas les Anglais approcher. Sais-tu comment nous appelons ton pays ? La Forteresse de Norvège.

Karen venait juste de reprendre ses esprits. Elle baissa les mains.

– Tu es venu me faire tes adieux ?

– J'en ai bien peur. Marchons un peu, si tu veux bien. Pas dans la vallée où tout le monde pourrait nous voir. Allons plutôt dans l'autre direction, au moins nous serons seuls. Nous avons beaucoup de choses à nous dire. Tu sais que je n'écris pas souvent mais j'aimerais que tu m'envoies de tes nouvelles de temps en temps.

Elle marchait à ses côtés, tout en l'écoutant. Elle n'avait rien à dire. Il pourrait attendre ses lettres longtemps... À présent, le cauchemar était fini. Le chemin se rétrécissait pour se transformer en un sentier qui serpentait à travers les arbres. Elle se sentit tout à coup au comble du bonheur et marcha d'un pas allègre.

Il retenait au passage les branches qui pendaient et qui auraient pu lui cingler le visage.

– Grâce à toi, ces derniers mois ont été enchanteurs. Tu ne peux savoir ce que cela a été, pour moi, de te retrouver après toutes ces années.

Un lièvre jaillit du sous-bois. Carl Müller braqua instantanément son fusil.

– Ne tire pas ! supplia Karen.

Le lièvre était blanc. Sa fourrure avait déjà pris sa teinte d'hiver.

Carl rit et remit son fusil à l'épaule.

– Il est sorti des fougères comme un boulet de canon. C'est pour toi que je le laisse partir.

Il lui mit un bras autour des épaules.

– C'est un réflexe de soldat : il faut être continuellement sur le qui-vive.

– Ici, tu n'as vraiment rien à craindre.

Carl, de ses doigts, caressa son arme.

– C'est ce que je pensais jusqu'à ce que ce lièvre débouche. Tu vas me manquer.

– Oui ?

Karen se trouvait dans un tel état d'euphorie qu'elle souriait aux anges tout en se répétant intérieurement qu'il serait bientôt parti.

– Un employé de l'armée a parcouru les dossiers des otages... D'après ces fiches, je peux te le dire aujourd'hui, Edvard est décédé.

Il avait ralenti le pas et venait de s'arrêter. Elle tourna vers lui un visage que la joie rosissait.

– Tu veux donc dire qu'il n'y a plus à s'inquiéter ?

Il rit doucement, à son tour.

– Plus du tout. L'armée allemande est de votre côté. Si les registres disent qu'Edvard est mort, il est mort. C'est comme ça. Personne n'ira chercher plus loin.

Elle ferma les yeux pour se concentrer sur le bonheur qui l'envahissait.

– Carl... je ne sais pas comment te remercier. Je te serai en tout cas toujours reconnaissante de ce que tu as fait pour lui.

– Et comment ?

Elle se rendit compte, tout à coup, de la façon dont il la regardait : une étrange lueur brillait dans son regard fixe.

Elle répondit avec nervosité :

– Tu as prouvé que ce que tu m'avais dit de notre amitié était vrai.

– C'est à toi maintenant de me prouver la tienne, répliqua-t-il sèchement.

Carl ne la lâchait pas du regard. Il dégrafa la courroie de son casque, se dirigea vers la hutte et déposa sur le seuil son casque et son fusil. Karen commençait à avoir peur. Ses lèvres tremblaient, ses yeux se dilataient. Elle aurait voulu fuir. Il l'attira doucement à lui. Il allait, pour la première fois, exercer son chantage sur elle.

– Tu ne voudrais tout de même pas que, avant mon départ, je signale à mon officier supérieur qu'il y a une erreur dans les dossiers ?

Karen avait la gorge sèche. Son souffle soudain se fit court.

– Non, je ne le voudrais pas... dit-elle humblement.

Il la fit entrer dans la hutte. Ce n'était pas de cette façon qu'il avait rêvé que les choses se passeraient entre elle et lui. Depuis le premier jour, il savait qu'Edvard Ryen avait été retiré de la liste des otages. Dès leur retour au quartier général, l'officier médecin avait signé et mis les tampons sur les papiers concernant Edvard. L'affaire était définitivement classée. Carl Müller n'avait jamais eu l'intention de dénoncer le vieux fermier. Il y avait déjà bien assez de morts dans cette guerre... Mais il désirait aimer Karen, une fois au moins, avant de la quitter. Il n'avait plus le temps ni d'attendre ni d'espérer. Elle était la fille la plus douce qu'il eût jamais connue.

Quand il en eut fini, elle se poussa tristement et resta là, pelotonnée sur elle-même, ses longs cheveux pâles étalés autour d'elle comme une toile d'araignée sur le foin. Avant de partir, il se pencha sur elle et lui caressa le visage avec tendresse. Elle se rejeta en arrière en frissonnant. Il se releva avec un soupir. Il répugnait à s'en aller sans un dernier mot d'elle. Il se mit à lui parler d'une voix câline mais elle l'ignora. Quand il comprit qu'il n'obtiendrait pas le moindre geste de sa part, il se résigna. Il sortit de la hutte et se retourna pour la regarder une dernière fois. Puis, tout à coup, il scruta les alentours et il débloqua le cran de sécurité de son fusil, certain d'avoir entendu un bruit. Rien, pourtant, ne bougeait. Il se souvint du lièvre, secoua la tête et remit son fusil à l'épaule. Il alluma une cigarette et reprit le sentier qui menait à la route.

Karen n'arrêtait pas de trembler; elle était incapable de rassembler ses idées. La seule chose qui envahissait sa conscience, c'était qu'Edvard était sauvé. Et, certainement, Erik le serait aussi. Avoir gardé Edvard en vie avait été une double gageure.

Elle crut entendre quelqu'un entrer dans la hutte et se redressa. Elle redoutait que ce ne soit de nouveau Carl, mais elle reconnut un jeune homme de l'une des fermes du voisinage et derrière lui deux de ses frères.

Leurs visages étaient haineux. Le premier parla d'un ton méprisant.

– Alors, c'est toi la putain qui aime les nazis !

Il tenait à la main une tondeuse à moutons.

Elle poussa un cri.

– Non ! Pas ça, non ! (Elle voulut se lever mais retomba dans le foin.) Non ! implora-t-elle. S'il vous plaît, non, pas ça !

Ils se penchèrent sur elle. Elle se mit à hurler, mais une main ferme lui couvrit à la fois la bouche et le nez, l'étouffant à moitié. Elle se débattait, en vain. Ils étaient plus forts qu'elle. Elle vit, les yeux dilatés, les longues mèches qui tombaient de sa tête. La tondeuse lui écorchait douloureusement la peau du crâne. Un sang tiède lui dégoulinait sur le visage et dans le cou. Quand elle fut complètement rasée, ils la laissèrent...

Elle sortit de la hutte, hagarde, son manteau flottant derrière elle, et se dirigea vers la fraîcheur verte de la forêt. Mais elle entendit qu'ils la poursuivaient. Ils se déployèrent et la poussèrent, tel un animal affolé, vers le sentier. Ils la menèrent ainsi jusqu'à la route. Affolée, elle se mit à hurler. Leur but étant atteint, les jeunes hommes abandonnèrent leur poursuite.

Elle ne s'en aperçut pas tout de suite. Elle continuait de dévaler le chemin, hystérique. Elle ne vit ni n'entendit Rolf et Johanna qui arrivaient en courant, atterrés. Rolf la prit dans ses bras. Elle vacilla et s'écroula si soudainement qu'il perdit l'équilibre. Johanna aida son frère à la soutenir et à la transporter dans la maison.

Gina, aidée de Johanna, prit le relais. Dans la cuisine tiède, elles la couvrirent d'un châle et l'assirent sur un banc. Elle était parcourue de violents tremblements, de mouvements convulsifs; ses dents s'entrechoquaient. On lui fit avaler une tisane aux baies de sureau. Puis elles nettoyèrent et pansèrent ses plaies.

Elle n'ouvrit pas la bouche jusqu'au lendemain. Elle avait jeté ses pansements et noué un foulard autour de sa tête. Johanna rentrait d'une promenade avec son frère. Gina était là aussi. Tous trois se retournèrent vers elle.

– Votre mari n'est plus en danger, dit Karen à Gina d'une voix étrangement calme. Son nom a été rayé des listes d'otages. Il n'y a plus rien à craindre. Carl a été muté ailleurs...

Gina se mit à pleurer.

– Je n'aurais jamais imaginé qu'ils te marqueraient de cette terrible manière. Je n'ai jamais voulu cela...

– Je sais, dit Karen. Mes cheveux repousseront. En attendant, je voudrais rentrer chez moi. Il ne me sera pas trop difficile, je suppose, d'obtenir un laissez-passer.

Johanna s'approcha d'elle :
– Comment va-t-on te recevoir chez toi ?
– Je verrai bien.
– Quand reviendras-tu ?
– Je ne reviendrai pas, jamais... Je suis désolée, mais je dois partir.
Gina se leva lentement de sa chaise.
– Et Erik ? demanda-t-elle.
Le regard de Johanna allait de l'une à l'autre. Elle sentait entre Karen et sa mère une grande complicité. Karen donna la réponse exacte à laquelle Gina semblait s'attendre.
– J'espère qu'il m'oubliera pendant qu'il est au loin. C'est tout ce que je peux dire pour l'instant.
La situation dans laquelle se trouvait Karen écrasait Gina de tristesse. Elle alla voir Edvard qui se trouvait dans l'appentis. La veille, il avait scié des bûches pour les poêles de la maison. Il était en train de les contempler, tout content de lui : ses forces revenaient.
– Assieds-toi, Edvard, dit Gina. J'ai quelque chose à te dire.
Elle s'assit à côté de lui sur un banc de bois. Quand il eut tout entendu, il éclata en sanglots, la tête dans les mains. Les larmes jaillissaient au travers de ses doigts. Gina ne l'avait jamais vu dans cet état.
Il répétait :
– Cette pauvre enfant... Ah ! la pauvre enfant.
Au bout d'un moment, Gina revint à la maison et envoya Karen auprès d'Edvard. Quand, un peu plus tard, Gina sortit sous le porche, elle les vit assis tranquillement l'un près de l'autre. Karen avait passé un bras autour de lui. Il avait toujours la tête baissée et ses mains pendaient entre ses genoux.
Ce soir-là, juste avant de reprendre le chemin de la ville, Johanna alla trouver Karen dans sa chambre. Elle était en train de faire sa valise.
– J'ai une proposition à te faire, dit Johanna. Je peux t'offrir du travail. Après tout ce que tu viens de connaître, j'imagine que la dernière chose que

tu souhaites est de te trouver en contact avec les Allemands. Je comprendrai donc très bien si tu refuses ce que j'ai à te proposer. Tom Ryen a besoin d'une gouvernante pour sa propriété. Ce n'est pas très loin de ton village et tu seras seule dans la maison la plupart du temps.

Karen ferma le couvercle de sa valise et fit jouer les serrures.

– Est-ce là que tu vas, comme on le dit, durant les week-ends ?

– Il faut bien se montrer aimable avec l'ennemi.

Karen eut un sourire forcé.

– Personne, en tout cas, ne pourra dire que je n'ai pas d'expérience en la matière.

– Alors, qu'est-ce que tu en penses ?

Karen alla fermer la porte. Elle s'y appuya et regarda Johanna.

– Je pense que tes raisons d'être aimable avec les nazis sont aussi bonnes que l'étaient les miennes... Sinon, Rolf ne serait pas en aussi bons termes avec toi. Je connais Gina aussi. Elle n'a aucune preuve, mais elle sait bien que la vie que tu mènes à présent cache des activités que l'on doit taire. J'accepte. Quand mes cheveux auront repoussé, je rentrerai chez moi. Je ne veux pas qu'ils me voient ainsi. Et puis je dois fuir tout ce qui me rappelle Erik.

– Bien. Puisque tu es d'accord, je m'occuperai de tout avec Tom dès demain. Je vais te faire envoyer un laissez-passer et un permis de travail. Dès que tu les auras reçus, viens au bureau à Alesund et je te conduirai à la propriété.

– Merci, Johanna, merci.

– Tu n'as pas à me remercier. Je ne peux te dire qu'une chose : je suis heureuse d'avoir dans cette maison quelqu'un en qui je puisse avoir confiance.

Rolf accompagna Johanna à la ville. Après ce qui était arrivé à Karen, il craignait qu'on ne s'en prenne à sa sœur. Il lui demanda si elle avait envisagé cette éventualité.

– Jusqu'à présent, cela ne m'a pas empêchée de

dormir. Mais je dois dire que je ne m'aventurerai plus seule dans la montagne ou dans la forêt. C'est une terrible punition. Cela m'a fait de la peine que les voisins et les amis qui nous connaissent depuis toujours ne m'adressent plus la parole. Toi, tu es le héros de la région...

Rolf se mit à rire.

– De la région ? Ce n'est pas suffisant !

Elle le regarda, inquiète.

– Tu penses... passer en Angleterre ?

Il secoua la tête.

– Seulement après Noël. Je dois bien ça aux parents après tout ce qu'ils ont eu à subir.

– Je pensais que tu étais ravi d'avoir retrouvé un poste à Alesund.

– Je l'étais... jusqu'à ce que Karen nous apprenne que père ne figurait plus sur les listes d'otages. Je suis libre à présent de faire ce que je projetais depuis que nous avons fait plier Quisling. Je voudrais devenir pilote de chasse...

– Noël est dans peu de temps. Je le passe cette année avec Astrid qui, autrement, se retrouverait seule. Je te verrai avant ton départ ?

– Je ne pense pas.

– Je te souhaite bonne chance. Peut-être vas-tu retrouver Erik en Angleterre !

– Je l'espère bien...

Elle ne lui demanda aucun détail sur ses projets d'évasion. En se promenant, le matin même, elle lui avait raconté comment elle s'était débarrassée de l'émetteur de l'école. Il parut très intéressé par son travail au bureau de Tom Ryen. Elle n'eut pas besoin de lui donner les raisons de sa présence là-bas. Il avait tout deviné.

– Ne commets pas d'imprudences, dit-il simplement.

– Je vais tâcher de m'en souvenir. Et je penserai à Erik et à toi dans un pub devant une pinte de bière.

Sur la côte, à moins de vingt kilomètres de l'endroit où Johanna et son frère s'étaient dit adieu, Steffen se trouvait à bord d'un bateau de pêche du « Shetland Bus ». Il s'apprêtait à lever l'ancre. L'Opération Freshman, qui avait demandé une préparation minutieuse, avait été un désastre. Des deux planeurs transportant des soldats anglais du génie pour une attaque sur la centrale génératrice d'eau lourde de Telemark, l'un s'était écrasé dans la montagne; l'autre avait mal atterri, tuant presque tout l'équipage. Les survivants avaient été pris et fusillés.

C'était le premier voyage de Steffen en Angleterre depuis son entraînement avec la compagnie Linge en Écosse. Il ne verrait pas Délia cette fois-ci. Elle avait fait un excellent travail en Norvège en transmettant des informations navales aux services secrets britanniques. Elle restait très peu de temps dans le même lieu... Les rares fois où ils s'étaient rencontrés, il avait eu l'impression qu'elle hésitait à lui avouer quelque chose... À la veille du départ de Steffen via le « Shetland Bus », elle lui avait fait clairement comprendre que leur séparation était définitive.

– Salut, l'Anglais ! Je ne sais pas pourquoi tu as choisi ce nom ! Ton cœur n'a jamais été ailleurs que dans ce rude pays de Norvège.

Deux nouveaux arrivants montèrent à bord. Steffen devina que c'était un commando norvégien de retour d'une mission de reconnaissance le long des côtes. Ils échangèrent les salutations d'usage comme dans la plus banale des situations. L'un d'eux transportait un petit sapin couvert de flocons de neige qui luisaient à la lumière de la cabine.

L'homme dit sans plus d'explications :

– Il s'en va aussi à Londres.

– C'est le sapin du roi, n'est-ce pas ? dit Steffen.

– Oui. Il n'a pas eu un seul Noël en exil sans un arbre de chez lui.

– Et combien d'autres à venir encore ? Je me le demande !

– Dieu seul le sait ! Tout ce que je peux dire, c'est qu'un arbre de Norvège traversera la mer du Nord tous les ans pour Noël, aussi longtemps qu'il le faudra.

Après un Noël tranquille à la ferme, Rolf se tint prêt à partir durant la première semaine de 1943. Ils étaient six à s'en aller. Deux d'entre eux étaient des instituteurs qui avaient été emprisonnés avec lui. Les autres étaient des amis, contraints, à cause de leur métier d'ingénieur, de travailler pour les forces d'occupation. Ils se retrouvèrent un soir chez l'un d'eux comme pour un dîner entre amis. À l'aube, ils s'éclipsèrent pour se cacher à proximité d'un bateau de pêche qu'ils avaient repéré. L'attente serait longue jusqu'à la tombée de la nuit. Ils comptaient prendre la mer avant l'arrivée du propriétaire du bateau.

Ils passèrent le temps à lire ou à somnoler. La nuit venue, ils montèrent à bord, un par un, sans se faire remarquer par la sentinelle allemande. La dernière heure fut la plus longue. Ils consultaient sans arrêt leurs montres, en ne pensant qu'au moment où Rolf entrerait dans la timonerie, une casquette de marin enfoncée jusqu'aux yeux, et mettrait le moteur en marche.

L'un d'entre eux commenta :

– Plus que cinq minutes.

À cet instant, ils entendirent des voix qui approchaient du bateau... Dans la cabine, l'atmosphère devint électrique. Ils s'étaient figés en écoutant la sentinelle allemande qui plaisantait avec un homme du pays.

– Je ne voudrais pas avoir à prendre la mer cette nuit. Il fait un peu frisquet pour monter la garde, mais pour rien au monde je n'échangerais mon boulot contre le vôtre !

L'interlocuteur de l'Allemand s'esclaffa.

– Ça, c'est ce que disent toujours les gens de la terre. Je n'ai jamais eu peur de la mer même s'il m'est arrivé de voir des vagues aussi hautes que des montagnes. Ici, ce sont de bonnes eaux pour la pêche. Je vous garderai un beau cabillaud demain matin, si vous êtes toujours là.

– Non. On me remplace dans deux heures. C'est mon copain qui sera là. Vous pourrez lui donner votre cabillaud, et quelques harengs en supplément, si vous en avez.

– C'est comme si c'était fait. Vous aurez mes plus belles pièces au même prix que d'habitude !

Il y eut un bref silence, puis les six hommes entendirent des pas pesants sur le pont. Le mauvais sort était sur eux : ils avaient justement choisi le jour où le patron pêcheur faisait une entorse à son emploi du temps habituel ! Rolf fit un signe de la main à ses cinq camarades pour leur faire comprendre qu'ils devaient se tenir tranquilles. Il murmura :

– Il y a une chance pour qu'il soit venu simplement récupérer quelque chose qu'il a oublié. S'il descend dans cette cabine, vous savez quoi faire, n'est-ce pas ?

Très vite, ils entendirent qu'on balayait la neige sur le pont. Le soldat allemand se remit à parler avec le pêcheur. Celui-ci se montrait très fier de son bateau.

– Je vais vous montrer quelque chose qui va vous intéresser, dit-il soudain. C'est dans la cabine.

Rolf donna la consigne à voix basse.

– Surtout, ne bougez pas jusqu'à ce qu'il soit dans la cabine; autrement, toute sortie serait impossible.

La porte s'ouvrit : la stature du marin se découpa très nettement en haut de l'escalier. La lueur qui venait de l'extérieur était suffisante pour qu'il discerne les six passagers clandestins. Il s'arrêta brusquement et émit un long sifflement de surprise.

– Du calme, les gars ! Écoutez, donnez-moi juste le temps de me débarrasser du Boche là-haut sur la jetée et d'aller chercher ma femme. Je vais en Angleterre avec vous.

Sur ce, il s'empara d'une maquette de bateau sur une étagère et remonta sur le pont en fermant la porte derrière lui.

Leur tension ne se relâcha pas.

– Peut-on lui faire confiance ?

– Il est peut-être allé prévenir le soldat allemand...

Ce fut Rolf qui trancha :

– Faisons-lui confiance. Nous n'avons pas le choix. Si nous bougeons, nous perdons définitivement nos chances de gagner l'Angleterre.

Au-dehors, la sentinelle et le marin plaisantaient gaiement au sujet du prix de la maquette, puis leurs voix décrurent. On n'entendait plus que le clapotis de l'eau contre la coque. Au bout d'une demi-heure, le marin revint, seul. Il ouvrit rapidement la porte de la cabine et passa la tête.

– Ma femme ne viendra pas avec nous. Elle a trop peur. Je fais commerce des maquettes que je sculpte. Ainsi, vous allez bénéficier de ma toute dernière transaction avec les Allemands; mais attendez d'être au large pour les allumer.

Et il leur lança quelques paquets de cigarettes allemandes.

Le ronflement du moteur redonna vie au bateau. Il fallut attendre quelques minutes encore, puis ils démarrèrent. La passe franchie, ils allumèrent enfin leurs cigarettes.

La traversée dura quarante-huit heures à cause du mauvais temps. Il faisait déjà nuit quand ils atteignirent les îles Shetland. Des soldats anglais montèrent à bord pour les surveiller toute la nuit. Les sept Norvégiens dormirent comme des bûches.

Au petit matin, ils furent éveillés par le patron pêcheur, qui poussait des grognements de fureur. Le premier debout, il était allé faire un tour d'inspection sur son bateau pour découvrir que pratiquement tout ce qui pouvait se détacher ou se dévisser avait été enlevé. Les barils d'essence avaient, eux aussi, disparu. Tous les outils qui lui servaient depuis le début de sa carrière en mer s'étaient volatilisés ainsi que les cartes, bâches, cordages et filets. Comme il ne parlait pas un mot d'anglais, ce qu'il hurlait aux sentinelles resta sans effet.

Un peu plus tard, il fut interrogé par des officiers norvégiens et britanniques. On eut la courtoisie de l'informer que les coupables seraient poursuivis et que ses biens lui seraient rendus. Quand Rolf et ses camarades quittèrent le patron pêcheur, on lui avait déjà rendu quelques-uns de ses outils. Son humeur ne s'était pas améliorée pour autant.

Ils furent tous soumis aux interrogatoires que son frère et des milliers d'autres avaient connus lors de leur arrivée en Grande-Bretagne. La sélection de Rolf par l'Armée de l'Air norvégienne libre ne se fit cependant pas trop attendre. Et il se retrouva bientôt à la « Petite Norvège », au Canada, pour y recevoir la formation de pilote de chasse. L'hospitalité canadienne à l'égard des élèves pilotes comme lui était réellement extraordinaire.

Ce fut un grand jour que celui où il reçut ses « ailes ». Toutes les « ailes » norvégiennes, il l'apprit plus tard, étaient brodées à Londres à l'École royale de couture. Après la « Parade des ailes », il se trouva affecté en Angleterre au 331e escadron. Cela faisait déjà un an qu'il s'était enfui de Norvège. Le 331e escadron était basé à North Weald, dans les environs de Londres. La première chose qu'il vit, sur l'aérodrome où il atterrit, fut le drapeau de Norvège flottant dans le ciel anglais. Il portait le premier bouton de sa tunique défait, comme le voulait la tradition des pilotes de chasse et, malgré tout le respect qu'il avait pour les dames de l'École royale de couture, il avait un peu terni les fils d'argent de ses ailes, afin d'en atténuer l'aspect flambant neuf.

Rolf devint bientôt un spécialiste des raids au-dessus de la Manche. Le jour où l'on peignit le premier svastika sur le flanc de son Spitfire, qui témoignait qu'il avait abattu un appareil ennemi, il sut que ce n'était qu'un premier coup qu'il portait aux nazis. Il vivait pleinement chaque minute de cette vie mouvementée. Un jour de permission à Londres, à l'issue d'une joyeuse bordée, lui et deux de ses camarades – également pilotes – rentrèrent à la base dans la voiture du roi Haakon : le chauffeur du roi avait fait partie du personnel à terre de leur escadron. Le roi venait d'ailleurs très fréquemment à la base où il leur faisait projeter les actualités. Il venait avec son chauffeur et achetait les billets lui-même. Mais Rolf n'allait voir les actualités cinématographiques que si les horaires des trains le lui permettaient. Il y avait dans la capitale des choses bien plus amusantes à faire.

Bien sûr, il avait essayé de retrouver la trace d'Erik, mais sans succès. Il espérait qu'un jour ou l'autre son frère entrerait au County Hotel ou bien au Shafstbury qui servaient de quartier général aux Norvégiens en service à Londres.

Le jour où l'on peignit le troisième svastika sur le flanc de son avion, sa vie changea. Il tomba amoureux d'une jeune fille anglaise. Rolf, avec ses cheveux blonds, son accent, son uniforme bleu avec *Norway* sur l'écusson des épaules et les ailes brodées sur la poitrine, avait déjà connu bien des succès féminins. Il la vit dans une salle de bal à Epping, un village proche de l'aérodrome. Sa vivacité et l'or roux de sa chevelure éclipsaient tout ce qui l'entourait. Elle le remarqua aussi. Il traversa la piste pour l'inviter à danser. Elle avait des yeux d'un vert limpide.

– Voulez-vous m'accorder cette danse ?

– Oui, bien sûr.

Elle aima la façon dont il s'était incliné devant elle. Les Scandinaves se comportaient toujours ainsi, quel que fût leur rang. Un lieutenant de l'armée de l'air ! Elle se laissa aller doucement dans ses bras. Il la regarda comme s'il venait de découvrir un trésor et l'entraîna sur la piste.

– Je m'appelle Rolf Ryen, et vous ?

– Wendy Townsend.

Tout ne faisait que commencer entre eux.

11

Le premier week-end où elle reçut des invités dans la maison de Tom fut une rude épreuve pour Johanna. Elle n'eut pratiquement rien à faire au bureau en comparaison des efforts qu'elle dut déployer pour accueillir les invités allemands.

La soirée du mess avait été supportable parce que relativement brève. Chez Tom, il en alla tout autrement : les invités arrivèrent dès le vendredi soir et jusqu'au dimanche soir, elle dut sourire, se montrer aimable, cacher sa haine du nazisme. Johanna n'oublierait pas de sitôt ses débuts d'« hôtesse » chez Tom.

Quand elle entendit, le vendredi soir, la voiture qui se rangeait à l'extérieur, elle descendit pour accueillir les occupants; ils étaient trois. Flanqué de deux officiers de l'armée, se tenait l'homme qu'elle avait espéré ne jamais revoir : Axel Werner en personne, dans son uniforme noir de général SS. Il venait d'être promu à ce grade... Il la considéra avec étonnement.

– Johanna Ryen ! Je n'avais pas fait le rapprochement entre le nom du major Ryen et le vôtre, bien qu'il m'ait annoncé qu'une charmante jeune femme de sa famille serait notre hôtesse. Je ne vous ai pas revue depuis notre rencontre dans mon bureau à Oslo. Quelle agréable surprise !

En effet ! Mis à part le fait qu'elle allait être obligée de supporter sa présence, elle ne pouvait perdre de vue la réalité : elle avait été suspectée d'activités antinazies et il le savait. Tout cela pouvait mettre sa mission en péril. Elle se força à lui rendre son sourire mais sentit se durcir les muscles de son visage.

– Vous allez être content, Axel, de constater que vos conseils ont porté leurs fruits.

La vanité du nouveau général fut flattée. Il était tout à fait enclin à croire qu'il l'avait convaincue.

Une telle conviction ne pouvait qu'être renforcée par la doctrine officielle du Troisième Reich : les Norvégiens étaient des frères de sang, de purs Aryens qui, pour l'instant, se trouvaient égarés dans leurs idées sur la démocratie. Le malentendu se dissiperait avec le temps... Axel continuait de voir en Johanna la parfaite femme aryenne. La présence de la jeune femme dans la maison d'un collaborateur notoire attestait de sa conversion à l'idéologie hitlérienne...

– Bien joué, ma chère ! Je suis fier de vous.

Le plus grand des deux officiers qui l'accompagnaient leva les sourcils, étonné.

– Eh bien ! De quoi s'agit-il ?

Axel gloussa et s'avança pour prendre la main de Johanna.

– Un petit secret entre nous, n'est-ce pas, Johanna ?

Elle se montra encore capable de donner quelque semblant de chaleur à sa réponse.

– Absolument !

Et, se penchant vers lui, elle ajouta d'un ton mi-moqueur, mi-confidentiel :

– Je pense qu'il y a au moins un secret que nous pourrions leur dévoiler.

Et, se tournant vers les autres, toute souriante, elle ajouta à voix haute :

– Axel et moi nous connaissons depuis l'enfance.

– Comme c'est heureux pour le général Werner, dit l'autre officier.

Axel afficha un sourire satisfait.

– J'étais, évidemment, presque un adolescent à la naissance de Johanna.

Ses deux compagnons se mirent à rire.

– Ah ! ça, vous n'aviez pas besoin de nous le dire !

Tom, radieux, fit les présentations officielles. Johanna faisait des débuts glorieux, exactement comme il l'avait prévu. Elle était plus que jamais éblouissante. Elle portait une robe très simple, en velours crème, et un collier de pierres montées sur une chaîne d'or. D'ailleurs, même mal vêtue, elle aurait encore eu du chic ! Tom avait réussi à lui procurer des bas de soie en provenance de France. Elle avait d'abord refusé mais il lui avait fait clairement comprendre que son rôle d'hôtesse exigeait qu'elle fût aussi élégante que possible.

Ils cessèrent bientôt de claquer les talons et de s'incliner.

– Et maintenant, messieurs, Froken Hallstead va vous montrer vos chambres. Nous vous attendons pour prendre un verre avant le dîner.

Karen, qui s'était tenue jusque-là à l'arrière-plan, s'avança. Johanna lui avait confectionné une sorte de turban dans un morceau de soie que lui avait donné Astrid. Ses cheveux commençaient à repousser en boucles légères; mais, bien sûr, elle se sentait encore trop gênée pour montrer son crâne. Elle ne se rendait pas compte que sa coiffure donnait un charme piquant à son visage.

En attendant ses invités, Tom servit un verre à Johanna et le lui tendit. Ils étaient dans la pièce au plafond peint de roses, la lumière du feu dansait sur les motifs muraux centenaires et scintillait sur le parquet de pin clair.

– Quelle coïncidence que vous connaissiez ce général SS, Johanna !

– Où est-il établi ? demanda-t-elle.

– À Alesund, dans une maison réquisitionnée qu'il occupe avec quelques autres officiers des services de sécurité. Ce district est le sien. En fait, toute la région du fjord de Molde et du fjord de Romsdal se trouve sous son autorité. On l'a mis là pour démanteler tout ce qui peut rester des réseaux de la Résistance.

Elle contemplait le feu dans la cheminée tout en faisant tourner son verre dans sa main.

– Oh ! vraiment ? Eh bien, il va devoir rester ici longtemps !

Tom jeta un regard inquiet vers la porte grande ouverte et baissa le ton.

– Je suis bien de ton avis. Lui, il s'imagine que

ce n'est qu'une question de semaines, qu'il n'y a qu'à donner un bon coup de balai, comme il dit. C'est à cause de l'explosion du dépôt d'armes qu'il a été nommé ici. J'ai entendu dire que le Reichskommissar Terboven a beaucoup d'estime pour lui. C'est un homme dangereux. Jusqu'à maintenant, ses méthodes ont été très brutales.

– Ça, je veux bien le croire.

Des bruits de voix leur parvinrent de l'escalier.

– Les voilà, dit Tom.

Il s'avança vers le plateau d'apéritifs pour offrir à boire à ses invités.

Ce fut un dîner très mondain. Tom présidait la table et Johanna lui faisait face. Karen en tablier blanc garni d'un ruché les servait, rapide et efficace. Sa cuisine était exquise et très bien présentée. Axel était béat : il appréciait grandement les mets fins, les vins. De plus, il semblait penser que le fait de connaître Johanna depuis aussi longtemps que Tom lui conférait un avantage sur les autres invités. Les officiers de sécurité SS étaient trop souvent traités avec condescendance par les officiers des services plus anciens : dans l'armée allemande traditionnelle, les SS étaient considérés comme des parvenus.

Ses officiers, entre eux, ne cachaient pas qu'Axel Werner n'était qu'un raseur. Il s'écoutait parler. Ce soir-là, comme les vins commençaient à faire leur effet, ses histoires devenaient de plus en plus longues et de plus en plus lourdes. Les autres officiers se montraient, eux, d'une compagnie plus agréable. Intelligents et spirituels, ils appréciaient la présence d'une jolie femme. Quand l'opportunité s'en présenta, chacun à son tour fit un brin de cour à Johanna. Ils acceptèrent, avec une singulière bonne grâce, ses refus aimables à toutes leurs avances. Ils devaient revenir fréquemment chez Tom jusqu'à ce qu'ils soient appelés dans une autre région. Elle s'aperçut que, en d'autres circonstances, elle aurait pu s'en faire de vrais amis – chose impensable avec Axel. Ils n'étaient pas, eux, des nazis, mais des hommes aux idées libérales, qui servaient leur pays du mieux qu'ils le pouvaient dans un contexte politique pourri. Plus tard, elle fut sincèrement peinée quand l'un d'eux fut tué au cours d'une action de commando britannique le long de la côte.

Johanna s'en tenait à la ligne de conduite qu'elle s'était fixée au départ. Elle ne posait jamais de questions et ne disait jamais rien qui aurait pu faire penser que les sujets militaires l'intéressaient... Avec le temps, elle apprit ainsi beaucoup de choses très utiles pour la Résistance. Chez Tom, elle se contentait de s'asseoir près du feu et d'écouter les conversations. Les invités, détendus par un bon repas, s'animaient et il leur arrivait d'oublier sa présence. Elle n'apprit évidemment aucun vrai secret; mais elle découvrit certains mouvements militaires sur terre et sur mer.

Au cours de ces soirées, les discussions sur la guerre étaient toujours animées. Les officiers se demandaient si les renforts qui n'étaient pas arrivés en temps voulu auraient pu sauver la campagne d'Afrique du Nord qui venait de se terminer d'une façon désastreuse pour l'armée de Rommel. Le débarquement et l'attaque des Alliés en Italie restaient également un sujet brûlant. Leur confiance en l'armée allemande, qu'ils considéraient comme l'une des meilleures forces de combat jamais mise en marche, restait intacte. Ils se prenaient pour le bras armé d'une race de seigneurs, destinée à dominer le monde. Leurs revers de fortune ne pouvaient être que passagers.

– Même si cette guerre devait durer cent ans, nous en sortirions vainqueurs, dit Axel par une chaude soirée de juin.

Quelques officiers s'étaient assis sous la véranda dans des fauteuils d'osier. Il ajouta, négligemment appuyé à l'une des colonnes de bois de la balustrade :

– Comme dit Goebbels, personne n'est obligé de nous aimer, mais mettons un point d'honneur à ce qu'ils nous craignent tous !

Johanna avait déjà entendu cette déclaration qui visait tout spécialement son pays. Elle resservit du café pendant que Karen débarrassait la table et s'apprêtait à faire la vaisselle.

– La guerre ne durera pas cent ans !

Johanna ne tourna même pas la tête. Elle avait immédiatement reconnu la voix d'ivrogne d'un officier dont c'était le premier séjour à la propriété. Un homme à l'aspect brutal et à la lèvre inférieure pendante qui avait essayé de séduire Karen quand elle l'avait conduit à sa chambre. C'était le premier incident de ce genre mais il est vrai que l'homme était déjà ivre en arrivant. Comme il tenait à peine sur ses jambes, Karen avait pu s'échapper à temps.

– Pourquoi en êtes-vous si certain, Oberleutnant ?

Le coup d'œil que lui lança Axel était tout à fait hostile. C'était encore l'armée qui essayait de remettre le SS à sa place.

– À cause du petit « produit miracle » que nous sommes en train d'élaborer dans la région de Telemark... Il va nous aider à mettre le monde entier sous la botte du Führer.

L'officier assis dans le fauteuil voisin gronda :

– Bouclez-la, voulez-vous ?

Axel se détourna pour signifier qu'il n'entendait pas poursuivre sur un tel sujet et les conversations reprirent comme si de rien n'était. Bien que l'officier ivre n'ait fait aucune révélation capitale, Johanna comprit que le renseignement était intéressant. Il venait de faire allusion à la centrale génératrice d'eau lourde de Vemork. En janvier, un raid aérien des Alliés avait tenté de la bombarder. Ils avaient échoué. Alors, une équipe de sabotage composée de Norvégiens exceptionnellement courageux s'était introduite dans la place et avait fait sauter les fonctions vitales de la centrale. Ce succès avait été capital pour la Résistance. Le retard imposé par les Norvégiens à la mise au point de ce que les Allemands appelaient « la bombe atomique » avait galvanisé la population. Les propos de l'officier trop bavard venaient de conforter Johanna dans l'idée que les projets concernant « l'arme suprême » étaient toujours en cours. Information intéressante qu'elle ferait passer à qui de droit.

Gunnar reçut son message avec son flegme habituel. Il commenta la nouvelle :

– Ils ont effectué des réparations considérables ces mois derniers, à la centrale. Il y a quelques jours, un chargement d'eau lourde a été expédié en Allemagne. Je parierais que ce lieutenant a quelque chose à voir avec son acheminement. Vous avez bien fait de m'en parler. Il n'y a rien de nouveau pour l'instant et nos hommes chargés de l'affaire Telemark tiennent les choses en main, j'en suis certain. Il faut leur laisser l'initiative.

Il était extrêmement rare qu'il commente ainsi les informations qu'elle lui communiquait. Il se montrait généralement plus que réservé. Tous les renseignements qu'elle leur avait apportés ces derniers mois n'avaient servi qu'à confirmer d'autres informations venues d'ailleurs, déjà connues des services secrets britanniques et provenant de plusieurs autres sources. C'était frustrant de travailler ainsi, à tâtons, mais elle acceptait cette situation. C'était mieux que de ne rien faire...

Comme elle était sur le point de se retirer, Gunnar plongea une main dans sa poche et en tira une lettre.

– C'est pour vous. Ne me demandez surtout pas comment elle m'est parvenue ni où se trouve l'expéditeur. Je ne peux rien vous dire. Estimez-vous heureuse de l'avoir.

C'était une lettre de Steffen. Elle l'ouvrit plus tard, une fois seule dans sa chambre, chez Astrid. La missive n'était pas datée. Elle n'indiquait rien sur le lieu où il se trouvait ni sur ses activités. C'était une lettre d'amour, émouvante, poignante, désarmante, de celles autour desquelles on noue un ruban bleu et que l'on garde dans une armoire pleine de sachets de lavande pour les relire plus tard. Johanna lui fit donc une place parmi ses trésors.

Elle la lut et la relut jusqu'à ce que l'enveloppe soit usée à force d'avoir été ouverte.

Les cheveux de Karen atteignirent enfin une longueur qui ne pouvait plus surprendre. Elle ne désirait plus les porter aussi longs qu'avant pour n'avoir pas à se rappeler les mèches argentées qui étaient tombées autour d'elle sur le sol de la hutte. Elle se sentit enfin prête à rentrer chez elle.

Son village était assez proche pour qu'elle puisse s'y rendre en barque. Elle était bonne rameuse, comme tous ceux qui avaient grandi sur les rives du fjord. Tous ramaient, nageaient et pêchaient avec un égal bonheur. Se rendre chez elle en bateau lui ferait gagner plusieurs kilomètres. La route qui menait à sa maison contournait une anse profonde qui abritait un hameau de pêcheurs.

Les communautés de ce genre étaient nombreuses dans la région et son propre village vivait de la mer autant que de la terre. Une rue centrale pavée de cailloux le traversait. Elle menait à une crique où l'on amarrait les bateaux de pêche. Il y avait quelques boutiques dispersées çà et là, des maisons, des vergers et des jardins. Sa sœur Marthe et son mari Raold habitaient au-dessus de leur boulangerie. Le jardin derrière leur maison allait jusqu'aux rochers qui surplombaient le fjord.

Karen avait vécu avec eux depuis la mort de ses parents en 1935. Ils n'avaient jamais eu d'enfant, et elle était devenue comme leur fille. Karen les aimait bien. Mais leur manie de toujours vouloir la protéger l'étouffait. C'est pourquoi elle avait voulu travailler et s'était retrouvée à la ferme des Ryen. Si elle était rentrée la tête rasée, elle n'aurait pas été rejetée par sa sœur qui lui pardonnerait tout. Mais elle n'était pas aussi sûre de la réaction de Raold.

Karen arriva donc un beau jour dans une barque qu'elle attacha aux rochers au-dessous de leur maison et, de là, grimpa jusqu'à la pelouse de leur jardin. Elle se dirigea avec timidité vers la porte du fournil. Marthe s'y trouvait avec Raold. Elle la vit de loin et courut à sa rencontre.

– Ah ! te voilà enfin revenue.

Elles riaient et pleuraient tout à la fois. Raold, d'un naturel tranquille et réservé, se contenta de lui serrer la main avec chaleur, la couvrant de farine. Karen n'avait aucun souci à se faire. Gina avait fait parvenir à Marthe une longue lettre pour lui raconter son geste héroïque. Elle les priait d'attendre qu'elle rentre elle-même au bercail. Ils l'accueillirent comme l'enfant prodigue.

Raold lui offrit aussitôt de reprendre son travail chez eux, comme avant, derrière le comptoir de la boulangerie. Elle s'attendait un peu à cette proposition. Mais elle savait que les ventes avaient beaucoup diminué du fait du rationnement et que Marthe n'avait sûrement pas besoin d'une assistante.

Ils lui donnèrent alors la véritable raison de cette offre. La voix de Raold se fit grave.

– Cela fait un certain temps que l'on parle de Tom Ryen et de son entourage nazi. Je n'aime pas l'idée que tu doives retourner dans cette maison avec le genre d'allées et venues qu'on y voit.

Plus âgé que sa femme, il tenait à assumer ses responsabilités envers sa très jeune belle-sœur.

Marthe, plus émotive et plus extravertie, s'évertua, elle aussi, à persuader Karen de rester avec eux.

– Reste à la maison et, cette fois, pour de bon. Cela me retourne de te savoir loin. Tes lettres seraient restées bien mystérieuses si Gina Ryen ne m'avait pas donné le fin mot de l'histoire.

Avant que Karen ait pu répondre, Raold reprit :

– De toute façon, je préfère être honnête avec toi et te mettre tout de suite au courant de ce qu'impliquerait le fait de vivre de nouveau avec nous.

Il avait toujours été d'une grande droiture. Il avait toujours traité ses clients avec équité. Il ne trichait pas sur le poids, n'essayait pas d'écouler son pain rassis. À sa table, on ne trouvait pas plus de pain qu'à celle de ses clients.

– Je fais ce que je peux pour aider ceux qui prennent une part active à la libération de notre pays. Me comprends-tu ?

– Oui, dit Karen.

C'était une de ses principales qualités : il avait à cœur de faire son devoir avant tout, sans se soucier de sa propre sécurité. Malgré son attitude quelque peu dogmatique et un certain autoritarisme, Marthe l'avait toujours apprécié pour son honnêteté foncière. Soumise en apparence, elle avait une façon bien à elle d'arranger les choses.

– Avec toutes les îles près de l'embouchure du fjord, dit Raold, notre village est souvent le point de départ des petits bateaux qui vont et viennent dans la mer du Nord. Tu ne dois pas être mêlée à tout ça. Certains soirs, quand je dirai que j'ai à travailler seul au fournil, tu devras aller au lit comme Marthe et remonter ta couverture au-dessus de tes oreillers. M'as-tu bien compris ?

– Parfaitement, dit Karen. Mais je veux retourner chez Tom. Simplement, si vous le voulez bien, je reviendrai vous voir plus souvent.

Rien de ce qu'ils purent dire ne la fit revenir sur sa décision. D'une certaine façon, elle appréciait sa nouvelle vie. Il y avait évidemment beaucoup de travail chez Tom Ryen pendant les week-ends. Quand les invités avaient été nombreux, il lui fallait bien deux jours pour remettre la maison en état. Mais entre-temps, sa solitude lui apportait la paix. Parfois, elle se prenait à penser que l'atmosphère même de cette vieille maison la guérissait : elle y vivait une sorte de retraite monacale qui lui permettait de sublimer son amour pour Erik. Le choc que lui avait causé Carl, la honte d'avoir eu la tête rasée avaient fait s'évanouir en elle tout projet d'avenir. Ce qu'elle souhaitait désormais, c'était se sentir comme neuve.

Johanna avait besoin de nouvelles chaussures. Non pas par caprice ou pour suivre la mode; simplement pour marcher. Le cuir avait complètement disparu des magasins. On réparait les chaussures avec du carton, qui ne résistait pas très longtemps. On se rabattait donc sur des semelles de bois doublées d'épaisses couches de papier ou bien de peaux de poissons. Dans les magasins de chaussures, les arrivages étaient rares. Quand un stock était annoncé, des queues se formaient dans les rues devant les boutiques. Chacun prenait son tour pour en acheter une paire. Un matin, en allant au bureau, Johanna repéra un arrivage et se mit dans la file. Ce serait la première fois qu'elle arriverait en retard au bureau, mais Tom ne lui ferait aucun reproche quand il en connaîtrait la raison.

La queue n'avançait que très lentement. Un mot passa de bouche à oreille : outre les chaussures ordinaires, il y avait un choix de sandales d'été faites de papier tressé et de ficelle, avec des sacs assortis. Johanna attendait depuis près d'une heure quand arriva un major allemand qu'elle connaissait. Il l'aperçut et s'arrêta pour la saluer. Il était très élégant dans son uniforme bien coupé, avec ses bottes brillantes et la croix d'acier sur son col fermé.

– *Guten Morgen*, Fräulein Ryen. Que faites-vous ici ?

– La queue pour acheter des chaussures.

– La queue ? Je ne peux admettre ça. Venez avec moi !

– Non !

Elle protesta fermement et resta à sa place dans la file d'attente.

Elle sentit tous les regards hostiles qu'on lui adressait et qui lui faisaient l'effet d'autant de coups de poignard. L'atmosphère amicale qui régnait autour d'elle devint glaciale. On la prenait pour une collaboratrice. L'officier n'accepta pas son refus. Elle était furieuse et atterrée.

– Le major Ryen ne me pardonnerait jamais s'il apprenait que je vous ai laissée faire la queue pendant des heures. Préférez-vous que je vous fasse passer en tête de file ou que je vous accompagne à l'intérieur de la boutique ?

Il fit quelques pas pour remonter la file, prêt à donner ses ordres. Elle sortit rapidement du rang :

– Écoutez, je suis déjà en retard pour me rendre au bureau, je ferai mes achats un autre jour.

Ce fut peine perdue. Il lui prit amicalement le bras et l'accompagna jusque dans le magasin. Les chaussures étaient toutes semblables, la seule différence étant leur couleur : noir ou marron. Chaque client n'avait d'ailleurs droit qu'à une paire. Le major aurait bien ordonné qu'on lui apporte une seconde paire s'il avait pu supposer qu'elle désirait aussi des sandales. Quand elle sortit de la boutique, ses chaussures sous le bras, quelques huées venant du bout de la queue lui parvinrent. Le major l'escorta jusqu'au bureau.

Les réceptions chez Tom n'étaient pas vraiment l'endroit idéal pour glaner des informations intéressantes. Les officiers y venaient d'abord pour boire et pour passer un moment avec les femmes qu'ils amenaient ou qu'on leur procurait. Mais, par-dessus tout, pour oublier l'armée et la guerre. Johanna louait toujours les services d'un orchestre qui « civilisait » un peu l'atmosphère jusqu'à ce que les invités soient trop ivres pour danser. Karen et elle veillaient à ce que la nourriture et les boissons soient offertes en abondance, retiraient les verres cassés avant que les tessons n'en soient écrasés, s'assuraient que ceux qui étaient sur le point de vomir le faisaient à l'extérieur ou atteignaient à temps la salle de bains. En somme, Johanna s'efforçait de « défendre » la maison, en attendant le temps béni où ils partiraient à jamais et où on les oublierait.

En ce qui concernait les renseignements qu'elle devait recueillir, le bureau de Tom Ryen était d'un rendement nettement plus satisfaisant. Un soir, elle se rendit directement à un rendez-vous avec Gunnar. Elle venait de copier un document qu'elle tenait dissimulé dans un journal qu'elle avait acheté le matin. Les gros titres mettaient l'accent sur un raid aérien des Alliés, à proximité d'Oslo, et dénombraient les pertes parmi les civils – le tout assorti de détails tragiques. Elle savait que la destruction de l'objectif visé par les Alliés était d'une importance vitale. Mais elle n'ignorait pas non plus que le Milorg désapprouvait ces bombardements qui se multipliaient, atteignant trop de vies innocentes et réduisant à néant l'outillage et les machines qui seraient indispensables au redressement du pays, une fois la paix revenue.

Dans le café où avait été fixé le rendez-vous, elle eut la surprise d'apercevoir, à la place de Gunnar, Steffen assis à une table à l'écart. Le temps lui avait paru bien long depuis leur dernière rencontre. Elle se faufila entre les tables pour aller s'asseoir à côté de lui. Elle plaça son sac et son journal sur une chaise entre eux. Les yeux de Steffen étaient aussi brillants que les siens. Il lança une phrase anodine d'un ton nonchalant qui contrastait avec ce qu'on pouvait lire dans son regard.

– Belle journée !

– En effet. Je m'attendais à voir Gunnar.

– Et à sa place, tu as une agréable surprise, j'espère ?

Elle eut un sourire amusé; ses yeux pétillaient.

– C'est toi qui le dis, pas moi.

– Tu veux boire ou manger quelque chose ? J'ai des tickets.

Il avait toujours sur lui un assortiment de tickets et une demi-douzaine de cartes et d'autorisations dûment tamponnées.

– Oui, j'aimerais bien, dit-elle.

Elle avait faim, tout à coup !

Elle étudia le menu sur lequel il n'y avait pas grand-chose et lui donna quelques conseils.

– Évite surtout la saucisse de poisson. C'est une abomination; une mixture de poisson, de flocons d'avoine et de pain noir immangeable ! Astrid en sert quelquefois quand elle n'a rien trouvé d'autre.

Elle fait revenir la chose dans de l'huile de foie de morue.

– Ciel !

– Astrid s'arrange pour trafiquer l'huile et lui enlever un peu de son goût détestable. Et on ne crache pas dessus quand il n'y a rien d'autre ! Tu te rappelles le temps où il y avait de la viande chez le boucher et sur les menus ? Il n'y en a plus nulle part. C'est la même chose pour le lait. Si je n'allais pas à la ferme de temps en temps et si je ne savais pas qu'on emporte toute la production des laiteries aux cantonnements allemands, je penserais que toutes les vaches du pays se sont taries.

Elle venait de faire son choix.

– Je prendrai du cabillaud.

– Eh bien, moi aussi.

Ils savaient tous les deux que c'était là un choix périlleux : le poisson serait-il frais ? Mais comme il en serait de même des autres poissons proposés au menu, pourquoi pas du cabillaud ! Le meilleur de la pêche allait aussi aux forces d'occupation. Steffen passa leur commande à la serveuse. Johanna lui remit alors solennellement une pomme de terre crue venant du jardin d'Astrid. On devrait la leur rapporter cuite : il n'y en avait pas au menu. Viande, produits laitiers, pommes de terre, carottes et autres légumes – tout était destiné en priorité aux Allemands. Il était loin, le temps où la Norvège avait un des niveaux de vie les plus élevés du monde – ce n'était plus qu'un souvenir. La faim faisait partie de la vie quotidienne de chacun.

La pomme de terre revint fumante sur une assiette. Johanna ne put s'empêcher d'ironiser.

– C'est notre jour de chance. Non seulement le poisson est frais mais la pomme de terre est de la même taille que celle que j'ai donnée.

– Hourra ! s'exclama Steffen.

Elle partagea soigneusement sa pomme de terre en deux et en mit la moitié dans l'assiette de Steffen.

Ils mangèrent avec des couverts de bois fabriqués

dans le pays. Dans la plupart des cafés et des restaurants, la coutellerie avait été confisquée, cassée, perdue ou volée par les soldats. Les nappes étaient en papier parce que le rationnement en savon rendait la blanchisserie difficile et qu'après trois ans d'occupation, les nappes usées ou abîmées ne pouvaient être remplacées.

Steffen annonça que, après la guerre, il ne mangerait plus de poisson.

– Récemment, dit-il, j'ai dormi dans un petit hôtel d'Oslo. Les draps étaient en papier; je me suis réveillé dans une mer de petits morceaux de papier.

– C'est que tu es un mauvais coucheur !

– Ça dépend ! dit-il en lui souriant.

Elle ignora cette repartie.

– Que faisais-tu à Oslo ?

– J'avais un travail à faire...

Elle prit le journal et le lui tendit :

– Ça me rappelle qu'il y a quelque chose pour toi là-dedans.

– Merci, dit-il en glissant le journal dans la poche de sa veste.

– C'est peut-être intéressant ou peut-être pas, je ne sais jamais.

– Ce n'est pas ça qu'on te demande. Tu fais ton travail et nous le nôtre. À propos, Tom Ryen va-t-il quelquefois à Oslo ?

– Pas très souvent. Une fois tous les trois ou quatre mois. Pourquoi ?

– Nous aimerions avoir un courrier régulier. Quelqu'un qui y aille officiellement pour affaires. Nous espérions que tu aurais pu le persuader de t'emmener avec lui.

– J'ai bien peur que cela ne soit pas possible, dit Johanna.

– Il n'y a rien d'urgent. Ouvre les yeux au cas où quelque chose se présenterait. On ne sait jamais. Il peut bénéficier d'une promotion qui changerait ses habitudes.

– D'accord.

Il observa l'assiette que Johanna venait de vider à une vitesse record. Son sourire s'élargit.

– Quand as-tu mangé pour la dernière fois ?

– Je t'ai dit que j'avais faim.

– Affamée serait le terme exact.

– Voilà ce que c'est que d'être jeune et pleine de vitalité ! Si seulement je pouvais manger à ma faim quand je suis à la ferme ou lorsque je vais chez Tom pour le week-end ! Je m'arrange toujours pour ramener quelque chose à Astrid bien qu'elle ait un appétit d'oiseau. (Elle posa sa fourchette sur son assiette et reprit :) Ces couverts de bois sont ridicules. Les Vikings, eux, fabriquaient des cuillères de corne polie. C'était beaucoup mieux.

– Je t'en ferai une, c'est promis, la prochaine fois que je rencontrerai un renne.

Elle rit doucement et ses yeux pétillèrent.

– Promis ?

Il la regardait avec amour.

– Je veux t'épouser, Jo.

Elle tressaillit et s'appuya lentement au dossier de sa chaise.

– Ne dis pas ça !

– Si, je le pense. C'est la première fois de ma vie que je désire passer une alliance au doigt d'une femme. La prochaine fois que je vais en Angleterre, je t'emmène avec moi, nous pourrons nous marier à Londres.

Elle mit une main devant sa bouche pour masquer son émotion et dit dans un murmure :

– Nous sommes censés ne pas nous faire remarquer ! Et tu m'envoies ça en pleine figure en public ! Une bonne douzaine de personnes peuvent s'apercevoir de mon trouble.

– Tu oublies que je suis face à un miroir. Je surveille la porte et le reste de la salle par la même occasion. Nous n'intéressons strictement personne. Qu'en dis-tu ?

– Nous devrons attendre pour nous marier d'avoir de nouveau une vie normale.

– Non ! Je viens de te demander de venir à Londres avec moi.

Elle secoua la tête avec vigueur.

– Dans les premiers jours de l'Occupation, je serais partie avec toi si cela avait été possible. Je n'ai encore rien fait d'important dans la mission qui m'a été confiée, mais je peux encore tomber sur une information vitale même si je n'en connais jamais le résultat. En exil, je n'aurais pas ce sentiment d'être utile à la cause de la liberté.

Elle recula sa chaise, prête à se lever, et eut un petit rire étouffé.

– Merci quand même de m'avoir proposé le mariage. Je finissais par me demander si cela viendrait un jour.

– J'ai voulu t'avoir à moi dès l'instant où je t'ai vue, près de la fenêtre de ta chambre, chez les Alsteen, le jour du bombardement.

Elle leva un sourcil sarcastique.

– Et c'est maintenant que tu me le dis !

– Je t'aime, c'est tout.

Il lui était très difficile de le quitter à présent. Ils ne savaient pas quand ils se reverraient. Elle dut se faire violence pour détourner les yeux du regard de Steffen. Elle se leva à contrecœur et s'en alla.

Il aurait été tellement plus simple de changer d'avis et de lui dire qu'elle partait en Angleterre avec lui...

Axel Werner était loin d'avoir réussi à neutraliser la Résistance dans la région qui lui était assignée. Il savait que des groupuscules de patriotes norvégiens sévissaient toujours çà et là; mais il n'avait pu les localiser. Il n'était pas sans savoir, non plus, que les bateaux assuraient la navette entre la Norvège et les îles Shetland et que des agents transmettaient à Londres des renseignements capitaux. En tout cas, les sabotages allaient bon train.

C'étaient donc les agents secrets qui en premier lieu préoccupaient Axel Werner. Il fallait les éliminer.

Le général SS s'était tout de même fait craindre dans la région. On y avait intensifié les contrôles; on arrêtait les gens sous le moindre prétexte pour les interroger et on ne reculait devant rien pour les faire parler. Axel n'hésitait pas à les torturer. Quand l'un d'eux, brisé par de telles méthodes, parlait enfin, on arrêtait ses amis. Ces gageures continuelles excitaient Axel Werner, le stimulaient. Il s'éveillait chaque matin avec l'espoir que la journée lui apporterait de nouveaux succès...

Malgré ces résultats moyens, le Reichskommissar Terboven approuvait ses méthodes brutales. Axel espérait obtenir une promotion s'il réussissait à prendre un gros poisson dans ses filets.

Il ne s'occupait pas des problèmes mineurs comme le marché noir ou les réserves secrètes de vivres... Ça, c'était l'affaire de la police de Quisling. Un jour, un informateur l'amena à soupçonner l'existence d'une cache d'armes dans un vieil entrepôt. Il se rendit sur les lieux, pour découvrir des caisses remplies de boîtes de conserve volées aux magasins de l'armée. Ce n'était pas de son ressort. Agacé, il s'apprêtait à partir quand on ouvrit devant lui une dernière caisse dont le contenu attira son attention. Il s'agissait de peaux de renard argenté emballées avec précaution. Elles ne pouvaient être récentes, tout commerce de luxe ayant disparu depuis longtemps en Norvège. Sans hésitation, il aboya un ordre au sergent de service.

– Portez cette caisse à mes quartiers !

Ce qui fut fait. Son ordonnance la rangea dans un placard. Ses instincts de pilleur satisfaits – il ne laissait jamais passer aucun butin sans se l'approprier –, il n'y pensa plus. Il avait en tête des problèmes plus urgents. Un autre informateur lui avait fait passer un renseignement qui promettait de donner des résultats particulièrement fructueux.

Pour les réceptions chez Tom Ryen, Karen commandait le pain chez son beau-frère, Raold. C'était généralement Marthe qui assurait la livraison avec une charrette tirée par un cheval. Cela lui donnait l'occasion de voir Karen et de faire un brin de conversation.

Durant l'été, il n'y avait eu aucune de ces allées et venues secrètes auxquelles Raold avait fait allusion. Mais avec l'arrivée de l'automne et de ses nuits plus longues, le trafic reprit.

Marthe apporta le pain un vendredi après-midi comme d'habitude. Elle se montra plus nerveuse que de coutume. En aidant à décharger le panier, elle laissa plusieurs fois tomber des pains à terre.

– Que t'arrive-t-il ? dit Karen.

Marthe feignit l'étonnement.

– Mais... rien du tout.

Karen sourit.

– Allons donc ! Je te connais, il y a quelque chose qui ne va pas.

La réponse arriva sur un ton irrité.

– Si tu veux savoir, je suis très nerveuse quand je reçois certaines personnes, surtout quand je dois surveiller les Allemands nuit et jour.

Karen s'arrêta de ranger le pain et la regarda avec compréhension.

– Excuse-moi ! Si j'avais su, je ne t'aurais rien demandé.

Marthe prit le dernier pain dans le panier.

– Oh ! ne t'en fais pas. Cela n'a pas d'importance que tu sois au courant... Nous avons un visiteur, depuis la nuit dernière, et la nuit prochaine, il prend la place d'un autre qui débarquera d'un bateau. Je n'ai jamais beaucoup aimé ces échanges, c'est trop dangereux pour tout le monde. Je serai bien contente quand tout sera fini. (Elle eut un sourire forcé et reprit :) J'espère qu'il se passera des semaines avant que quelqu'un d'autre arrive. Comme cela j'aurai le temps de me calmer.

Après le départ de Marthe, Karen termina son travail à la cuisine et monta dans les chambres pour mettre des serviettes de toilette propres et s'assurer que tout était en ordre pour l'arrivée de Johanna et de Tom. Ce week-end-là, il n'y avait qu'Axel Werner qui coucherait à la maison, les autres invités ne venant qu'à la soirée du samedi. Tom recevait moins : il lui était de plus en plus difficile de se procurer vivres et boissons. Fort heureusement, la plupart des invités arrivaient avec des bouteilles; les talents culinaires de Karen faisaient le reste.

Karen était moins indulgente que Johanna à l'égard de Tom. Celle-ci l'acceptait pour ce qu'il était : un faible, et elle considérait ses ambitions politiques comme pathétiques, les Allemands admirant par-dessus tout la force et l'énergie, qualités dont Tom était dépourvu. Johanna lui avait dit plus d'une fois ce qu'elle pensait : à quelques exceptions près, ceux qui venaient chez lui se servaient de lui. Que la moindre chose aille de travers au bureau, ils n'hésiteraient pas à le faire déporter dès le lendemain dans un camp de travail. Contrairement à ce qu'il croyait, il ne s'était pas fait d'amis dans la Wehrmacht, elle en était certaine.

Ce samedi-là, la fête fut particulièrement animée. Johanna avait fait installer la piste de danse dans la partie la plus récente de la maison. Il en parvenait un joyeux brouhaha. Deux des invités étaient des hommes plus âgés, qui n'avaient aucun goût pour la danse. Ils voulurent jouer au bridge et s'étaient déjà trouvé un troisième partenaire. Pour le quatrième, ils eurent recours à Johanna.

– Je vais voir, dit-elle.

Elle savait qu'Axel était un joueur de bridge passionné et elle se mit à sa recherche. Ne le voyant nulle part, elle demanda si on l'avait vu. On lui répondit qu'il était dehors. Elle sortit donc, pensant qu'il était allé prendre l'air, mais elle ne le trouva ni sous le porche, ni sous la véranda. Comme il pleuvait, il était fort improbable qu'il soit allé se promener. Elle rentra, dénicha un autre joueur et installa les quatre bridgeurs dans le salon au plafond peint de roses.

Puis Johanna prit un plateau de verres sales et l'apporta à la cuisine où Karen s'activait à la vaisselle. Karen remarqua des traînées sur les manches et sur le bas de la robe de Johanna.

– Qu'as-tu sur ta robe ?

– Oh, rien ! Juste des gouttes de pluie. Je suis sortie un moment pour voir si je trouvais Axel. Il y a une partie de bridge...

– Tu l'as trouvé ?

– Non. Un officier de marine s'est proposé pour faire le quatrième.

Karen s'agrippa soudain au bord de l'évier. La mousse de savon lui dégouttait des doigts. Elle avait l'air effrayée.

– Va voir, s'il te plaît... Va voir s'il n'est pas là-haut, dans la salle de bains, souffla-t-elle à Johanna qui la regarda avec anxiété.

– Que se passe-t-il, Karen ? Que t'arrive-t-il ?

– Je ne sais pas. Rien, probablement. Mais Axel est chef de la sécurité allemande et mon beau-frère, Raold, héberge cette nuit un agent de la Résistance. Il en attend un autre qui doit arriver par bateau.

Johanna sortit rapidement de la cuisine. Elle monta à l'étage et chercha Axel. Elle ne le trouva nulle part. Elle descendit et le chercha de nouveau en bas, sans succès. Elle se précipita alors à la cuisine.

– Dis-moi où habite ton beau-frère, je me change et j'y vais.

Karen se montra inflexible.

– Non, c'est moi qui irai. Personne ne s'apercevra de mon départ, alors que toi, tu ne peux pas t'absenter. Si je prends une barque, je peux arriver chez Raold sans être vue.

Elle alla chercher dans sa chambre un chandail, un pantalon et des espadrilles. Elle ne se changea qu'à son retour dans la cuisine pour ne pas risquer d'être vue. Johanna lui donna une des torches électriques de Tom.

– Sois très prudente ! Si c'est ce que nous craignons, le coin sera plein de soldats. Les deux hommes essaieront probablement de gagner la montagne. Reste chez ta sœur cette nuit, ce sera plus sûr que d'essayer de revenir. Si l'on remarque ton absence, je trouverai toujours une explication... Avec un peu de chance, personne ne s'apercevra de rien !

Karen s'enfonça dans l'obscurité, sous la pluie, en courant à toute allure. Elle atteignit très vite la rive où l'on amarrait les barques. Elle sauta dans l'une d'elles et assura les rames sur les tolets. La pluie fouettait les flancs du bateau et transperçait déjà le foulard qui lui couvrait la tête. Mais elle ne sentait rien, rien d'autre que la terreur à la pensée de ce qui attendait Marthe et Raold si les Allemands découvraient les résistants chez eux.

Soudain, elle aperçut sur la côte la lueur de phares : plusieurs camions progressaient sur la route. Les soldats allemands allaient donc bien encercler le village. Elle pesa de toutes ses forces sur les rames. Jamais le ponton d'amarrage en dessous de la maison ne lui avait paru si éloigné. Elle crut distinguer des coups de feu dans le lointain. Elle tendit l'oreille, rien. Elle décida qu'elle s'était trompée et qu'il n'était pas encore trop tard.

Dans le fournil, Gunnar attendait, prêt à partir. Il regardait continuellement sa montre et marchait de long en large. La chaleur était étouffante. Raold continuait de faire son pain et l'odeur de la pâte et du levain emplissait la pièce. En haut, dans l'obscurité, Marthe guettait la route.

– Mon collègue est en retard, dit Gunnar.

Raold pensait la même chose. Il était heureux d'avoir les mains occupées, cela dissipait un peu son anxiété.

– Oui, dit-il, combien de temps lui donnez-vous encore ?

– De toute façon, je dois l'attendre. Il finira bien par arriver... Si je pouvais sortir, cela me calmerait !

– Vous ne pouvez pas y aller avant de savoir où

le bateau attend. Le point d'ancrage dépend des sentinelles et des bateaux en patrouille.

Gunnar fit un signe de tête impatient. Il ne pouvait s'empêcher d'aller et venir... Il était déjà allé plusieurs fois dans l'entrée s'asseoir sur l'escalier pour allumer une cigarette. Raold refusait catégoriquement que quiconque, même un agent secret, fume dans son fournil. L'attente allait reprendre, plus éprouvante que jamais pour les nerfs, quand des coups précipités retentirent à la porte du fournil. Raold fit un signe de tête nerveux et Gunnar s'engouffra dans l'entrée, son revolver à la main. Il vit Raold entrebâiller sa porte avec précaution puis l'ouvrir toute grande pour laisser pénétrer une jeune femme qu'il n'avait jamais vue...

– Karen ! dit Raold, qu'est-ce que tu fais ici ?

– Je suis venue te prévenir. Si les hommes de la Résistance sont encore dans la maison, ils doivent s'enfuir tout de suite...

Gunnar apparut dans le fournil.

– Qui êtes-vous ?

Raold répondit.

– C'est la sœur de ma femme.

Gunnar rangea son revolver et la questionna abruptement.

– Que se passe-t-il ?

Elle s'avança et dit précipitamment :

– J'ai vu des camions qui approchaient du village. Je travaille chez Tom Ryen, de l'autre côté de la crique. Le chef de la sécurité allemande a disparu sans prévenir et sans donner de raison...

– Vous travaillez chez Tom Ryen ? Êtes-vous avec Johanna ?

– Oui. C'est elle qui m'envoie.

On entendit alors des petits coups frappés à la porte. Les deux hommes reconnurent le signal. Gunnar saisit Karen par le bras et murmura :

– Venez avec moi dans l'entrée au cas où le visiteur ne serait pas celui que nous attendons...

Il sortit de nouveau son revolver. Karen se plaqua

derrière lui contre l'escalier. De leur cachette, ils observèrent Raold qui ouvrit, une fois de plus...

Gunnar revint dans le fournil et ses traits se tendirent à la vue du visage de Steffen qui, d'une pâleur inaccoutumée, s'affaissa contre le mur.

– Tu es blessé ? Que s'est-il passé ?

– Je suis touché à l'épaule.

Gunnar ouvrit la veste de Steffen. Une tache rouge s'élargissait sur son épais chandail de laine.

– Il faut vite te faire un pansement : tu perds beaucoup de sang !

Steffen le repoussa.

– Ça peut attendre ! Toi, tu ne le peux pas ! Fiche-moi le camp d'ici tout de suite, et gagne les montagnes ! C'est ta seule chance. Tu ne parviendras jamais jusqu'au bateau, la route est coupée par les Allemands. Je me suis fait piéger en essayant d'atteindre le village. S'ils ne me trouvent pas dans le sous-bois, ils iront jusqu'au bateau amarré, puis au village. J'espère que le capitaine a entendu le coup de feu, mais c'est peu probable.

– Essayons les montagnes ensemble, dit Gunnar. (Saisissant à pleines mains un peu de pâte fraîchement pétrie, il en fit un emplâtre qu'il appuya sur la blessure de Steffen.) Cela arrêtera le sang jusqu'à ce que nous puissions te faire soigner.

– Je n'y parviendrai jamais, dit Steffen. Je viens de te dire de t'en aller... Je ne me suis pas traîné jusqu'ici sur les genoux pour que tu joues les imbéciles. Ils vont surgir d'un moment à l'autre et fouiller les maisons. Tu n'auras plus la moindre chance !

Gunnar eut un bref éclat de rire... Il continua de modeler son « pansement » sur l'épaule de Steffen.

– Ne fais pas ta mauvaise tête ! Ce n'est pas qu'à toi qu'ils donnent la chasse ! La belle-sœur de Raold vient d'arriver. Elle pense que la Gestapo a eu des renseignements. Nous sommes tous les deux dans le même bain et nous en sortirons ensemble... ou pas du tout.

Pendant qu'il parlait, des pas précipités se firent

entendre dans l'escalier. Marthe apparut, tremblante.

– Les Allemands ! Ils descendent la rue dans les deux directions...

Karen se précipita vers Gunnar.

– Je vais vous montrer où j'ai laissé ma barque. Prenez-la ! Emmenez Steffen chez Tom Ryen. Je vous indiquerai où vous devez accoster. Johanna doit faire le guet. Elle saura où vous cacher. La maison est pleine d'officiers de la Wehrmacht, personne ne viendra vous chercher là.

Steffen émit un grognement.

– Non... Non ! Pas Johanna ! Je ne veux pas la mêler à cette affaire.

Gunnar parut ignorer sa remarque. Il se tourna vers Karen.

– Où est votre barque ?

– Venez avec moi, dit Karen.

Steffen se détacha du mur, chancelant. Il serait tombé si Gunnar ne l'avait pas soutenu. Raold leur tint la porte ouverte. Il était convenu que, quoi qu'il advienne, Raold continuerait de travailler comme si de rien n'était. Il n'y avait rien d'autre à faire.

Ils sortirent dans l'obscurité. Il pleuvait à torrents. Ils se hâtèrent de gagner le bord de l'eau. Gunnar fit d'abord monter Steffen dans la barque puis tendit une main à Karen.

– Je reste ici, dit-elle.

Puis elle lui indiqua l'endroit où ils devaient débarquer.

– Dites-moi le nom du bateau qui devait vous emmener ainsi que le signal convenu. J'ai une chance de pouvoir passer par les rochers, je vais essayer de le prévenir.

– Le nom du bateau est *Fjellpike* et le mot de passe « Midgard ». Il n'y a qu'un endroit à l'ouest où l'on puisse amarrer les chalutiers. Le *Fjellpike* se trouve là.

– Je connais, dit-elle. Bonne chance à vous deux !

– À vous aussi !

Gunnar se mit aux avirons tandis que Karen disparaissait dans la nuit. Steffen, affaissé à l'avant, exprima à haute voix ce qu'ils pensaient tous deux.

– J'espère qu'elle réussira. Parce que si elle échoue, nous sommes tous fichus.

Sur ce, ils n'échangèrent plus un mot, vieille habitude acquise dans la clandestinité. La barque tanguait et roulait sur les courtes vagues très fortes; la pluie restait torrentielle. Une fois la crique traversée, Gunnar ne s'éloigna plus du rivage. Steffen scrutait l'obscurité pour essayer d'apercevoir le hangar à bateaux indiqué par Karen. Il apparut enfin et Gunnar repéra un poste où amarrer la barque. Il n'avait pas la moindre idée de l'endroit où ils se trouvaient. L'important, c'était de poser le pied sur la terre ferme et de se cacher.

Il aida Steffen à sortir de la barque. Dans le hangar, Steffen s'effondra, sa tête heurtant légèrement le mur. Gunnar alla faire un petit tour de reconnaissance en restant sous le couvert des arbres. Malgré le black-out, des rais de lumière filtraient des fenêtres de la maison que l'on devinait dans l'obscurité. Il était impossible d'en définir les contours ou les proportions. Heureusement, la musique le guidait. Il repéra bientôt l'endroit où l'on dansait. Il se glissa le long du mur à l'arrière de la maison; c'était là que, normalement, devait se trouver la cuisine. Il mit un pied sur les marches du porche, une vieille planche craqua. La porte de la cuisine s'ouvrit immédiatement et il se trouva en pleine lumière.

Johanna eut un sursaut d'étonnement.

– Gunnar !

Elle s'élança à l'extérieur en fermant la porte derrière elle.

– Et Karen ? Où est-elle ?

– Elle est restée là-bas. L'Anglais est avec moi. Il est blessé.

– Gravement ?

Johanna sentit sa voix trembler.

– Je n'en sais rien. Où pouvons-nous le cacher ?

– Dans la maison au cas où ils fouilleraient les

communs. Il y a l'office attenant à la cuisine, vous pourrez y rester quelque temps. Avez-vous besoin de moi ?

– Non... Tenez-vous prête, simplement, à nous laisser entrer !

Johanna retourna donc dans la cuisine. Elle fit le tour de la table surchargée de verres sales et ouvrit la porte qui donnait sur l'entrée. Elle l'avait fermée à clef par précaution. Elle y passa la tête : personne en vue, ni dans l'entrée, ni dans l'escalier. Elle monta rapidement jusqu'au palier du premier étage où l'on gardait dans un placard une trousse de premiers secours et des bandages. Elle attrapa au passage des couvertures, puis redescendit. Elle déposa le tout sur le sol de pierre de l'office et remonta pour aller chercher des draps. Tom était dans l'escalier.

– Tu fais les lits à cette heure-ci ?

Elle répondit le plus naturellement du monde :

– L'un de nos invités a eu un léger malaise.

– Ce sont des choses qui arrivent, répondit-il sans la moindre émotion.

Il était lui-même pris de nausées. Il s'engouffra dans la salle de bains. Elle se rua de nouveau en bas avant qu'il en sorte.

Pendant ce temps, Gunnar était revenu au hangar où il avait trouvé Steffen encore conscient, mais incapable de se tenir debout. Il le hissa sur ses pieds malgré ses grognements et, le portant à moitié, le tira jusqu'à la maison.

Ils atteignirent le porche de la cuisine. Pendant un bref instant, les yeux de Steffen se fixèrent sur le visage de Johanna. Ce fut alors que la douleur et l'épuisement eurent raison de lui; il perdit connaissance.

Karen progressait le long des rochers sur les bords du fjord. Elle était déjà tombée plusieurs fois, les jambes de son pantalon étaient déchirées et ses espadrilles trempées. De temps en temps, elle retrouvait une plage de galets sur lesquels elle pouvait courir. À tout moment, des algues collées aux rochers la faisaient glisser. Ses mains et ses jambes étaient déjà largement entaillées. Seule la certitude que personne ne pouvait la voir lui redonnait courage.

Soudain, elle entendit le ronflement d'un bateau. Elle s'aplatit contre un rocher. Quelques secondes plus tard, les phares de la vedette allemande balayaient le rivage.

Quand elle était obligée de suivre la plus basse ligne de rochers, elle se faisait éclabousser par les vagues. Mais cela n'avait plus grande importance : elle était déjà trempée. Elle avait perdu son foulard et ses cheveux plaqués sur sa tête lui collaient au visage.

Enfin, se détachant sur l'eau, apparut le pan rocheux derrière lequel devait attendre le chalutier. Elle fut obligée de s'éloigner de l'eau et de regagner la terre, plus haut, où elle put courir sur l'herbe mouillée. Elle discerna alors le bateau en contrebas, tous feux éteints. Quelqu'un devait faire le guet près du sentier qui descendait dans la crique. Il fallait donner le mot de passe.

À voix basse, elle prononça :

– Midgard !

C'était le nom d'un sanctuaire aux dieux scandinaves, il convenait bien à cette nuit sauvage et à cette course éperdue.

– Midgard ! répéta-t-elle.

À deux pas d'elle, une silhouette sortit du couvert des arbres. Elle sursauta.

– Karen ? C'est bien toi, Karen ?

– Erik !

Elle se jeta dans ses bras, et un long baiser scella leurs retrouvailles. Ils vacillèrent. Elle oublia tout : les humiliations, les doutes, la conviction qu'elle était perdue pour lui parce qu'elle se sentait salie. Tout ce qu'elle désirait le plus au monde lui était rendu !

Quand ils eurent repris leur souffle, Erik se mit

à rire doucement du bonheur inattendu de ces retrouvailles. Elle lui expliqua en haletant ce qui l'avait conduite là.

– Hum, dit-il, ils te prendront si tu retournes là-bas... Je t'emmène aux îles Shetland.

Elle crut qu'elle allait pleurer de joie. Il envoya un signal en morse au bateau, avec sa torche, pour qu'il se tienne prêt au départ. Ils se mirent à courir dans le sentier. Ils perçurent au-dessous d'eux le bruit du moteur qui démarrait.

– *Achtung !*

Le cœur de Karen s'arrêta de battre. Un soldat apparut, tout essoufflé. Il leur faisait face. La réaction d'Erik fut instantanée. Il repoussa Karen derrière lui et tira un coup de pistolet d'alarme. Elle ignorait qu'il en portait un sur lui. Une étoile rouge s'éleva dans la nuit au-dessus de l'eau. Les Allemands avaient sûrement reçu l'ordre de ramener les prisonniers vivants, afin de les interroger. Erik, autrement, aurait été abattu sur place. Le soldat se mit à hurler :

– Mains en l'air ! Allez, levez les mains vous aussi !

À son tour, il tira en l'air pour donner l'alarme; aussitôt, des soldats allemands jaillirent des bois. Ils dégringolèrent le sentier en tirant sur le chalutier qui s'éloignait déjà dans le fjord. Un sergent donna l'ordre de détacher un homme pour envoyer un message radio aux patrouilleurs côtiers... Puis il alla vers les prisonniers et braqua sa torche sur le visage d'Erik, puis sur celui de Karen. Il ordonna que l'on place le marin à l'écart. Quant à la jeune femme, il fallait l'escorter jusqu'au village afin qu'elle rejoigne tous ceux qu'ils avaient déjà arrêtés.

Les Allemands poussaient déjà Erik de la pointe de leur fusil. Il se retourna vers Karen pour un dernier regard, un dernier mot.

– Nous nous retrouverons, dit-il avec assurance.

– Je t'aime, répondit-elle simplement.

Elle se sentait perdue. Elle pleurait. Le groupe de soldats qui les séparait fit qu'elle ne sut même pas si Erik l'avait entendue. Les sanglots l'étouffaient. On lui donna un coup de crosse pour l'inciter à avancer. Elle avait maintenant le droit de baisser les bras. Mais ses espadrilles détrempées la gênaient pour marcher : elle titubait à chaque instant. Elle se sentait glacée jusqu'à la moelle des os. Les soldats ne lui dirent pas un seul mot. Des éclairs de torches trouaient par instants les bois, elle entendait les aboiements des chiens policiers.

Avant même d'avoir senti la fumée, elle sut que quelque chose était en train de brûler. Arrivée aux abords du village, elle regarda, sans y croire, la scène qui s'offrait à ses yeux. Avec des torches de fortune, les soldats allemands mettaient le feu à chaque maison, à chaque bâtiment. Les bateaux de pêche eux-mêmes flambaient. À la lueur de cet incendie, elle aperçut les femmes et les enfants du village, parqués en groupe, qui assistaient à la destruction de leurs foyers. Les hommes, eux, avaient déjà été rassemblés comme du bétail à l'intérieur de camions.

Certains d'entre eux avaient eu le temps de revêtir un manteau par-dessus leur pyjama; tous avaient été tirés de leur lit en plein sommeil et ils avaient l'air complètement égarés.

Karen cria à son escorte :

– Mais pourquoi avoir fait ça ?

– Par ordre du commandant. Justes représailles contre vous et contre tous ceux qui ont abrité des agents secrets, répondit un soldat. (Et il pointa son fusil en avant vers un homme à terre, mort.) Nous l'avons eu, celui-là. Nous l'aurions voulu vivant, mais il a tué un officier et deux de nos hommes avant que nous ayons pu le neutraliser.

Le Norvégien gisait dans une mare de sang. Karen observa, au passage, son visage tranquille, et la douleur la saisit. Ce n'était pas un de ceux qu'elle avait vus chez Raold. Deux hommes en civil, qu'elle devina être de la Gestapo, étaient en train de le fouiller. Axel Werner, botté, les jambes écartées, les mains derrière le dos, contemplait la scène. Elle en conclut qu'un troisième agent s'était trouvé dans le village, cette nuit, et que, par un mauvais tour du destin, il s'était trouvé pris dans le filet tendu pour les deux autres.

– Eh, vous, là-bas !

Elle fut poussée avec brutalité pour rejoindre, en trébuchant, le groupe des femmes déjà rassemblées là. Des bébés pleuraient. Marthe qui l'avait vue arriver éclata en sanglots dans ses bras.

– Ils ont emmené Raold ! Nous ne savons même pas ce qu'ils vont faire de nous.

Karen la retint un moment, serrée contre elle. Par-dessus l'épaule de sa sœur, elle vit flamber l'enseigne dorée de la boulangerie. La pluie ininterrompue n'était d'aucun secours devant la puissance des brasiers.

Le nettoyage du village continua. On entendait des tirs spasmodiques – les soldats allemands abattaient tous les animaux domestiques ! C'était une destruction parfaitement organisée. Il n'y eut pas de pillage, tout fut détruit par les flammes.

Au bout d'un moment, d'autres camions arrivèrent. C'était maintenant au tour des femmes et des enfants d'être embarqués. Les Allemands procédèrent comme ils l'avaient fait pour les hommes. Les femmes âgées furent mises à l'écart. Karen aida à faire monter les enfants. Elle fut la dernière à sauter dans le véhicule où Marthe, éperdue, l'attendait.

Les camions démarrèrent lentement, en convoi. À travers les pans de toile qui battaient au vent, Karen put contempler son village incendié, à demi caché à présent par de lourds nuages de fumée noire. Un sergent s'avança au milieu de la route dans le sillage du camion dans lequel elle se trouvait. La lueur des phares se réfléchissait sur son casque et éclairait les traits de son visage. Il paraissait désespéré. Karen le reconnut. Elle le regarda avec insistance et lui adressa une silencieuse et définitive condamnation.

Un soldat s'approcha du sergent et lui demanda :

– Que va-t-on faire de tous ces gens ?

Carl Müller laissa tomber sa réponse d'une voix sans timbre :

– Les hommes partent pour les camps de concentration en Allemagne. Les femmes et les enfants iront aussi dans des camps, mais, eux, ils restent dans ce pays.

– Et les vieux ?

– On les laisse... La plupart mourraient en route...

L'officier médecin avait dit quelque chose de semblable le jour où il avait retrouvé Karen. Müller se retourna vivement vers le caporal en grondant :

– Retournez surveiller les feux et en vitesse !

Et il lui emboîta le pas. Il avait pour mission de veiller à ce que rien ne subsiste du village. Il pensait à Karen.

Si un officier s'était trouvé là au moment de sa capture, elle aurait été emmenée avec le marin pour être interrogée par la Gestapo. Il lui avait donc, au moins, épargné cela. Nul n'avait songé à lui demander pourquoi il avait ordonné qu'elle soit ramenée au village. À présent personne ne s'en soucierait plus. Et le souvenir de son visage, lorsqu'elle s'était éloignée dans le camion, ne le quittait plus.

Il espérait qu'elle aurait assez de force pour survivre à ce qui l'attendait.

12

Chez Tom Ryen, Steffen gisait toujours inconscient dans l'office, sur un lit de fortune fait de couvertures empilées. Gunnar et Johanna s'étaient agenouillés à ses côtés... Elle tira ce dont il avait besoin de la trousse de premiers secours et le lui tendit. La blessure avait été aggravée par les efforts de Steffen pour atteindre la boulangerie. Outre le choc et l'épuisement, il perdait beaucoup de sang.

Quand il eut terminé son pansement, Gunnar tira la couverture sous le menton de son camarade et lui installa les oreillers de façon qu'il repose plus confortablement.

– Il a surtout besoin de repos, il faudra lui donner à boire. C'est tout ce que nous pouvons faire pour l'instant.

Ensuite, Gunnar s'assit par terre, mains sur les cuisses, coudes écartés. Il contemplait Johanna face à lui. Il pensa qu'une telle beauté était incongrue en ce lieu, au milieu des sacs de farine, des bocaux de conserves et de toute cette accumulation de pots, de jarres de toutes sortes.

La robe du soir de Johanna, soyeuse, bouffait autour d'elle. L'une de ses bretelles de strass avait glissé de son épaule.

Elle regardait Steffen et son visage était presque transparent tant il irradiait l'amour.

Elle demanda avec anxiété :

– Pensez-vous qu'il souffre beaucoup ?

– Non... en tout cas, il n'en a pas conscience en ce moment.

Gunnar vit deux larmes rouler sur ses joues. Elle se couvrit la bouche de la main.

– Hé ! attention, il n'est pas en train de mourir.

Elle abaissa ses mains sur ses genoux et lui adressa un sourire mouillé.

– Je sais bien. Si je pleure, c'est de soulagement parce que sa blessure aurait pu être bien pire. Il était dans un état affreux quand vous l'avez amené jusqu'ici.

Puis, elle sécha hâtivement ses yeux du revers de la main.

– Je dois retourner à la soirée, dit-elle. Vous êtes en sécurité ici. Si seulement je pouvais savoir comment les choses se sont passées pour Karen ! Pensez-vous qu'elle aura pu atteindre le bateau à temps ?

– Je vous l'ai déjà dit : elle était sûre d'y parvenir.

– Je ne serai pas tranquille, reprit Johanna, tant qu'elle ne sera pas de retour. J'espère qu'elle sera ici avant que tout le monde ne se lève demain matin. Je vais chercher une carafe d'eau pour Steffen et puis je lui apporterai de nouveaux vêtements. La garde-robe de Tom est très bien fournie !

Pendant que les pansements et les vêtements de Steffen étaient en train de brûler, elle vida le récipient plein d'eau qui avait servi à nettoyer sa plaie et le rinça soigneusement...

Puis elle sortit de l'office, en referma la porte derrière elle et s'y appuya un instant, en fermant les yeux. Tout ce qu'elle venait d'éprouver avait été si fort qu'elle aurait aimé, comme les femmes dans les tragédies grecques, tenir Steffen contre elle, l'embrasser et gémir.

Elle prit une profonde inspiration et s'examina dans un miroir. Non, elle n'avait pas de sang sur le visage. Elle libéra une mèche coincée derrière son oreille. Quand elle sortit de la cuisine, elle s'attendait à voir Tom se précipiter sur elle, mécontent de sa disparition prolongée. À sa grande surprise, les musiciens de l'orchestre étaient déjà en train de remballer leurs instruments.

Elle jeta un coup d'œil à sa montre.

– Vous partez déjà ? Il est à peine minuit !

L'un des musiciens lui répondit :

– Personne n'a envie de danser. Ceux qui ne sont pas sous la véranda sont allés voir l'incendie. Nous ramenons leurs... enfin... ces dames en ville dans notre camionnette.

– L'incendie ? Où donc ? De quelle maison s'agit-il ? Est-ce que quelqu'un le sait ?

– J'ai bien peur qu'il ne s'agisse du village tout entier...

Elle traversa en courant le salon déserté et gagna la véranda. Elle aperçut alors la lueur qui embrasait le ciel au-dessus des arbres. Le fjord en rougeoyait. Quelques officiers allemands fumaient, en bavardant. Une demi-douzaine de femmes attendaient de monter en voiture. Elles se montraient à la fois subjuguées par le spectacle et légèrement vexées d'être quelque peu laissées pour compte. Johanna repéra Tom et se précipita vers lui.

– Je ne sais pas exactement ce qu'il se passe, dit-elle, mais il me semble que nous devrions faire la chaîne, nous rendre utiles, non ? Les pompiers du village ne s'en tireront pas tout seuls.

Un silence pesant suivit cette tirade. L'officier le plus proche de Tom se retourna à demi pour s'adresser à elle :

– Un sergent vient de nous faire son rapport. Ce n'est pas exactement de ce genre de feu qu'il s'agit, mademoiselle... Nous exerçons des représailles pour éliminer toute subversion. Ne vous inquiétez pas ! Il n'y aura pas de sans-abri : les habitants du village vont être dispersés et relogés... cela donnera à la population le temps de réfléchir.

Instinctivement, Johanna recula, envahie par un tel sentiment d'aversion qu'elle ne pouvait plus faire un geste. La camionnette des musiciens apparut et il y eut un moment d'agitation du côté de ces dames. Elles descendirent en courant les marches de la véranda et traversèrent la pelouse mouillée, tête baissée à cause de la pluie. Elles étaient toutes arrivées en voiture et ce départ précipité leur déplaisait tout à fait.

Johanna sentit la nausée la gagner. Elle se détourna et rentra dans la maison. Tom l'y suivit. Elle se laissa tomber sur une chaise, prostrée, la tête obstinément baissée. Il fit les cent pas devant elle, tout en tournant et retournant sa bague à son doigt. Puis il se décida :

– Cela aurait pu être bien pire, Johanna. Tu as bien entendu ? Ils les ont emmenés, ils ne les ont pas tués.

Elle lui répondit d'une voix dure.

– Êtes-vous en train de me dire que les Allemands ont fait preuve d'une grande clémence ?

– En un sens, oui. Nous n'avons pas de détails

pour l'instant. Nous aurons des explications au retour d'Axel Werner. Il m'a dit en arrivant qu'il devrait s'absenter quelques heures au cours de la soirée... Je sais que cela te rend malade, c'est la même chose pour moi, crois-le ! Je connais toutes les familles de ce village depuis toujours.

Il frappait ses poings nerveusement l'un contre l'autre. Elle ne releva pas la tête pour autant.

– Pour l'amour du ciel, poursuivit-il, ne te montre pas trop hostile aux Allemands. Ils sont susceptibles en ce moment. Nous n'avons pas à nous mêler de tout ça... Nous n'y pouvons rien !

Elle secoua la tête, désespérée.

– Oh, Tom ! dit-elle en une sorte de gémissement.

Les officiers rentrèrent dans le salon. Tom Ryen afficha un sourire jovial et alla à leur rencontre.

– Eh bien, messieurs, je suis à peu près certain que vos verres ont besoin d'être remplis.

Quand il se retourna, Johanna n'était plus dans la pièce. Il se dit que c'était aussi bien ainsi. Les invités se retirèrent enfin, un peu plus tard. La maison avait retrouvé tout son calme. Tom sortit sur le perron. La lueur de l'incendie avait disparu mais une odeur âcre flottait encore dans l'air. Il entendit une voiture qui approchait. Le général SS était de retour. Le chauffeur sauta de l'automobile pour ouvrir la portière arrière et Axel apparut. Il semblait fatigué mais satisfait.

Il dit à Tom tout en montant les marches :

– Nous avons blessé un de leurs agents, mais il a réussi à s'enfuir dans le sous-bois. Nous en avons descendu un autre que nous avons surpris avec un émetteur radio.

Il entra dans la maison, ôta son casque luisant et le posa.

– Dure nuit ! Et pas une de celles qui me plaisent particulièrement... Vous savez le sort que nous réservons aux gens du village. Je ne serai jamais un boucher, major Ryen !

– Certainement pas.

– Il n'y a que ceux qui ont caché cet agent qui seront exécutés. Ce qui veut dire qu'il me faut retourner là-bas dès demain matin. Cela gâche mon week-end. Vous parlez d'un ennui ! Mais c'est ainsi...

– Combien sont-ils ?

La voix de Tom était sans timbre.

– Il y a le mari, trois fils âgés de dix-huit à vingt-deux ans et un oncle qui vivait avec eux. Déplaisante affaire ! Mais il faut faire un exemple pour tenir les autres en respect.

– La destruction du village sera peut-être suffisante, avança Tom timidement.

Axel lui lança un regard dur.

– J'ai eu trois morts parmi mes hommes cette nuit, plus deux blessés. J'aurais pu faire périr tous les habitants de ce village ! C'est déjà arrivé, quand on a eu l'audace de braver le Troisième Reich. J'ai été indulgent cette fois-ci, vous ne trouvez pas ? (Tom se hâta d'approuver.) Nous avons aussi pris un marin qui attendait les agents...

– Il est de la région ?

– Ses papiers donnent un nom et une adresse près de Bergen. Mais tout cela est probablement faux. Ils essaient de protéger leurs familles et leurs amis en prenant des identités fantaisistes. Nous en saurons plus quand nous l'aurons invité à parler. La Gestapo le transfère à Oslo demain.

– Et le bateau ?

– Coulé. Aucun survivant. Notre bateau de patrouille lui a déchargé une rafale sur l'avant.

Tom était soulagé que Johanna ne se trouve pas à portée de voix. Elle n'était pas aussi solide qu'il l'avait imaginé quand il l'avait engagée. Si elle n'avait pas été tout à la fois sa cousine et une secrétaire hors pair, plus efficace que toutes celles qu'il avait eues jusqu'à présent, il aurait été obligé de se séparer d'elle.

Axel déboutonna la veste de son uniforme et desserra sa cravate.

– ... Je reste quand même optimiste, vous savez !

Avec le temps, vos compatriotes reconnaîtront leurs erreurs. Comme je l'ai toujours dit, ce n'est qu'une question de préjugés et de faux idéaux.

– C'est tout à fait mon point de vue, dit Tom. Que diriez-vous d'un cognac avant de monter dans votre chambre ?

Axel émit un grognement en guise d'assentiment. De toute façon, ce cognac lui appartenait : il avait apporté lui-même sa bouteille pour le week-end.

– Serait-il possible que Johanna ou mademoiselle – quel est donc son nom ? – me prépare un sandwich ?

– Mais bien sûr. Je vous sers à boire d'abord...

Tout en massant son épaule droite douloureuse, Axel suivit Tom dans la pièce au plafond rose, là où, au début de la soirée, s'était tenue la partie de bridge. Il se laissa tomber dans un fauteuil et étira ses longues jambes vers les braises qui rougeoyaient dans le foyer de pierre.

Tom lui tendit son verre. Il leva la tête et dit :

– Les garages, le hangar à bateau et les terrains autour de votre maison seront fouillés durant la nuit. Vous n'avez pas besoin d'y aller. Rien ne sera abîmé.

Il leva son verre.

– *Prosit !*

– *Skol !*

À la cuisine, Johanna avait déjà fini la vaisselle et Gunnar l'avait essuyée. Elle voulait cacher l'absence de Karen aussi longtemps qu'elle le pourrait. Elle espérait qu'elle ne s'était pas trouvée dans le village quand on y avait mis le feu. La vaisselle dont on ne se servait pas tous les jours devait être rangée dans l'office. Gunnar était en train d'y transporter une pile d'assiettes quand on entendit des bruits de pas dans l'entrée. Elle avait placé une chaise devant la porte de la cuisine pour se donner un peu de temps au cas où quelqu'un aurait eu la malencontreuse idée d'entrer.

Elle murmura à l'adresse de Gunnar :

– Quelqu'un arrive ! Éteignez la lumière de l'office.

Tom entra et grogna à propos de cette chaise dans le passage. La porte de l'office venait juste de se refermer. Johanna reposa la pile d'assiettes qu'elle se préparait à tendre à Gunnar et demanda à Tom :

– Vous désirez quelque chose ?

– Axel Werner est rentré. Il aimerait manger un sandwich.

Il vit son expression changer et proposa, conciliant :

– Tu n'es pas obligée de le faire, je peux demander à Karen...

Elle avala sa salive avec difficulté.

– Karen a terminé son travail. Je vais m'occuper de ce sandwich.

Tom se rendait bien compte qu'elle prenait sur elle pour lui rendre service. Il se dit que, après tout, en dépit de son émotivité, elle savait faire face. C'était un fait qu'on ne pouvait refuser de préparer un sandwich à Axel Werner, ça c'était une attitude sage. Tom aimait sincèrement Johanna. Il remarqua ses cernes sous les yeux. Elle paraissait épuisée et très angoissée.

– Puisque Karen est montée se coucher, dit Tom, je vais t'aider. Tu fais le sandwich, et moi, je range la vaisselle.

– Non !

Ce ton impératif, inhabituel chez elle, le surprit. Elle sourit et fit un geste d'excuse pour atténuer sa réponse.

– Enfin. Je voulais dire... Ce n'est pas la peine. Tout ça peut attendre demain.

– Mais Karen aura besoin de place pour préparer le petit déjeuner. Je te connais : je sais que tu vas tout faire seule, ce soir.

Et il prit la pile d'assiettes qu'elle avait posée. Avec la rapidité de l'éclair, elle se précipita devant lui, bloquant l'accès à la porte de l'office.

– Allez donc retrouver Axel Werner ! Il est votre invité et vous le laissez seul !

– Il se porte très bien. C'est toi qui m'inquiètes pour le moment. Pousse-toi, s'il te plaît ! Je ne quitterai pas cette cuisine avant que tout ne soit rangé.

Il s'avança résolument vers elle.

– Tom ! Je vous en prie, faites ce que je vous demande ! dit-elle d'un ton désespéré.

– Mais, ma petite fille, qu'y a-t-il ? Que se passe-t-il ?

Elle se tenait devant la porte de l'office. Celle-ci n'était pas complètement fermée. Dans son émoi, elle la heurta du talon et la porte s'ouvrit lentement. Gunnar, derrière le vantail, revolver en main, réussit à l'arrêter, mais Steffen qui commençait à reprendre connaissance émit un gémissement. À partir de là, tout était perdu. Le visage de Tom devint aussi rigide qu'un masque de pierre. Il déposa, sans un mot, la pile d'assiettes dans les bras de Johanna tout en l'écartant. Ce qu'il vit alors le pétrifia. Un homme blessé était étendu à terre, sur un lit de fortune, et roulait sa tête d'un bord à l'autre de l'oreiller... Il ressortit aussitôt, laissant la porte entrouverte.

Dans sa panique, il prit Johanna aux épaules et la secoua.

– Qui est-ce ? De qui s'agit-il ? Qui as-tu amené dans ma maison ?

– Tom, je vous en prie, vous devez le garder ici ! Je vous en prie, Tom, je l'aime. Il a été blessé cette nuit et on ne pouvait l'emmener nulle part ailleurs.

– Mais est-ce que tu réalises ce que tu m'as fait ?

Il lui brandit son poing sous le nez comme s'il allait le lui écraser sur la figure. La sueur commençait à lui ruisseler sur le front et à perler au-dessus de sa lèvre supérieure.

– Les troupes de Werner sont en train de passer la région au peigne fin et tu oses me demander de garder cet homme ici ! C'est comme si tu me demandais de me trancher la gorge. Je vais le dénoncer immédiatement.

Et il fit un mouvement vers l'entrée... Alors, elle se précipita devant lui, oubliant complètement la pile d'assiettes qu'elle tenait. Elle lui fit face d'un air de défi.

– ... Je leur dirai que vous êtes mon complice. J'expliquerai aux nazis que cette maison est un repaire de résistants pendant la semaine et que votre hospitalité envers la Wehrmacht n'est qu'une couverture. Je mettrai en évidence que vous êtes un parent de ces frères Ryen qui combattent pour la liberté. Je leur raconterai que mon amant n'est pas le premier agent secret que nous hébergeons. Tous ces mensonges seront assez cohérents pour ruiner à jamais vos espoirs politiques... Il y a même beaucoup de chances pour que vous finissiez dans le même camp de concentration que moi.

C'est ce moment que choisit la pile d'assiettes pour lui glisser des mains. Elle s'écrasa au sol avec un bruit terrifiant qui les fit tous sursauter. Axel, qui venait vers la cuisine, cria :

– Mais qu'est-ce qui vous arrive, ici ? Je suis venu vous prévenir que mes soldats sont autour de la maison, major Ryen. Je vais aux nouvelles. Peut-être aimeriez-vous m'accompagner ?

Il entra dans la cuisine, raide comme un piquet, sans jeter le moindre coup d'œil à la porte entrouverte de l'office. Il s'arrêta net et s'adressa à Tom.

– Alors ? Vous venez ?

Puis l'impatience le gagna.

– Mais qu'est-ce que vous avez donc ? Ce n'est qu'une pile d'assiettes ! Ce n'est quand même pas la fin du monde !

Pour Tom, cependant, c'était bien ça. Il ouvrit la bouche et la referma aussitôt. Du coin de l'œil, il voyait Johanna qui se déplaçait très vite vers la porte de l'office pour la fermer. Il entendit le petit déclic de la serrure. Il dit alors gauchement :

– Je vous rejoins, mon général.

Et il emboîta le pas à Axel Werner.

Johanna pénétra de nouveau dans l'office. Gunnar

l'attendait. Il leva les deux mains victorieusement.

– Bien joué ! Vous avez été fantastique.

– Ne me félicitez pas ! Il y a bien longtemps que j'ai mis au point ce genre de scénario. Mais je n'avais pas envisagé que j'aurais à m'en servir aussi vite ! Nous avons de la chance qu'il ne soupçonne pas votre présence à vous.

Elle s'agenouilla aux côtés de Steffen et, prenant la main qu'il lui tendait, elle se pencha pour l'embrasser.

– Tu es là ! Tu es bien là ! Un instant j'ai cru que j'avais rêvé...

– C'est moi, dit Johanna. Ce n'est pas un rêve. Il faut que tu te tiennes tranquille.

– Mais où sommes-nous ? N'est-ce pas la maison de Tom Ryen ?

Elle fit un signe affirmatif de la tête.

– Tant que l'on ne nous entendra pas parler, dit-elle, vous resterez en sécurité. Gunnar te racontera tout plus tard. Bois un peu d'eau, s'il te plaît, et dors. Tu dois te reposer et reprendre des forces.

Il se souleva légèrement pour boire et cet effort lui fit tourner la tête. Il se rendormit instantanément... Elle retira le bras qu'elle avait glissé derrière son cou et se leva. Gunnar lui prit la tasse des mains et la posa sur une étagère.

– Jusqu'ici tout va bien, dit-il.

– C'est comme si j'avançais sur un terrain miné, répondit Johanna. Pour l'instant, nous pouvons faire confiance à Tom, il ne parlera pas. Karen n'est pas encore rentrée et nous avons je ne sais combien de nazis qui rôdent autour de la maison...

Elle se tourna pour quitter l'office et Gunnar émit un petit gloussement.

– Au moins la pièce ne manque pas de suspense !

Sa plaisanterie remonta le moral de Johanna. De retour dans la cuisine, elle ramassa les débris de porcelaine. Puis elle prépara le sandwich d'Axel et le disposa sur un plateau qu'elle apporta dans le salon. Elle attendit ensuite le retour des deux hommes. Elle éteignit la lumière et souleva l'un des rideaux noirs qui masquaient la fenêtre; mais elle ne put rien voir.

Comme elle l'espérait, Tom ramena Axel dans la maison en passant par la porte principale. Il n'avait pas trouvé de solution pour livrer Steffen sans se compromettre. En entrant dans la pièce, il lui jeta un regard noir.

– Vos soldats sont partis ? demanda-t-elle à Axel.

– Oui. Il n'y aura plus d'autre incident cette nuit, à moins que l'on ne capture cet homme. Mais les chances diminuent de minute en minute.

Il s'affala dans un fauteuil et s'empara du sandwich qu'elle avait placé à portée de sa main. Il vit qu'elle s'apprêtait à se retirer. Il lui fit signe de rester, l'invitant d'un geste à s'asseoir dans le fauteuil qui se trouvait à angle droit du sien.

– J'aimerais vous demander quelque chose, dit-il doucement.

Trop doucement.

La peur de Johanna se raviva d'un coup. Allait-il jouer au chat et à la souris selon son habitude ? Tom qui s'était laissé tomber sur un canapé de l'autre côté de la pièce se posa, de toute évidence, la même question. Son visage aux traits tirés parut soudain plus vieux, tandis que sa mâchoire s'affaissait et que ses épaules se voûtaient...

Elle s'assit tout au bord du fauteuil, les mains serrées l'une contre l'autre.

– Que voulez-vous de moi ? demanda-t-elle à Axel.

– C'est la température plus que fraîche qui vient de me le rappeler. J'ai souvent été sur le point de vous en parler et, chaque fois, cela m'est sorti de l'esprit. J'ai besoin de quelques conseils à propos de fourrures... je sais que vous avez travaillé dans ce secteur.

C'était tellement inattendu qu'elle le considéra d'un air stupide, sans pouvoir dire un mot. Tom, encore tout tremblant, s'empressa de donner son avis.

– Vous ne pouviez trouver mieux ! Johanna est experte en fourrures.

Axel ignora son intervention.

– Je me trouve depuis quelques semaines en possession de peaux de renard argenté. Elles me paraissent belles. J'ai pensé que ma femme serait ravie d'avoir un nouveau manteau de fourrure. La vie n'est pas si facile pour ceux qui sont restés en Allemagne de nos jours.

En d'autres circonstances, elle aurait souri d'un tel manque d'imagination. Peu de femmes portent un superbe manteau de fourrure uniquement pour combattre le froid ! Quant à son couplet sur les temps difficiles en Allemagne, elle l'avait déjà entendu dans la bouche de plusieurs officiers allemands !

Elle lui dit donc sans y mettre d'autre forme :

– Que voulez-vous savoir ?

– Simplement si je possède assez de peaux pour faire un manteau et si leur qualité est assez belle pour que cela en vaille la peine.

– Il me faudrait examiner la marchandise.

– Je les apporterai donc avec moi la prochaine fois que je viendrai. Vous arrangerez cela, Tom. J'aimerais autant ne pas me casser le nez au cas où Johanna aurait décidé d'aller voir ses parents juste ce week-end-là.

Tom était sur le point de suffoquer. Sa voix s'étrangla, puis il se reprit.

– Johanna sera là, dit-il, bien entendu... Nous arrangerons ça, n'est-ce pas ?

– Bien sûr, dit-elle.

Plus tard, elle alla s'asseoir près de Steffen. Elle le veilla une bonne partie de la nuit. Puis Gunnar s'éveilla et la relaya. Steffen était agité. Il souffrait beaucoup. Mais il accepta de boire ce qu'on lui donnait. Le lendemain, Johanna se leva tôt. Karen n'était toujours pas rentrée. Son inquiétude s'accrut. Elle commença d'envisager avec Gunnar la possibilité qu'elle ait été arrêtée et emmenée avec les autres habitants du village.

Axel apparut, sur le pied de guerre, dès sept heures du matin. Il ne s'attarda pas. En fin de matinée, Johanna se rendit au salon rose. Elle savait que Tom l'y attendait. Il se tenait assis, les coudes sur les genoux et la tête dans les mains. La tension insupportable de ces dernières heures l'avait brisé. Il avait perdu tout ressort. Que ses cheveux aient complètement blanchi pendant la nuit ne l'aurait pas autrement surprise. Il lui parla sans même relever la tête.

– Qu'est-ce que tu m'as raconté la nuit dernière ? Tu es amoureuse du type qui se trouve dans l'office ?

Elle alla à la fenêtre et regarda dehors.

– Oui, je l'aime. Tout ce que je demande, c'est que nous puissions passer ensemble le reste de notre vie.

– Mais tu as réalisé quel risque tu me faisais courir ?

Elle se retourna lentement.

– Non, je n'ai pensé qu'à lui.

– Tu le connais depuis longtemps ?

– Depuis le jour de l'invasion. Nous nous sommes rencontrés chez les Alsteen. Il louait une chambre, comme moi, et il y séjournait quand il venait à Oslo.

Tom lui posa enfin la question cruciale, celle dont il redoutait la réponse.

– Et... tu es mêlée à ses activités ?

– Je peux vous jurer que je ne sais rien de ses affaires... excepté celles qui me concernent personnellement.

– Comment va-t-il aujourd'hui ?

– Il reste très faible. Il souffre beaucoup. Il ne doit pas bouger.

– Est-ce que Karen, reprit Tom, sait qu'il est caché ici ? Et dans ce cas, peut-on lui faire confiance ? Gardera-t-elle le silence ? Tout ça m'a empêché de dormir...

– Karen n'est pas là. Je l'ai laissée partir chez sa sœur, hier soir, et elle n'est toujours pas rentrée.

– Alors, c'est qu'elle a été emmenée avec les gens du village, murmura-t-il, accablé.

Les yeux de Johanna s'assombrirent. Il avait raison, il n'y avait plus d'espoir.

– J'ai tant espéré qu'elle reviendrait, dit-elle.

Tom plongea sa tête dans ses mains.

– C'est horrible !

– Tom ? Me permettriez-vous de rester ici cette semaine ?

Il comprit ce qu'elle voulait dire.

– Il faut qu'il soit parti avant vendredi prochain.

– Ça, je vous le promets.

– Peut-on le mettre là-haut dans un lit ? Oh ! Tom, je vous en prie.

– En ce qui me concerne, plus vite il sera sur pied, mieux ce sera.

– Il serait peut-être préférable que j'installe un lit pour lui sur le divan du petit salon. Quand il s'éveillera, nous pourrons l'y porter.

Quand Tom aida Steffen à se rendre de l'office jusqu'au lit qu'on lui avait préparé, Gunnar resta caché. Tom partit un peu plus tard, sans se douter un seul instant que sa maison abritait un deuxième agent secret de la Résistance. Il traversa le village incendié et ce spectacle le déprima encore plus.

Toute la semaine, excepté quand il jouait les infirmières et prenait son tour de garde la nuit, Gunnar se tint discrètement à l'écart de Steffen et de Johanna. La jeune femme restait assise des heures entières près de lui, le tenant par la main. Quand il s'éveillait, ils se parlaient à voix basse. Un jour, Gunnar entra dans la chambre à l'improviste et vit la main de Steffen posée sur la poitrine de Johanna. À partir de ce moment-là, il fut convaincu que la guérison du malade était en bonne voie.

Le vendredi matin, à l'aube, Steffen et lui se préparèrent à partir. Ils prendraient un canot à rames. Plus haut dans le fjord, ils avaient des contacts qui les accueilleraient et assureraient à Steffen les soins médicaux dont il avait encore besoin. Il ne pouvait toujours pas marcher sans aide. Johanna et lui s'embrassèrent longuement tandis que Gunnar s'affairait autour du bateau.

Elle se tint sur la rive jusqu'à ce que le bateau qui les emportait eût disparu dans le brouillard qui nappait l'eau luisante.

Pendant quelque temps, Johanna se montra extrêmement prudente au bureau. Elle ne savait pas si Tom se méfiait d'elle. Petit à petit, elle s'aperçut qu'il ne la soupçonnait aucunement d'être engagée dans la Résistance.

En revanche, il refusa sèchement de s'informer auprès de ses amis allemands de l'endroit où Karen avait été emmenée.

– C'est l'affaire de l'armée allemande, dit-il. Je n'ai strictement rien à voir là-dedans. Et puis il n'est jamais bon de manifester de l'intérêt pour ceux qui sont détenus dans les camps.

Plus tard, ce fut tout à fait par hasard qu'il apprit le sort qu'on avait réservé à Karen. Les nazis avaient installé un centre eugénique dans des bâtiments reconvertis pour la circonstance aux environs d'Oslo. Des jeunes filles aux cheveux blonds et aux yeux bleus étaient accouplées avec de jeunes soldats d'aspect typiquement aryen pour essayer, selon la doctrine de Hitler, de créer la pure race, celle des maîtres du monde. Karen avait été sélectionnée pour ce « service de reproduction aryenne ». Tom pensait qu'elle avait de la chance d'avoir échappé au camp de concentration. Mère porteuse du Troisième Reich, elle était sûrement très bien traitée. Mais il préféra ne pas en parler à Johanna : il sentait bien qu'elle ne verrait pas les choses sous le même angle que lui.

Johanna n'aimait pas la nouvelle gouvernante que Tom avait engagée. Celle-ci le lui rendait bien. Elle se trouva quasiment bannie de la cuisine et réduite au simple rôle d'hôtesse, ce qui, du reste, l'arrangeait grandement depuis la disparition de Karen.

Un jour, en bavardant de tout et de rien, elle parla à Astrid des peaux de renard argenté qu'Axel voulait convertir en manteau.

Astrid se frappa le front de la paume de la main.

– Mais pourquoi n'y ai-je pas pensé plus tôt ! Je possède un manteau de fourrure qui t'ira très bien. Puisque tu dois être conseillère en la matière, autant en porter un.

Johanna lui connaissait trois superbes manteaux de fourrure. Le quatrième n'avait pas vu la lumière du jour depuis l'hiver précédant l'invasion. Astrid le gardait pour les grandes occasions. Il s'agissait d'un renard bleu, avec un immense col à la Greta Garbo. Johanna se coula sensuellement dedans, croisa les bras et en caressa les manches en fermant à demi les yeux.

– Hum... Je me sens fondre. Quelle merveille !

Cette fourrure mettait sa beauté en valeur. Astrid la regarda aller et venir avec ce manteau et elle décida sur-le-champ qu'elle ne le porterait plus jamais elle-même. Il faisait trop jeune, il devait appartenir à la jeunesse et à la beauté.

– Garde-le, il est à toi, dit-elle à Johanna. Et ne discute pas ! Porte-le pour aller à Oslo, comme un étendard en prévision des temps futurs qui pourraient bien être durs.

Johanna le porta pour la première fois quand les neiges arrivèrent. Les flocons poudraient légèrement la fourrure, ses cheveux et ses cils. L'effet était ravissant. Tom pensa, une fois de plus, qu'il était navrant de voir une si belle fille se languir pour un homme qui finirait certainement devant le peloton d'exécution alors qu'elle n'avait que l'embarras du choix parmi les officiers de la Wehrmacht.

Elle passa le week-end suivant chez Tom et apprit par Axel que le lieutenant qui avait importuné Karen venait d'être tué lors d'un raid aérien des Alliés sur la centrale de Vemork dans la région de Telemark. Les Alliés s'intéressaient donc toujours à la production de la centrale d'eau lourde. Les invités parlèrent un moment du raid aérien, puis Axel enleva le couvercle de la boîte qui contenait « ses » fourrures. On fit cercle pour les admirer.

Johanna sortit les peaux une à une et, les tenant par le haut, elle les lissa, puis souffla sur les poils pour les séparer. Elle avait très souvent vu Leif Moen examiner des peaux et savait reconnaître celles qui étaient vraiment belles. Celles-ci ne seraient jamais entrées dans le salon de Leif aux jours de gloire; mais elles étaient bien suffisantes pour ce à quoi on les destinait.

Elle étala une peau sur chacune de ses épaules pour montrer à Axel ce qu'elles donneraient une fois façonnées, et lui dit :

– Elles ne sont pas d'une qualité exceptionnelle, mais elles feront un joli manteau. Connaissez-vous les mensurations de votre femme ? De toute façon, il y a assez de peaux pour faire un manteau.

– Je les lui demanderai.

– Et le modèle ?

– Pour ça, je vous fais totalement confiance... Est-ce que vous connaissez quelqu'un qui puisse s'en charger ici ?

– ... Non... Mais si vous me laissez m'en occuper, je peux les apporter à mon ancien patron à Oslo. Il fait des merveilles.

– C'est parfait, dit-il. Je demanderai au major Ryen de vous donner deux jours de congé.

Il ne fallait pas laisser passer cette chance.

– Il me faudra plus d'un voyage !

Il eut un geste désinvolte.

– Aucun problème. Je vous donnerai une autorisation de déplacement valable pour trois mois.

– ... Dans ce cas votre femme n'aura pas à se plaindre du résultat.

Un des officiers qui étaient restés en arrière se faufila parmi ceux qui examinaient les fourrures.

– Est-ce que, par hasard, cet homme d'Oslo dont vous parlez n'aurait pas quelques peaux en réserve ? Ma fiancée serait folle de joie d'avoir un beau manteau de fourrure.

– Et la mienne donc ! renchérit un autre officier.

Johanna enfouit son menton dans l'une des peaux, qu'elle avait enroulée autour de son cou. Ses pensées allaient vite. Son but tout d'abord avait été de saisir la possibilité de faire trois ou quatre voyages à Oslo, pour servir de courrier à la Résistance. Depuis que Steffen le lui avait demandé, elle n'avait cessé de guetter une telle occasion. Elle était en train de réaliser qu'elle pourrait prolonger ces voyages à l'infini. Il ne restait qu'à persuader Leif Moen d'accepter de se séparer des précieuses fourrures cachées dans sa cave.

– Je ne peux rien promettre, dit-elle. Tout ce que je peux dire c'est que, s'il est encore possible de trouver des fourrures à Oslo, je m'occuperai de vous.

Au cours de ce week-end, les demandes affluèrent. Certains officiers avaient accumulé des fonds importants. Cette occasion d'acquérir des fourrures les intéressait tous.

Elle rencontra Gunnar dans le cellier pour lui faire part de ces nouvelles. Il la félicita chaudement.

– Bien joué ! Fais-moi savoir la date de ton premier voyage quand tu l'auras fixée.

Il vit qu'elle voulait dire autre chose.

– Oui, Johanna ? Tu as quelque chose à me demander ?

Elle secoua la tête.

– Non, rien. C'est tout.

Il était inutile d'insister sur le fait qu'elle supportait de moins en moins son association forcée avec les Allemands... La seule chose qui la soutenait était l'espoir de contribuer, de près ou de loin, à sauver quelques vies quelque part. Gunnar lut dans ses yeux ses pensées.

– Je crois que cette nouvelle année va être très importante pour nous, Johanna... 1944, ce devrait être une année charnière. Les Alliés n'ont pas envahi la Norvège l'année dernière, comme nous l'espérions tant... Mais cela signifie qu'ils réservent leurs forces pour une attaque massive quelque part le long de la côte ouest française. C'est là que tout va se jouer maintenant.

– J'espère que c'est pour bientôt, dit-elle. Je suis fatiguée d'attendre.

– Nous le sommes tous. Et nous ne sommes pas les seuls. Dans chaque pays occupé, la population doit être dégoûtée à jamais des nazis, de leur doctrine et de leurs procédés.

Il se garda bien de lui exposer ce que la Résistance craignait par-dessus tout. Les Allemands avaient fait de la Norvège un bastion qu'ils ne lâcheraient pas si facilement. Il n'était pas impossible qu'ils tentent de s'y maintenir longtemps après que les Alliés auraient libéré les autres pays occupés en Europe.

Quand Johanna retourna à Oslo au début de cette année 1944, elle faillit pleurer sur cette ville qu'elle avait connue si heureuse. À cause des restrictions d'électricité, les boutiques n'étaient pas chauffées. Les vendeurs, emmitouflés dans de vieux manteaux et des écharpes, servaient des clients livides d'avoir fait la queue sous la neige. Après quatre années d'Occupation, la pauvreté et l'usure des vêtements de tous sautaient aux yeux. Johanna s'y était habituée dans sa région, mais observer la même misère à Oslo la désemparait.

Pendant le voyage, son manteau de fourrure n'avait pas fait d'envieux, il avait simplement irrité ses compatriotes qui n'avaient pas caché leur mépris. Elle s'était sentie honteuse de voyager en première classe en compagnie de nazis, au lieu de se tenir dans les quelques wagons surpeuplés réservés aux civils à l'arrière du train. À la gare d'Ostbane, une voiture militaire l'attendait pour l'emmener, elle et les cartons de fourrures d'Axel, jusqu'à la boutique. Une fois arrivée, elle constata avec tristesse qu'il n'y avait plus rien dans les vitrines. Elle avait prévenu Leif par téléphone et il l'attendait. Il n'avait pas ôté son pardessus, pour se protéger du froid mordant.

– Comme je suis heureux de vous voir, Johanna !

Il était encore plus maigre que la dernière fois

qu'elle l'avait vu. Ses cheveux étaient presque complètement gris. Le chauffeur déchargea les cartons et les apporta dans le magasin. Puis Leif verrouilla la porte et la conduisit dans son bureau.

– Quel manteau superbe, Johanna ! Quand vous êtes entrée, je me suis cru revenu aux beaux jours où mes clientes achetaient de telles pièces ici...

Elle fit une grimace d'amertume.

– Si seulement c'était le cas ! On me prend pour une collaboratrice. Si les regards pouvaient tuer, vous ne m'auriez jamais revue.

Leif prit une chaise pour s'asseoir en face d'elle. Son expression en disait long sur la sympathie qu'il éprouvait à son égard.

– La vérité, soyez-en sûre, se fera un jour !

– Pas avant que nous ayons retrouvé notre liberté. Je ne vais presque plus jamais chez moi. Les voisins m'ont rejetée. Mon père, qui va beaucoup mieux, vient toujours me chercher et me raccompagne par précaution. Pour mes parents, il vaut mieux que je reste à l'écart.

Changeant brusquement de sujet, elle demanda à Leif des nouvelles de sa femme et de leurs connaissances communes. Puis elle lui fit part de son étonnement de trouver la boutique encore ouverte alors qu'il n'y avait rien à vendre dans les vitrines.

– Vous seriez surprise de constater, dit-il, toutes les commandes que l'on nous passe... Vous seriez encore plus étonnée de voir les peaux que l'on nous rapporte : du veau, beaucoup de peaux de renne, de temps en temps du phoque. Les peaux de lapin sont vendues au marché noir, particulièrement les peaux blanches. Mais je n'ai rien à voir là-dedans. Le racket n'a jamais été mon fort... Avec le manque de combustible et d'électricité, les gens feraient n'importe quoi pour avoir chaud. Quand il est possible de donner un style au vêtement, je fais de mon mieux !

– Je vous ai amené, moi aussi, du travail. Je sais

que vous répugnez à travailler pour les Allemands, mais c'est ce qui m'a permis de venir ici pour la cause à laquelle nous travaillons tous les deux. J'espère que vous m'aiderez à organiser d'autres voyages de ce genre...

– Mais comment ?

– En exhumant quelques-unes des belles fourrures que vous avez mises à l'abri. Ce sera un prétexte parfait pour multiplier mes voyages.

À son expression, elle vit que ses espoirs allaient se réduire à néant.

– Je vous les aurais volontiers données si elles étaient toujours là. Je vais vous montrer ce qui leur est arrivé.

Et, passant devant elle, il la conduisit à la chambre forte sous la boutique. La porte en avait été fracturée, elle était vide.

– C'est une bande spécialisée dans le marché noir qui m'a tout volé. Je projetais de faire construire un mur de brique pour dissimuler la porte de la chambre forte jusqu'à la fin de la guerre et j'avais fait venir un maçon dans cette intention. Il ignorait ce qui se trouvait à l'intérieur et je ne le lui avais pas dit. Toujours est-il que le lendemain, tout avait disparu.

– On n'a pas retrouvé les voleurs ?

Il grimaça un sourire et se tourna pour remonter l'escalier.

– Je n'ai jamais déclaré le vol. J'aurais eu la police de Quisling sur le dos et je me serais trouvé dans de beaux draps pour avoir recelé des marchandises ! Si les fourrures avaient été retrouvées, elles auraient été confisquées. J'aurais été perdant et ils m'auraient condamné de toute façon.

– Je suis désolée !

– Montrez-moi les peaux que vous avez apportées. Je vous promets, en tout cas, de tout faire pour qu'elles vous permettent de faire le plus de voyages possible.

Il y avait beaucoup plus de peaux qu'il n'en fallait

pour un simple manteau. Leif estima qu'on pourrait faire deux petites capes avec ce qui resterait.

– Connaissant Axel comme je le connais, dit Johanna, je pense plutôt qu'il va chercher à vendre le reste des peaux. Cela dit, je ne suis pas obligée de lui parler des capes pour le moment. Quand le manteau sera terminé, cela fera toujours au moins un prétexte pour revenir.

– C'est ce que nous allons faire, dit Leif.

Ils discutèrent du modèle. Leif promit de lui faire parvenir un croquis du manteau et des deux capes dès le lendemain matin à son hôtel avant qu'elle quitte Oslo.

L'hôtel de Johanna était très réputé. Il abritait quelques civils et des membres de la Croix-Rouge suisse. Mais le gros de la clientèle se composait surtout d'officiers allemands sur le point de regagner l'Allemagne, ou simplement de passage. C'était pour cette raison que l'établissement était chauffé.

Johanna se trouvait depuis peu dans sa chambre quand on frappa à sa porte. Une femme de chambre entra pour mettre des serviettes en papier dans la salle de bains. Johanna venait de remarquer que les draps et la taie d'oreiller étaient aussi en papier tout comme l'enveloppe de l'édredon ornée d'un motif très simple.

– Désirez-vous quelque chose, mademoiselle ? demanda la femme de chambre.

Johanna, assise devant la coiffeuse, regarda le reflet de la femme dans le miroir. Un sixième sens l'avertit que c'était là le contact qu'elle devait rencontrer.

– J'aimerais savoir, dit-elle, où je pourrais acheter une fleur pour ce soir ?

– En aimeriez-vous une qui ne se fane pas ?

C'étaient bien les mots convenus.

– J'aimerais beaucoup, oui.

– Alors, je vous conseillerai un œillet rouge.

– Je pense que nous nous comprenons, dit Johanna.

Elle se leva et alla à la penderie. Elle entrouvrit son manteau de fourrure et tira d'une poche secrète les papiers qu'elle devait remettre.

– Quel est le nom de cet œillet ? demanda encore Johanna.

– *Alt for Norge.*

« Tout pour la Norvège. » C'était la fin du mot de passe. Johanna lui tendit les papiers. Sa mission était accomplie.

Au moment où Johanna s'endormait ce soir-là, à Oslo, dans ses draps de papier, Steffen se trouvait dans la région de Telemark. Il passa la nuit dans un trou qu'il venait de creuser dans la neige, au sud du lac Tinnsjo, là où les pentes boisées surplombent la voie de chemin de fer.

Au nord du lac, les Allemands avaient commencé d'acheminer un convoi très « spécial » : un chargement d'eau lourde produite dans la centrale de Vemork. La fabrication de leur nouvelle arme atomique en dépendait. Le convoi était entouré d'un impressionnant déploiement de forces de sécurité : des soldats allemands, mètre après mètre, protégeaient sa lente progression sur la voie ferrée. Ensuite l'eau lourde serait chargée sur le bac qui permettait de traverser le lac.

La veille, à l'aube, Steffen avait observé un second train venant du port de Porsgrunn qui roulait lentement à la rencontre du bac pour prendre à son bord le précieux chargement et lui faire traverser la campagne norvégienne jusqu'à un port où il serait embarqué pour l'Allemagne.

Steffen envoya un signal. Plus bas, une demi-douzaine d'hommes sortirent de la forêt. Rapides et silencieux, ils coururent le long de la voie à des endroits repérés à l'avance et commencèrent à fixer des explosifs sur les rails. C'était la seconde étape d'un plan articulé en trois phases : il fallait à tout prix empêcher l'eau lourde de parvenir en Allemagne.

Pendant la nuit des charges d'explosifs avaient été placées sur le bac. Si ce premier objectif n'était pas atteint, il resterait celui de la voie ferrée; et si les Allemands détectaient ce piège, la Royal Air Force bombarderait le bateau en route vers l'Allemagne.

– Voilà qui est fait !

Un des hommes était revenu faire son rapport.

– Bien... Et maintenant, nous en sommes au moment le plus épineux. Nous devons attendre. Si le bac saute comme prévu, il nous faudra retirer les charges de la voie afin de ne pas détruire inutilement des vies humaines.

Il fixa ses skis et s'élança pour chercher un emplacement d'où il aurait la meilleure vue sur le lac. Il s'y installa et sortit ses jumelles pour détecter l'arrivée du ferry et de sa dangereuse cargaison. Il était vêtu de blanc pour mieux se fondre dans le paysage enneigé. Ce fut une longue attente avant qu'il ne détecte un point noir sur l'eau : le bac à l'horizon. Il progressait lentement mais sûrement. Les deux agents chargés du travail s'étaient-ils fait prendre ? Si la charge n'explosait pas maintenant, ce serait trop tard. Steffen pouvait déjà entendre les moteurs qui ronronnaient tranquillement dans l'air limpide.

Tout d'un coup, l'explosion retentit dans un grondement extraordinaire. Steffen retint son souffle et vit distinctement la proue du bac qui s'enfonçait déjà. Le ferry avec ses conteneurs d'eau lourde s'engloutit lentement dans les eaux profondes du lac. C'était gagné !

Steffen abaissa ses jumelles et resta un moment à contempler la surface de l'eau, là où le bac avait disparu. Des canots partaient déjà de la rive pour aller chercher les survivants qui se débattaient dans les eaux glacées. Il n'y avait pratiquement que des gens ordinaires sur ce bac et qui se rendaient à leur travail. Mais les avertir aurait compromis le succès de l'entreprise. Ils étaient morts pour que d'autres vivent. Cette pensée-là ne soulageait en rien Steffen.

Il se releva, donna une poussée à ses bâtons et glissa vers l'endroit d'où il était convenu qu'il donnerait le signal de la réussite. L'homme qui faisait le guet n'était qu'un point dans le lointain. Il disparut immédiatement pour aller prévenir ceux qui attendaient le long de la voie.

Comme il se rendait à la portion de voie ferrée qui lui était dévolue, il ne put empêcher ses pensées de dévier vers Johanna. La mission avait été un succès et il pouvait donc envisager de retourner à Alesund. Il y prendrait quelques jours de répit : il les lui consacrerait entièrement.

Une fois sur place, il retira rapidement les explosifs qui avaient été disposés sur la voie et les mit dans son sac à dos. Ce jour serait l'un des plus glorieux que la Résistance norvégienne ait connus.

Axel Werner ne se rendait pas très souvent au bureau de Tom Ryen. Mais il arrivait qu'il fasse une apparition quand il avait à résoudre certains problèmes concernant la sécurité.

Il salua Johanna.

– Je vois que vous êtes au travail, dit-il. Je ne vous dérangerai pas. C'est le major Ryen que je suis venu voir. À propos, j'ai bien reçu votre message me parlant du surplus de peaux de renard. Je suis prêt à les vendre... Le major von Clausen et le lieutenant Hendrich sont intéressés. Auriez-vous l'amabilité de bien vouloir discuter des modèles avec eux ? Quand vous en aurez l'occasion, bien entendu.

– Je n'y manquerai pas, dit Johanna en réprimant un sourire.

Il était extrêmement comique qu'Axel lui facilite à ce point le travail.

Elle servit du café à Tom et à Axel, puis revint à son bureau. Elle était en train de prendre copie d'une lettre arrivée d'Oslo et adressée à Tom. Elle l'avait reçue le jour même. Le pli provenait d'un membre du gouvernement Quisling – l'un des ministres les plus retors et les plus dangereux. Il donnait des instructions pour l'enrôlement des jeunes gens de dix-huit à vingt-cinq ans. Tom était chargé de ce « recrutement » pour la région. Elle était très intriguée par cette limitation d'âge – il fallait passer, sans délai, l'information à Gunnar. Il lui vint soudain à l'esprit que c'était peut-être l'objet même de la visite d'Axel à Tom. Le général SS était arrivé avec une serviette de cuir sous le bras.

Sa copie finie, elle la plia et la glissa dans la poche secrète qu'elle avait confectionnée sous la ceinture de sa jupe. Elle avait cousu ce genre de poches dans tous les vêtements qu'elle portait...

La porte du bureau de Tom s'ouvrit brusquement et ils apparurent tous les deux. Axel s'arrêta de nouveau près de Johanna.

– Les lettres de ma femme ne me parlent plus que de ce manteau de fourrure. Donnez-moi quelques détails : il faut que je puisse lui faire un petit rapport quand je lui écrirai.

– Tout ce que je sais pour l'instant, c'est que l'on est en train de coudre les peaux; la doublure sera d'un très beau satin qui restait d'un vieux stock. Les initiales de votre femme seront brodées sur une poche intérieure.

– Splendide ! dit Axel et il se dirigea vers la porte que Tom lui ouvrit. Au revoir, major Ryen !

Et il leva la main droite pour le salut nazi.

– *Heil Hitler !*

Tom reprit comme un automate :

– *Heil Hitler !*

Johanna n'eut pas la possibilité de parler de la lettre du ministre avec Gunnar. Elle déposa sa copie sous une des dalles, descellée, du cellier. Elle ne put que le faire prévenir qu'un message important l'attendait là.

L'arrivée de Gunnar, tard une nuit, coïncida avec le retour de Steffen de Telemark. Gunnar donna une belle démonstration d'allégresse en entendant le récit du succès de l'opération Eau lourde.

– ... Malheureusement, d'autres affaires urgentes nous attendent ici, dit-il. Avant d'entrer dans les détails, je vais voir ce que Johanna m'a laissé.

Gunnar prit le papier sous la dalle et le parcourut à la lumière de la lampe. Il émit un sifflement de satisfaction.

– Voici une information qui ne pouvait pas mieux tomber. Nous avons eu vent de l'affaire, il y a quelques semaines, par une dactylo du ministère de la Justice... Johanna nous communique un rapport détaillé sur les enrôlements allemands dans la région. C'est ce dont je voulais te parler. Tout s'est déclenché pendant ton absence.

– De quoi s'agit-il ? demanda Steffen.

Il prit le papier des mains de Gunnar et le lut attentivement.

– ...Officiellement, dit Gunnar, il ne s'agit que d'inscriptions pour recenser la main-d'œuvre potentielle... En réalité, c'est un camouflage habile de Quisling pour recruter des soldats... Il a tout simplement offert au Troisième Reich soixante-quinze mille jeunes Norvégiens qui iront servir de chair à canon sur le front russe.

Steffen le regarda avec incrédulité.

– Il peut toujours les offrir, mais comment peut-il imaginer qu'ils se battront pour Hitler ?

– Ils ne savent pas ce qu'on attend d'eux.

– Mais quand ils le sauront, ils ne marcheront pas. Tout ce qu'ils veulent, ce sont des armes. Mets-leur des fusils dans les mains et ils les pointeront sur les Allemands !

– Cette éventualité a été prise en compte : on ne leur distribuera pas d'armes avant qu'ils n'arrivent sur le front. Ils seront alors face aux Russes avec les Allemands dans le dos prêts à leur tirer dessus. Des instructions codées viennent de nous être données par la BBC, il y a à peine une heure. Personne ne doit s'inscrire.

Steffen s'était levé et faisait les cent pas.

– Alors, il faut agir très vite. Prévenir tous les

jeunes concernés. Ils doivent disparaître dans la montagne et dans les forêts, passer en Suède, gagner l'Angleterre. C'est la seule façon pour eux de s'en sortir. Quant à nous, nous allons saboter les bureaux où doivent avoir lieu ces inscriptions. Johanna vient de nous en donner la liste.

Pendant la demi-heure qui suivit, ils organisèrent l'opération. Puis Gunnar s'en alla. Le travail de Steffen ne commencerait que le lendemain, à l'aube.

Alors, il poussa le panneau de bois et pénétra dans la maison d'Astrid. Il monta l'escalier en silence et entra dans la chambre de Johanna. Elle avait repoussé le rideau noir du black-out avant de se mettre au lit. La seule lumière était celle de la lune brillant à travers la glace fixée devant la fenêtre. On aurait dit du cristal. L'édredon moulait la forme de son corps. Il se pencha sur son visage endormi, puis il se déshabilla sans un bruit. Il se rappela qu'il n'avait pas fermé la porte à clef. Le déclic de la clef dans la serrure la dérangea dans son sommeil, elle remua, se retourna mais ne s'éveilla pas. Il s'assit sur le lit et prononça tendrement son nom. Il lui caressa les cheveux.

– Johanna, mon amour, je suis là...

Elle ouvrit paresseusement les yeux et sourit sans la moindre surprise... Elle était sûre d'être en train de rêver... Puis elle lui tendit les bras. Il repoussa un coin de la couverture et se glissa à son côté, dans sa chaleur.

13

Au matin du 6 juin, Johanna revenait au bureau après avoir posté un paquet de lettres quand elle surprit une conversation entre deux officiers de la marine allemands qui descendaient l'escalier.

– Je te dis que c'est arrivé très tôt ce matin. Une

invasion de l'ennemi sur la côte normande. Tu n'as pas écouté les nouvelles ?

– Non. J'ai débarqué il y a à peine dix minutes. Tu dis en Normandie ? Mais c'est fou ! Ils ne pourront même pas y poser un pied ! Ils doivent déjà être rejetés à la mer à l'heure qu'il est !

– Ils se font tirer dessus de tous les côtés. Nous avons déjà coulé un bâtiment norvégien. Les plages françaises sont couvertes de cadavres...

Johanna se précipita dans son bureau et s'assit à sa table, hébétée.

Après plus de quatre années d'occupation, de terreur et de persécution, son sentiment d'isolement venait de se dissiper d'un seul coup. Enfin ! la lumière au bout du tunnel ! Son cœur bondit à la pensée de ces combattants de la libération, là-bas sur les plages de France... Se doutaient-ils seulement de l'espoir qu'ils apportaient à des gens comme elle ? Elle n'oublierait jamais ni ce jour, ni cet instant, ni les hommes qui, en ce moment même, faisaient don de leur vie sans savoir à quoi servirait ce sacrifice suprême... Elle sentit qu'elle avait la main mouillée : elle se rendit compte qu'elle pleurait. Son visage ruisselait de larmes.

Quand elle rentra ce soir-là, Astrid s'était procuré une copie d'un message d'Eisenhower à tous les pays occupés par les nazis. Il avait été distribué en toute hâte par la presse clandestine et disait : *Soyez patients. Ne prenez pas les armes avant qu'on ne vous le demande. Les forces de la libération arrivent !*

Astrid commenta calmement ce message.

– J'ai l'impression que ça va être encore plus difficile maintenant d'être patient. L'envie me prenait justement de saisir un bâton pour pousser ces canailles de l'autre côté de ma porte...

Johanna glousse en imaginant la scène.

– Attendez quand même le jour de la vraie libération. C'est un spectacle que je ne manquerai pour rien au monde.

Le samedi suivant, Johanna se rendit à la ferme de ses parents. Depuis qu'elle avait le droit de voyager régulièrement à Oslo, elle n'avait pas eu l'occasion de retourner les voir. Et, comme elle l'avait fait remarquer à Leif Moen, il était préférable pour ses parents qu'elle se tienne à l'écart... À chacune de ses allées et venues dans la capitale, elle servait de courrier aux réseaux de la Résistance. Elle avait pu voir, à plusieurs reprises, dans les rues d'Oslo, les Allemands en effervescence après quelque sabotage. Ils lançaient leurs voitures blindées dans les artères de la capitale. Gunnar lui avait parlé du « Gang d'Oslo » : il s'agissait d'un groupe de combattants audacieux qui avaient mis hors d'usage des sites stratégiques très importants pour la machine de guerre allemande.

Johanna était à peu près certaine d'avoir, au moins une fois, transporté un message concernant les jeunes qui devaient fuir la conscription pour le front allemand en Russie. Grâce à la Résistance, des milliers de jeunes Norvégiens avaient échappé à ce recrutement. Ils campaient à présent dans les montagnes, survivant avec la nourriture que l'on pouvait leur faire parvenir et avec ce qu'ils pouvaient trouver dans la nature.

Edvard l'accueillit chaleureusement.

– Tu m'as manqué, tu sais !

Il paraissait très en forme, malgré une certaine raideur au niveau des hanches et dans les genoux. En tout cas, il se montrait maintenant capable d'abattre sa journée de travail sur ses terres, et il en était très fier. Personne n'avait remplacé Karen. Une veuve du hameau venait aider chaque jour aux travaux, excepté quand la fille de son employeur, Johanna, se trouvait là... Comme tant d'autres, elle ne voulait pas se trouver associée, de près ou de loin, aux collaborateurs. Johanna, qui la connaissait depuis toujours, ne la voyait jamais plus.

Gina, sa mère, l'attendait, elle aussi, une lettre à en-tête de la Croix-Rouge à la main. Elle leur était parvenue de Durban, en Afrique du Sud, et leur avait été adressée par quelqu'un de complètement inconnu d'eux.

Dès qu'elle l'eut ouverte, Gina s'était précipitée sur le téléphone pour demander à Johanna de venir en juger par elle-même.

– La voilà. Lis-la et dis-moi ce que tu en penses.

Elle la lui avait déjà lue deux fois au téléphone. Mais Johanna, conciliante, lut une troisième fois le message rédigé au crayon, qui s'en tenait strictement au nombre de mots permis. *Tout va bien. Rolf et Wendy mariés. Affections à tous.*

Gina s'était mise à tourner autour d'elle avec fébrilité...

– Alors ! Qu'est-ce que tu en penses ? L'adresse est bien la nôtre, là, il n'y a pas d'erreur. Mais pourquoi Rolf ? Et si c'est le nôtre, pourquoi se trouve-t-il en Afrique du Sud ?

Johanna sourit.

– ... Je ne pense pas une seconde qu'il soit là-bas... Il avait la ferme intention de devenir pilote de chasse quand il a quitté la Norvège. À mon avis, il a trouvé le bon « truc » pour vous apprendre son mariage sans vous compromettre. Pour les Allemands, cette lettre émane de connaissances ou de cousins en Afrique du Sud. Il est trop prudent pour envoyer quoi que ce soit d'Angleterre. S'il se trouvait réellement à Durban, il aurait écrit lui-même. C'est assez facile à comprendre. L'expéditeur est peut-être un parent de sa femme qui vit là-bas.

Elle saisit sa mère aux épaules et lui fit un clin d'œil.

– Wendy... Ce doit être une Anglaise. Père et toi, vous avez maintenant une belle-fille anglaise. Félicitations !

Gina se frappa le front.

– Juste ciel ! Une Anglaise ! Mais je serai incapable de lui dire un mot.

Johanna et son père échangèrent un regard. Edvard tapota l'épaule de sa femme.

– Ne t'en fais pas. Le jour venu, tu diras comme tu le fais d'habitude : « Bienvenue à la maison ! » Et elle comprendra.

Ce soir-là, ils écoutèrent tous trois les nouvelles en norvégien sur la BBC. Les Alliés progressaient en Normandie. Les combats les plus acharnés se tenaient autour de Caen. Ils avaient tous à l'esprit la même question : Erik se trouvait-il sur le bâtiment norvégien coulé le jour « J » ?

Avant de s'en retourner, Johanna aida sa mère à remplir la carte-réponse de la Croix-Rouge attachée à la lettre. Ils tâchèrent d'en dire le plus possible avec le moins de mots possible. Cette missive allait quasiment faire le tour du monde avant d'atteindre les jeunes mariés auxquels elle était destinée.

Les week-ends de Tom allaient s'espaçant. Les rations, déjà réduites, ne lui parvenaient plus aussi souvent qu'avant et les seules boissons disponibles étaient la bière et un vin allemand très âpre, parce que mis en bouteille trop tôt et expédié à la hâte pour étancher la soif d'un quart de million d'hommes postés dans un pays qui n'en produisait pas. Les charges envers l'occupant s'étaient également alourdies. Hitler, surpris en Normandie, était fermement décidé à ne pas se laisser faire en Norvège. Le talon d'acier nazi n'écrasa jamais tant les Norvégiens qu'en cet été 1944. Les arrestations étaient incessantes. Le peloton d'exécution ne bougeait pratiquement plus de la cour du château d'Akershus à Oslo. Le plus souvent, les condamnés, brisés physiquement et mentalement par la Gestapo, ne pouvaient marcher sans aide et étaient incapables de se tenir debout à leurs derniers instants.

Erik, quant à lui, trouva la force de se traîner seul à côté de ses gardes. Son corps tout entier n'était qu'une plaie, mais il n'en avait même plus conscience... Il sortit pour la dernière fois dans le soleil. La pensée de Karen, ses souvenirs d'enfant à la ferme l'habitaient, ainsi que tous les moments heureux de sa vie. Il avait l'âme en paix. Il n'avait pas trahi. Malgré tout ce qu'on lui avait fait subir, on n'avait rien appris de lui.

Il s'immobilisa. Dans l'air frais du matin, les bruits familiers du port arrivaient jusqu'à lui. La dernière image qu'il eut de ce monde fut une mouette tournoyant dans le ciel d'Oslo.

Les Allemands recevaient chaque jour des nouvelles de la progression des Alliés. À l'Est, les Russes ne relâchaient pas leur pression. Cependant, les informations n'étaient pas toujours aussi mauvaises pour eux. Certains combats, localement, tournaient à leur avantage, et ils jubilaient à l'annonce des ravages que causaient les bombes dans Londres. Malgré tout, aussi bien chez les officiers que dans le rang, une certaine anxiété régnait... Quand ils défilaient, ils chantaient toujours à pleins poumons, mais la dérision qu'ils voyaient dans l'œil des spectateurs ne les encourageait guère...

Les Allemands qui rendaient visite à Tom Ryen se montraient plus arrogants et plus confiants que jamais. Ils pensaient qu'ils avaient fait du pays une forteresse imprenable, qu'ils étaient capables de faire face à n'importe quelle attaque... Entre eux, ils critiquaient durement leurs camarades tombés devant les Alliés. Leur opinion clamée haut et fort se résumait à cette phrase : « Cela ne se produira pas ici. »

Pour Johanna, l'idée de ne plus être associée, bientôt, à la Wehrmacht était déjà une sorte de libération personnelle. Des officiers passaient quelquefois la voir au bureau de Tom et elle leur réservait une amabilité de pure forme dans l'intérêt de sa mission. Son soulagement à l'idée de pouvoir profiter de plus en plus souvent de ses week-ends en toute quiétude allait croissant.

Elle allait se baigner dans ses petites criques favorites. Elle y prenait le soleil en roulant son maillot sur ses hanches quand personne n'était en vue. Elle fut bientôt bronzée des pieds à la tête.

Elle n'avait revu Steffen qu'une seule fois depuis la nuit où il était venu la retrouver dans sa chambre.

Ils s'étaient rencontrés brièvement dans le cellier en compagnie de Gunnar, qu'elle voyait fréquemment. Il avait juste eu le temps de lui remettre un paquet qu'elle devait apporter à Oslo. Depuis, ni elle ni Astrid n'avaient reçu de lui le moindre signe de vie. La seule chose que Gunnar s'était permis de dire, c'était que l'Anglais était sur une affaire importante. Johanna avait deviné de quoi il s'agissait : une vague intensive de sabotages frappait les forces d'occupation... Dans le port d'Oslo, la Résistance avait fait sauter plusieurs bâtiments, y compris un navire-prison tristement célèbre, des réservoirs de carburant, des dépôts de munitions, des voies ferrées, des ponts. Johanna comprit que Steffen avait tenu à la revoir au moins quelques minutes parce qu'il ignorait ce qui l'attendait.

Les Alliés ne cessaient de progresser. À la fin de juillet, une nouvelle stupéfiante parvint en Norvège : des généraux allemands avaient tenté d'assassiner Hitler. Johanna se souvint de l'un d'eux qu'elle avait eu l'occasion de rencontrer : un homme aux cheveux grisonnants, très distingué, appartenant à la vieille aristocratie allemande.

Axel manifesta un plaisir diabolique à l'annonce du complot et de son échec. Il insista sur le caractère douteux de certains éléments de l'armée, comparés à l'indiscutable loyauté des forces SS.

– Si j'avais été là, je les aurais tous pendus sur-le-champ, dit-il, un vendredi matin, alors qu'il traversait le bureau de Johanna en compagnie de Tom qu'il avait rencontré dans l'escalier.

Les généraux anti-hitlériens venaient juste d'être condamnés à la pendaison – la mort devant un peloton d'exécution leur ayant été refusée. Toute cette affaire fit l'effet d'une douche froide aux officiers que Johanna connaissait. Elle en suspectait quelques-uns d'avoir plus de sympathie pour les rebelles qu'ils ne voulaient bien l'admettre.

Johanna jugea le moment propice pour servir du café aux deux hommes. Elle mit des tasses sur un plateau et apporta le tout dans le bureau de Tom. La serviette d'Axel était ouverte sur la table. Il discutait en se référant à un document qu'il ne montra pas et qu'il replaça dans sa serviette au-dessus des autres papiers. Tom écoutait avec attention, en se balançant d'avant en arrière dans son fauteuil. La conversation s'arrêta quand elle s'approcha d'eux. Axel prit la tasse qu'elle lui tendit avec un signe de remerciement. Quand elle retourna dans son bureau, elle laissa la porte légèrement entrebâillée, mais elle n'entendit rien d'important...

Sa curiosité restait, malgré tout, en éveil. Elle décida d'aller rechercher le plateau. Elle poussa la porte sans bruit. Axel et Tom se trouvaient près de la fenêtre et observaient la rue. La serviette d'Axel était toujours au même endroit, ouverte, près de la chaise qu'il avait occupée. Elle n'hésita pas. Elle saisit un des coins du document entre deux doigts et le tira à elle tout en reculant pour se mettre à l'abri derrière la porte de son bureau. Elle retenait son souffle. Ils ne s'étaient aperçus de rien. Elle risqua un coup d'œil sur le document. Il lui parut intéressant. Elle chercha autour d'elle une cachette; pour finir, elle le glissa derrière une gravure accrochée au mur.

Elle alla de nouveau à la porte et en tourna bruyamment la poignée.

– Puis-je retirer le plateau ?

Les deux hommes se retournèrent et Tom répondit :

– Mais oui, bien sûr...

Axel la suivit dans son bureau.

– Je passerai le week-end chez le major Ryen. Vous y verrai-je ?

Elle s'arrêta, son plateau en main, et se tourna vers lui.

– Oui... Je suppose qu'il m'emmène en voiture dans la soirée.

Axel se montra ravi.

Cela l'ennuyait beaucoup mais Tom l'avait instamment priée d'être des leurs. Un membre important du parti de Quisling figurerait parmi les invités...

– Très bien, ajouta Axel. Je vous apporterai une photographie que ma femme vient de m'envoyer. Elle porte son manteau de fourrure et j'aimerais vous la montrer.

– Oh ! cela me fera plaisir, dit-elle.

Il lui sourit et retourna dans le bureau de Tom. Elle avait la gorge sèche. Il reparut, sa serviette sous le bras, et la salua galamment. Il n'avait pas eu besoin du document ! Avec un peu de chance, il ne saurait pas comment il l'avait égaré...

À l'heure du déjeuner, elle se rendit dans une cabine de téléphone public. Son message fut bref mais pressant. Elle sortit du bâtiment en fin d'après-midi avec le papier plié dans sa poche secrète. Elle n'avait pas eu le temps d'attendre Gunnar, aussi le plaça-t-elle sous la pierre du cellier. Elle se trouvait devant la porte quand Tom arriva pour la prendre en voiture.

Il souhaitait engager la conversation.

– ... Le temps promet d'être agréable ! dit-il.

– J'espère que je pourrai me baigner, répondit-elle simplement.

Il n'arrivait plus à lui parler et – il le sentait bien – c'était réciproque. Sa réelle affection pour elle s'était attiédie. Quelquefois, il se prenait même à la haïr ! Aujourd'hui plus que jamais, son allégeance aux maîtres allemands était nécessaire. Il n'appréciait guère la tournure qu'avaient prise les événements. Mais il restait convaincu que la Norvège resterait sous la botte allemande.

Le week-end fut infernal. Le représentant du parti de Quisling était un personnage pompeux et désagréable. Johanna fut choquée par l'obséquiosité que lui manifestait Tom Ryen. Axel, dont elle essayait d'éviter la compagnie, ne la quitta pas d'une semelle. Il alla même se baigner avec elle et l'invita à faire une promenade en barque, offre qu'elle déclina.

La photographie de sa femme fut une surprise. C'était une femme ronde et jolie, et dans son sourire timide on pouvait lire la fierté de posséder un si beau manteau. C'était probablement le seul cadeau de prix qu'elle eût jamais reçu d'Axel...

Le week-end touchait à sa fin quand la gouvernante vint dire à Johanna que Froken Larsen la demandait au téléphone. Astrid ne téléphonait pourtant jamais chez Tom. Ce devait être grave. Elle prit l'écouteur.

– Allô, Astrid ! C'est moi, Johanna.

– Tu devrais prendre un jour de congé demain et rentrer ce soir, lui dit la tante de Steffen, je ne me sens pas très bien.

– Que se passe-t-il, Astrid ? Avez-vous consulté un médecin ?

– Oui, bien sûr... J'ai pris froid. Il revient demain. Je dois rester couchée. À tout de suite !

Johanna reposa le récepteur, songeuse. Elle revint sous la véranda en compagnie de Tom et de ses invités. Quand l'occasion s'en présenta, elle lui parla de ce coup de téléphone. Le lundi était toujours un jour chargé au bureau, et Tom lui donna sa journée à regret.

Le soir même, il déposa Johanna chez Astrid. Elle courut jusqu'à la porte. Quand elle arriva au pied de l'escalier, elle vit la vieille dame appuyée à la balustrade, fraîche comme une rose. Elle portait cependant encore ses vêtements de nuit.

– Je me porte comme un charme, dit-elle. Ne t'inquiète pas. J'ai pris la précaution de me déshabiller au cas où quelqu'un t'aurait raccompagnée dans la maison... Steffen est ici. Il m'a chargée de te dire que tu dois le retrouver dans le cellier à quatre heures du matin. Mets des vêtements ordinaires et des chaussures plates au cas où il te faudrait courir.

Elle leva les mains pour prévenir toute question, et reprit :

– ... Ne me demande pas de quoi il s'agit ! Je n'en ai pas la moindre idée. Je fais ce qu'on me demande, un point c'est tout.

Johanna remonta soigneusement la sonnerie de son réveil. Elle s'éveilla avant qu'il ne sonne. À quatre heures moins cinq, elle descendit au cellier. Steffen l'y attendait. Ils se jetèrent dans les bras l'un de l'autre.

– Alors, dit-il, comment ça va ?

– Quand je te vois, toujours très bien ! Mais qu'est-ce que je fais ici à cette heure indue ?

– ... En deux mots, le document que tu nous as fait parvenir révèle un projet récent de Quisling pour obliger les jeunes Norvégiens à se battre sur le front russe... Je n'ai pas le temps d'entrer dans les détails... Gunnar nous attend avec un camion, je t'expliquerai le reste plus tard. (Il prit ses mains dans les siennes.) Je te le demande : acceptes-tu de courir le risque de venir avec nous ?

– C'est bien inutile de me poser une question pareille. Partons tout de suite...

Ils sortirent du cellier par un tunnel qui conduisait à l'extérieur, et qu'elle ne connaissait pas. Quand ils émergèrent enfin dans la lueur rosée de l'aube, il dut repousser un buisson épais qui masquait l'entrée. Ils se trouvaient au beau milieu de la forêt. Il la conduisit jusqu'à un sentier dans lequel Gunnar les attendait au volant du camion. Steffen la fit monter à l'arrière. Elle s'y cacha entre des cageots de légumes.

Ils démarrèrent. En soulevant la bâche qui séparait les sièges avant du plateau arrière du camion, Steffen commença de lui raconter l'affaire.

– ... Comme tu dois le savoir, d'ici peu, tout le monde devra aller s'inscrire afin d'obtenir de nouvelles cartes de rationnement. Seuls ceux qui viendront s'inscrire personnellement y auront droit. Tu me suis ?... Ce qui veut dire que ceux qui sont en fuite n'en auront pas. Les Allemands espèrent que, poussés par la faim, les fugitifs sortiront de leurs tanières. Nous, nous allons prendre livraison des cartes. Les équipes d'Oslo, à l'heure qu'il est, sont en train d'en intercepter un bon nombre. Personne ne mourra de faim, je te le promets.

Elle leva les sourcils, admirative.

– Je vois que tu as été très occupé pendant tout ce week-end ! C'est un bon plan. Simple et efficace. Et où j'interviens là-dedans ?

– Dans la matinée, les paquets contenant les cartes arriveront dans un petit dépôt. Tu seras dans le bureau pour signer le reçu... L'opération ne doit pas durer plus de vingt minutes. Gunnar s'en ira avec les cartes que nous aurons chargées sur le camion. Toi et moi, nous partirons dans une camionnette qui nous attendra...

– Qu'est-ce qui va se passer si quelqu'un entre dans le bureau pendant ce temps ?

– Ça, c'est ton affaire ! Il faudra t'en tirer par un coup de bluff. Ce ne devrait pas être trop difficile. (Il baissa la voix.) Nous approchons du ferry. Désolé, mais tu dois faire la traversée incognito.

Le rideau de toile fut remis en place. Elle entendit la sentinelle allemande demander les papiers du véhicule, pendant qu'un autre ouvrait l'arrière du camion pour jeter un coup d'œil sur le chargement. Heureusement, elle s'était glissée dans un espace réduit derrière des caisses. De l'extérieur, on ne pouvait pas l'apercevoir. L'un des Allemands devait avoir donné d'un geste la permission de passer : le camion redémarra doucement. Un cahot lui indiqua qu'il montait la rampe du ferry...

Gunnar, une fois à bord, descendit pour se détendre les jambes. Steffen resta dans le camion, les bras sur le dos de son siège pour être plus près d'elle. La traversée dura vingt-cinq minutes. Gunnar regagna sa place au volant. Le camion descendit du ferry avec un autre cahot et s'engagea sur une route de campagne.

Ils arrivèrent dans une petite ville. À côté du dépôt se trouvait une laiterie devant laquelle étaient garés plusieurs camions. Gunnar se plaça à leur suite. C'était une couverture parfaite. Ils avaient l'air de faire partie du trafic quotidien de la laiterie.

La camionnette avec laquelle Steffen et Johanna devaient repartir était garée sous les arbres. Ils descendirent et Gunnar jeta un rapide coup d'œil alentour pour s'assurer qu'on ne les observait pas. Il était encore très tôt et il y avait peu de monde aux alentours. Ils contournèrent le dépôt pour y pénétrer par l'arrière. C'était une solide bâtisse de bois qui aurait eu grandement besoin d'un bon coup de peinture. Steffen prit un passe-partout et ouvrit silencieusement la porte.

En entrant, Johanna nota que l'endroit était sûr : les portes étaient épaisses et les serrures énormes. Cela l'amusa. Elle attendit en silence près de la porte que Steffen et Gunnar s'occupent du gardien. Un bruit de bousculade... l'homme se retrouva ceinturé et bâillonné. Ils l'enfermèrent à clef. Steffen conduisit Johanna jusqu'au bureau de réception sur le devant du bâtiment. Il l'y laissa.

L'employée arriva à l'heure, à huit heures et demie. Mais elle resta dix bonnes minutes à l'extérieur, à bavarder et à glousser avec deux soldats allemands qui patrouillaient dans le coin. Ils s'en allèrent enfin et elle entra dans le bureau. Elle suspendit sa veste en fredonnant et alla au miroir pour s'arranger un peu. Ses yeux s'agrandirent dans la glace quand Gunnar, qui l'avait suivie, lui plaqua une main sur la bouche et la saisit à bras-le-corps pour l'entraîner.

Johanna prit la place de la jeune fille derrière le comptoir. Elle décrocha le récepteur du téléphone pour éviter tout appel embarrassant. Il ne restait plus qu'à attendre... La ville commençait à reprendre vie. Des gens passaient devant le bâtiment. Le facteur apporta un paquet et du courrier.

– Christina n'est pas là aujourd'hui ? demanda-t-il.

– Elle a pris quelques jours de congé, répondit Johanna avec sobriété.

Après quoi, il n'y eut plus de visites. Un camion arriva, comme prévu, au milieu de la matinée et contourna le bâtiment pour se garer à l'arrière. Elle distingua nettement qu'il y avait un soldat armé à côté du chauffeur. Il lui fallait maintenant vérifier la livraison et signer le reçu. Elle sortit du bureau et traversa le bâtiment. Le soldat était appuyé à l'huisserie de la porte et observait, sans aucun intérêt, Gunnar qui poussait la première fournée de paquets sur un chariot. Le chauffeur, un épais gaillard à la face rougeaude, se tenait à l'arrière du camion et lançait les paquets à Steffen qui les empilait sur un second chariot. Quand ce fut terminé, le chauffeur sauta du camion et se mit en devoir de fixer la bâche. Puis, sans se presser, il marcha vers le bâtiment tout en s'essuyant le front et le cou avec un mouchoir. Pour la seconde fois, on posa à Johanna la même question.

– Mais où est donc Christina ?

Johanna eut un moment de panique. Le chauffeur venait de Trondheim. Ni Gunnar ni Steffen ne s'étaient attendus à ce qu'il connaisse l'employée habituelle. Johanna lui répondit la même chose qu'au facteur. Elle mit dans sa voix une note d'agacement, puis elle prit le bloc des reçus pour y apposer une signature qu'elle venait d'inventer pour la circonstance. Elle lui rendit son bloc.

– Voilà, dit-elle. Je dirai à Christina que vous avez demandé de ses nouvelles...

L'homme parut sur le point d'ajouter quelque chose, puis il se ravisa.

– C'est ça... merci. Je m'appelle Bjorn. Elle me connaît bien !

Il replaça son crayon sur l'oreille et regagna son camion. Le soldat allemand le suivit et monta à côté de lui. Comme il s'éloignait, il regarda dans son rétroviseur extérieur comme s'il allait y trouver la réponse à l'absence inattendue et mystérieuse de Christina. Puis il conclut à voix haute :

– C'est tout de même curieux...

Et il s'engagea sur la route principale pour prendre le chemin du retour.

– Qu'est-ce qu'il y a de curieux ? demanda le soldat allemand.

– Eh bien... que Christina ne soit pas au bureau. Je l'ai eue au téléphone la semaine dernière et elle m'a dit qu'elle serait là aujourd'hui. Elle ne m'a absolument pas parlé de vacances. C'est bizarre, non ?

– C'est votre petite amie, Christina ?

– Non, pas du tout, dit le chauffeur en éclatant de rire... C'est ma belle-sœur. Ma femme va être déçue que je ne l'aie pas vue.

Il se concentra de nouveau sur la route. La circulation était très clairsemée. Il se mit à retourner le problème dans son esprit. Le soldat s'installa plus confortablement, il renversa la tête en arrière et ferma les yeux. Il venait de placer son casque sous la banquette, il n'était plus en service, il n'y avait plus rien à garder. Le chauffeur donna un coup sur le volant et se remit à parler.

– Quand même, il y avait quelque chose de louche au dépôt tout à l'heure. Ces types qui déchargeaient, je ne les connais pas, je ne les ai jamais vus. D'où sortent-ils ? Et pourquoi le gardien habituel n'était-il pas là ? J'ai été trois fois là-bas cette année et j'y ai toujours vu Christina et le gardien.

Le soldat se redressa et se mit à écouter plus attentivement.

– Qu'est-ce qui cloche, à votre avis ?

– Ah, ça... j'en sais rien. Mais je vais tout de même faire demi-tour et aller voir ce qui se passe là-bas.

– Non. Continuez ! dit le garde allemand. Il y a un poste de l'armée un peu plus loin, je vais faire un rapport. C'est probablement une bande de trafiquants qui veulent revendre nos cartes au marché noir.

Le chauffeur écrasa l'accélérateur. Il se faisait du

mauvais sang au sujet de Christina. L'intérêt qu'il lui portait était un peu plus fort que celui d'un simple beau-frère... On pouvait au moins s'amuser avec elle ! Le soldat reprit son casque sous le siège et le remit sur sa tête.

Au dépôt, Johanna continuait à aider au chargement de leur camion.

Gunnar avait conduit le véhicule près de la porte et ils avaient jeté les cageots de légumes pour faire de la place. L'opération terminée, ils en replaceraient quelques-uns devant les ballots de cartes afin de les dissimuler. C'était une course contre la montre. Ils avaient tous trois été troublés par la réaction qu'avait suscitée l'absence de l'employée. Mais fuir sans avoir récupéré le maximum de cartes aurait été désastreux.

Johanna se félicitait d'avoir mis des chaussures de sport. Ainsi, elle pouvait courir facilement. Son dos et ses épaules n'en commençaient pas moins à la faire souffrir. Chacun de ses muscles était douloureux. Elle ruisselait de sueur.

– Ça y est, dit enfin Steffen, le camion est plein. Nous en avons plus qu'assez. Nous en aurons même en réserve. Au tour des cageots de légumes maintenant et nous en aurons fini...

Gunnar reprit le volant. Il leur fit un signe de la main avant de tourner sur la route. Steffen ferma les portes du dépôt.

Puis Johanna et lui coururent jusqu'à la camionnette dissimulée sous les arbres. Comme il faisait marche arrière, Steffen aperçut un camion de l'armée allemande qui approchait. Gunnar venait de le croiser, c'était bon signe. Steffen tourna dans la direction opposée pour traverser la ville et prendre une route qui les conduirait au ferry. Ensuite, ils seraient tranquilles. Il jeta un dernier coup d'œil à son rétroviseur et observa que le camion allemand ralentissait devant le dépôt.

– ... Il faut filer d'ici en vitesse, dit-il. On dirait qu'ils sont après nous. Gunnar leur a échappé, c'est déjà ça ! C'est même le plus important... Maintenant il ne me reste plus qu'à assurer notre sécurité !

Et il accéléra. La route était mauvaise et la camionnette était secouée par des cahots terribles. Johanna bondissait et rebondissait sur la vieille banquette de cuir. Elle ne se faisait aucune illusion quant au danger qu'ils couraient. Les Allemands allaient vite découvrir qu'il y avait deux personnes ligotées au dépôt et que les paquets de cartes s'étaient envolés... Alors, ils alerteraient leurs services de sécurité qui enverraient des patrouilles partout et préviendraient les gardes aux embarcadères. Depuis que Gunnar avait croisé le véhicule militaire à l'allure débonnaire d'un fermier, c'étaient Steffen et elle qui se trouvaient le plus exposés.

Ils arrivèrent en haut d'une côte. Ils découvrirent la vue superbe du fjord majestueux qui s'étalait en contrebas. Un bac était sur le point d'accoster.

– Nous devons absolument prendre ce ferry, dit Steffen.

Il lui donna d'ultimes instructions.

– Je ralentirai quand nous serons juste en vue de la jetée... Tu descendras et tu courras pour monter sur le bac. Il est hors de question que tu restes dans la camionnette avec moi, c'est trop dangereux. Je ferai tout ce que je pourrai pour monter sur le bac après toi. À partir du moment où tu auras quitté ce camion, nous ne nous connaîtrons plus... Tu ne devras ni me parler, ni me regarder... Quand tu seras de l'autre côté du fjord, prends l'autobus qui va en ville et retourne chez Astrid. Tu pourras aller travailler chez Tom si tu veux. Agis en tout le plus normalement possible...

– Pourquoi ne viens-tu pas tout de suite avec moi ? demanda-t-elle.

– Je ne veux pas laisser cette camionnette de ce côté-ci du fjord. Tant que les Allemands croiront que les cartes sont dans ce véhicule, Gunnar aura des chances de s'en tirer.

Steffen nota que, soudain, elle se montra très

calme. Il savait qu'elle ne voulait pas de cette séparation, et que, en même temps, elle la considérait nécessaire. Au-dessous d'eux, des véhicules civils et militaires commençaient à sortir du ferry.

Il n'ignorait pas qu'il allait être questionné par les gardes, sur la jetée; mais il décida de tenter sa chance en arrivant au dernier moment, lorsque le bac serait juste sur le point de partir. Il passa un bras autour des épaules de Johanna et l'attira à lui.

– Il est grand temps que tu descendes...

Elle se serra contre lui et l'embrassa avec ferveur. Il se pencha pour lui ouvrir la portière, et elle sauta en marche... Elle se mit à courir sur la route.

Soudain, une voiture découverte déboucha. Elle reconnut immédiatement Axel assis à l'arrière en compagnie d'un autre officier SS. Elle se détourna pour cacher son visage. De toute façon, il n'y avait rien d'autre à faire que de continuer son chemin en priant le ciel que la voiture s'éloigne du ferry.

Elle commença à descendre le sentier qui menait sur les bords du fjord et continua à courir sur l'herbe de la berge jusqu'au parking. Elle se mit à faire des signes frénétiques au passeur qui rabaissa pour elle la rampe déjà à moitié levée. Un garde s'avança.

– Vos papiers ! Vos papiers !

Elle avait déjà sorti sa carte d'identité. Le garde n'y jeta qu'un coup d'œil pour ne pas la retarder davantage. Elle monta la rampe à toute vitesse et bondit sur le bac. En se retournant, elle aperçut la camionnette qui roulait à vive allure pour atteindre la rampe. Steffen ignora le garde qui criait derrière lui.

Alors, la voiture d'Axel déboucha à son tour. Le passeur prit un air stupide, l'air de quelqu'un qui ne veut pas comprendre... Il leur cria quelque chose en allemand et se préparait déjà à remonter la rampe dès que la camionnette serait à bord. Mais il hésita. L'officier à côté du chauffeur s'était levé et, une main agrippée au pare-brise, faisait des signes impérieux pour que l'on stoppe le départ du ferry. Johanna se figea.

Steffen passa près d'elle comme un bolide. La camionnette était le seul véhicule à bord. Mais le passeur ne remonta pas la rampe. À présent, Axel allait les arrêter, Steffen et elle, ensemble.

Les roues avant de la grosse voiture du général SS s'engagèrent sur la rampe. Mais le ferry avait déjà commencé sa manœuvre : le capitaine à la barre ne s'était rendu compte de rien. Et le passeur n'avait pas eu le temps de l'avertir. Johanna regarda avec horreur, sans y croire, ce qui se passait : c'étaient comme les images d'un film au ralenti. En réalité, tout se déroula en quelques secondes. La voiture d'Axel bascula par l'arrière dans le vide, se trouva suspendue comme un jouet d'enfant à la rampe, puis plongea dans l'eau où elle fut immédiatement engloutie.

Quand Johanna rouvrit les yeux, le ferry se trouvait déjà à plusieurs mètres de la berge. Il continuait d'avancer. Sur le quai on tentait d'organiser les secours. On repêcha l'officier qui se trouvait à l'avant, mais on ne retrouva ni Axel, ni les deux autres occupants du véhicule.

Le fjord était profond...

Lentement, Johanna tourna la tête et regarda le passeur. Leurs yeux se rencontrèrent. L'homme détourna son regard et le posa sur Steffen qui venait de sortir de la camionnette. Il le contempla un moment, avec la même expression neutre, et ses yeux se reportèrent sur ce qui se passait sur la berge.

Johanna se mit à trembler. Elle descendit au salon et s'assit sur l'un des sièges. Elle s'y trouvait seule. Les rares passagers étaient tous des civils et ils se tenaient sur le pont. Steffen, soudain, s'assit sur le siège voisin du sien. Il lui passa un bras autour des épaules.

– Écoute-moi bien, dit-il. Je sens que les choses vont mal tourner... L'officier rescapé va téléphoner partout et nous devons nous attendre à une réception militaire en règle quand nous atteindrons l'autre bord. Toi, tu ne risques à peu près rien. Il n'y a aucune raison pour que quiconque te suspecte tant qu'on ne te trouvera pas en ma compagnie. C'est pourquoi je ne dois pas rester avec toi plus longtemps...

– Mais est-ce que tu sais, au moins, qui était dans la voiture ? C'était Axel Werner et il m'avait reconnue.

– Comment peux-tu en être sûre ?

– Il m'a vue quand je courais sur la route...

– Je présume qu'il avait déjà fait le rapprochement entre la disparition de ses documents et sa visite au bureau de Tom. Qui étaient les officiers qui se trouvaient avec lui ?

– Je n'en sais rien... Je n'avais jamais vu aucun d'eux.

– Alors, il y a une petite chance qu'il ne leur ait rien dit. Quand ils ont aperçu ma camionnette, cela a dû faire diversion. Bon... Quand le ferry accostera, descends tranquillement avec les autres passagers et va prendre ton bus... N'oublie pas ceci : Axel était la seule personne qui pouvait t'accuser, établir ta responsabilité dans les événements d'aujourd'hui. Or, il est mort...

– Mais toi, qu'est-ce que tu vas faire ? demanda-t-elle.

Il lui sourit calmement.

– ... Je vais nager ! Et sans attendre...

Il ne voulut pas qu'elle aille sur le pont... C'était un risque inutile. Il ôta ses chaussures, les glissa dans sa ceinture, puis il sauta par-dessus le bastingage et plongea dans l'eau glacée que transperçait le soleil. Elle était si transparente que, en remontant à la surface pour reprendre son souffle, il pouvait voir la coque du ferry et l'hélice qui brassait l'eau. Il vit également de superbes bancs de poissons qui filaient comme des flèches dans la lumière aquatique bleu-vert.

Quand il refit surface pour la deuxième fois, il

observa qu'il n'y avait aucune agitation sur le bateau. Son évasion était passée inaperçue.

Quand Johanna revint sur le pont, elle scruta la surface de l'eau, mais elle ne l'aperçut nulle part. Le rivage approchait. Des véhicules de l'armée bloquaient toutes les issues de l'embarcadère. Le quai était plein de soldats en armes. À la seconde même où la rampe fut abaissée, ils se ruèrent à bord et entourèrent la camionnette. Puis ils repoussèrent, comme du bétail, les passagers et l'équipage dans le salon afin de les interroger. Pendant ce temps, une autre équipe commençait à fouiller le ferry de fond en comble. Puis on vérifia les papiers de tout le monde... Quand il devint évident que le conducteur de la camionnette ne se trouvait pas parmi les passagers, les Allemands reprirent leurs recherches.

Un enfant, innocemment, dit qu'il avait aperçu un homme qui, du bateau, était allé se baigner. L'officier allemand comprit aussitôt.

Exaspéré d'avoir perdu son temps, cet officier laissa partir tous les passagers. Il ne retint que le capitaine et le passeur pour les soumettre à un interrogatoire plus poussé. Tous les témoins de la disparition d'Axel Werner, sans exception, avaient affirmé que c'était un accident. Quant au passeur, c'était un lourdaud de la campagne... il avait l'air bien trop stupide pour avoir pu organiser un coup pareil.

Johanna s'assit dans le bus. Quand on l'avait interrogée sur la raison de son voyage de ce côté du fjord, elle avait répondu qu'elle avait entendu parler d'un stock de laine à tricoter mis en solde dans une boutique. Elle avait fait la queue, mais en vain. Cette explication était tout à fait plausible. L'autobus démarra. Les pensées de Johanna se concentrèrent sur Steffen.

Il était maintenant trop tard pour aller au bureau de Tom. Elle allait rentrer chez Astrid et, là, elle attendrait les nouvelles.

Steffen, pour remettre pied à terre, choisit un endroit où les résidus d'une avalanche facilitaient la sortie de l'eau. Il dérangea un couple de loutres qui le regardèrent avec étonnement, avec leurs moustaches luisantes, avant de plonger dans le fjord sans faire une ride sur l'eau. Il se laissa tomber sur l'herbe douce, au milieu de pommes de pin. Son intrusion provoqua également la fuite de deux écureuils. Il s'étendit pour reprendre son souffle. Il entendait les écureuils qui avaient regagné les branches au-dessus de sa tête.

Il se sentait à peu près reposé lorsqu'il perçut un autre bruit... qui le glaça jusqu'à la moelle. Il se redressa, se leva : dans le sentier bordé d'arbres se tenaient une douzaine de soldats allemands qui pointaient leurs fusils sur lui.

Il fit un pas en arrière dans la direction de l'eau.

– *Achtung!* Mains en l'air !

Il entendit le déclic des crans de sécurité de chaque arme. Il n'avait pas la moindre chance de s'en sortir... Il serait mort avant même d'avoir plongé. Un accès de fureur domina sa peur. Il vit tout lui échapper : sa liberté, sa force physique, son avenir avec la femme qu'il aimait, Johanna...

Johanna n'eut aucune nouvelle de Steffen ce soir-là. Elle se rendit au bureau le lendemain et fut surprise de ne pas y trouver Tom. Le temps passait et il n'arrivait toujours pas... Elle venait d'ouvrir une lettre qui demandait une réponse immédiate. Elle téléphona à l'appartement de Tom à Alesund. Elle n'eut pas de réponse. Elle descendit à la réception dans l'entrée. Elle demanda au planton si le major Ryen avait laissé un message pour elle.

– Non, Fräulein, j'ai simplement entendu dire qu'il avait été arrêté.

Elle n'y crut pas, tout d'abord.

– Mais pourquoi l'aurait-on arrêté ?

– Je ne sais pas, répondit le planton. On m'a dit que le SS Obersturmbannführer Werner l'avait fait arrêter hier matin avant d'aller régler un problème important. Est-ce que vous savez qu'il s'est noyé accidentellement au cours de la journée ? Il est tombé à l'eau avec sa voiture. C'est vraiment triste !

– Oui, je le sais, dit-elle.

Elle retourna dans le bureau et alla à la table de Tom. Elle en ouvrit les tiroirs. Tous les papiers avaient disparu.

Johanna repensa soudain au document qu'elle avait subtilisé dans la serviette d'Axel. Tom avait-il été accusé pour cela ? Elle sortit du bureau et descendit au quartier militaire pour voir un des jeunes officiers qu'elle connaissait. Il lui donna la réponse aux questions qu'elle se posait.

– ... Ryen a été arrêté après que Werner a découvert la disparition d'un papier important qui était dans sa serviette, hier matin. Personne d'autre que Ryen n'aurait pu le prendre. La mort accidentelle de Werner a retardé l'interrogatoire. Quelqu'un d'autre s'en chargera dans un jour ou deux...

– Puis-je voir le major Ryen ? demanda Johanna.

– Non... Il n'est autorisé à recevoir personne.

Johanna ne pouvait et ne voulait rien faire avant d'avoir consulté un responsable de la Résistance. Elle espérait qu'ils trouveraient quelque échappatoire pour délivrer Tom... Il serait assez astucieux, pensait-elle, de récupérer le document original et de le laisser traîner quelque part dans le bâtiment où l'on finirait bien par le découvrir. Tom, du coup, serait disculpé.

Deux jours plus tard, Gunnar vint au cellier pendant la nuit, aux environs de minuit. Il poussa le panneau de bois et entra dans la maison d'Astrid. Il y avait de la lumière dans la cuisine. Astrid était assise à la table dans une robe de chambre en soie. Il l'appela doucement pour ne pas l'effrayer. Elle sursauta, puis se leva et alla ouvrir la porte en grand. Quand elle l'aperçut, elle vint à lui en se tapant légèrement le front.

– Ah ! c'est vous, Gunnar ! Je ne me ferai jamais à l'idée d'avoir ma maison occupée par des étrangers alors que je dois laisser le cellier à mes amis. Entrez donc dans la cuisine.

Elle lui indiqua une chaise.

– Voudriez-vous une tasse d'infusion de feuilles de sureau ? Je les ai cueillies moi-même l'été dernier et je les ai fait sécher. C'est une vieille recette de ma grand-mère.

Sa voix s'altéra.

– ... Si je parle si vite, dit-elle, c'est que je sens bien que vous avez quelque chose à me dire... ?

– J'en ai bien peur.

Les mains de la vieille femme se mirent à trembler. Elle attrapa celles de Gunnar, comme pour se réconforter.

– Voilà pourquoi je ne pouvais pas dormir. Je sentais bien qu'il se passait quelque chose. Steffen est mort ?

– Non... Il a été arrêté.

– Dois-je remercier Dieu pour cela ? demanda-t-elle encore.

– Steffen est un battant, répondit-il.

– Mais la Gestapo va le torturer, non ?

– Ils ne le briseront pas, dit simplement Gunnar.

Elle alla vers la porte d'un pas mal assuré. Il s'avança pour l'aider à monter l'escalier. Mais elle se redressa.

– Ça ira. S'il vous plaît, Gunnar, prévenez Johanna à ma place. J'aimerais rester seule un moment.

Elle monta lentement en s'appuyant à la rampe. Son élégant déshabillé flottait derrière elle. Sur le palier, elle frappa à la porte de Johanna jusqu'à ce qu'elle ait obtenu une réponse. Puis elle gagna sa chambre.

Johanna sortit, à moitié endormie, en attachant la ceinture de sa robe de chambre. Elle aperçut Gunnar dans la lumière au pied de l'escalier.

– Comment est-ce que tout ça a fini ? dit-elle.

– L'opération a été un vrai succès. Les cartes sont en bonnes mains. Le Reichskommissar Terboven a interdit à la presse nationale d'en parler... C'est bon signe. Ils ont même camouflé la mort de Werner. Mais ce n'est pas la raison pour laquelle je suis ici.

– Je m'en doute, dit Johanna. J'ai vu ça tout de suite sur votre visage. Je ne crois pas que je vais avoir la force de supporter ce que vous avez à me dire.

– La Gestapo s'est emparée de Steffen.

Elle s'écroula sur la première marche de l'escalier, ses jambes ne pouvaient plus la porter. Sa tête s'affaissa entre ses genoux qu'elle entoura de ses bras. Il monta s'asseoir à côté d'elle. Elle ne pleurait pas, elle tremblait violemment.

Il posa sa large main sur son épaule et murmura :

– Allons, allons... Tout s'arrangera...

Johanna ne l'entendit même pas. Elle était murée dans sa peine et dans son désespoir. Il resta à ses côtés, silencieux, et se rappela soudain qu'une infusion l'attendait en bas, dans la cuisine. Il descendit en chercher une tasse et, lui relevant la tête, il l'approcha de ses lèvres.

Elle se calma et lui dit très bas :

– Merci d'être venu, merci, Gunnar...

– Je ne sais pas quand je vous reverrai, répondit-il. Comme vous devez le savoir, quand un agent est capturé, ses contacts proches doivent disparaître. C'est valable aussi pour vous. N'allez plus au cellier. J'ai démonté la table pour donner l'impression que ce local est à l'abandon depuis des années. J'ai mis la lampe, les allumettes et deux ou trois autres choses dans le placard sous l'escalier. Dispersez-les dans la maison demain. C'est une simple précaution, mais importante !

– Avant que vous partiez, dit-elle, je voudrais vous demander une seule chose : détenez-vous toujours le papier que j'ai subtilisé dans la serviette d'Axel Werner ?

Elle lui expliqua pourquoi elle posait cette question. Sa propre voix lui parut soudain étrange.

– On a fait une copie de l'original qui aurait déjà dû vous être retourné si l'agent qui le transportait n'avait été obligé de se cacher... Vous vous trouvez également sous le coup d'un interrogatoire, bien que pour vous ce ne soit que pure routine. Je sais que vous tiendrez le coup. Si vous avez l'intention d'aider Ryen, cela vous regarde ! Restez vague à propos des documents que Werner aurait pu compulser devant vous.

Elle secoua la tête. Il la prit par les épaules en signe de sympathie puis il la quitta. Combien de temps resta-t-elle là sur l'escalier, elle ne le sut pas. Elle tomba finalement d'épuisement et s'endormit la tête contre la rampe. Elle s'éveilla au matin pour retrouver intact son cauchemar de la veille.

Elle alla travailler comme d'habitude. La règle d'or des résistants était de se comporter d'une façon aussi naturelle que possible. C'était souvent leur meilleure protection. Au milieu de la matinée, deux gardes de la sécurité SS entrèrent dans son bureau, dans leur uniforme noir.

– Le SS Oberführer Ritcher voudrait vous voir à ses quartiers. Si vous avez un manteau, prenez-le.

Il s'agissait du successeur d'Axel Werner. Il était nouveau dans la région. Le fait de devoir prendre un manteau n'était pas bon signe. Cela indiquait que l'interrogatoire pourrait être long.

Elle enfila donc son manteau et suivit les gardes jusqu'à la voiture qui attendait dehors. Au quartier général, là où elle s'était rendue à la soirée de la Wehrmacht avec Tom, on l'introduisit dans le bureau de Ritcher. Il ne s'y trouvait pas seul.

Un homme chauve, d'âge moyen, en civil, se tenait près de la fenêtre et fumait une cigarette. Elle sut que c'était un homme de la Gestapo. Ritcher avait un visage mince, des cheveux frisés; il portait des lunettes à monture d'or. Il ne se leva pas quand elle entra, mais lui indiqua d'un geste la chaise en face de lui, devant son bureau.

– *Guten Morgen,* Fräulein Ryen. On m'a appris que vous parliez allemand couramment. En conséquence, je m'adresserai à vous dans ma langue maternelle. Vous répondrez à mes questions en toute sincérité et sans tricher. Vous étiez assez liée avec feu Axel Werner, je crois ?

– Nous nous connaissions depuis l'enfance.

– Comment définiriez-vous vos relations avec lui ?

– ... Comme... une sorte de camaraderie qui avait ses racines dans le passé.

– Étiez-vous amants ?

– Non, absolument pas.

– Le major Ryen nous a pourtant suggéré cette éventualité.

Johanna le regarda avec incrédulité.

– Vous avez dû mal comprendre. Tom Ryen sait parfaitement qu'il n'y a jamais rien eu entre Axel Werner et moi.

– Vous vous êtes arrangée pour faire confectionner un manteau avec des peaux de renard que Werner s'était procurées. Je présume que vous étiez la destinataire du manteau. Mais il y a eu une erreur dans les mesures et ce manteau ne vous allait pas... Alors, il l'a envoyé à sa femme.

– Je n'ai jamais rien entendu de plus absurde, répondit-elle. Sa femme est aussi petite que je suis grande. Aucun fourreur ne commettrait une erreur pareille. Particulièrement celui qui a fait le manteau, qui est un fourreur de grand renom à Oslo.

Ritcher s'éclaircit la gorge et changea de sujet.

– Werner et vous, vous rendiez souvent chez le major Ryen au cours des week-ends. Vous rappelez-vous la nuit où l'on a recherché deux hommes dans un village des environs ?

– Je m'en souviens très bien.

Elle était très inquiète de la tournure que prenait l'interrogatoire. Le système de défense de Tom devenait clair. Il avait essayé de jeter le doute sur l'intégrité d'Axel, mettant en avant ses « relations privilégiées » avec Johanna. Tom avait misé sur la défiance des nazis entre eux. L'épisode des généraux rebelles était encore dans toutes les mémoires.

– ... L'un des hommes recherchés a été tué en

essayant de fuir. Le second, quoique blessé, n'a jamais été retrouvé. On a dû le cacher. Qu'en pensez-vous ?

– Il a sans doute réussi à gagner les montagnes.

– Ce n'est pas du tout ce qui est arrivé. L'homme est venu chez le major Ryen. Vous l'avez caché et soigné jusqu'à ce qu'il puisse en repartir...

Elle releva le défi. Elle était décidée à se battre.

– Cela n'a pas de sens, dit-elle, et vous n'avez aucune preuve. Quel fugitif, à moins d'être devenu fou, aurait eu l'idée de venir se cacher dans une maison pleine d'officiers de la Wehrmacht ?

– Allons, allons ! pas de faux-semblant, Fräulein. Vous avez caché cet homme. Le major Tom Ryen l'a découvert et c'est lui qui a rapporté la chose à Werner.

Il pointa un doigt accusateur.

– ... C'est donc vous qui avez participé à la chute de Werner. Il avait menacé Ryen d'emprisonnement s'il vous dénonçait. (Il projeta son visage en avant et ses lunettes étincelèrent.) Maintenant, je veux vous entendre dire le nom du blessé !

Le moment était venu ! Il fallait donner la réponse consacrée.

– Je ne sais rien, dit-elle.

Ces quatre mots, elle les répéta aussi longtemps qu'elle en eut la force physique. Ils lui brûlèrent la poitrine avec des cigarettes, lui arrachèrent les ongles. « Je ne sais rien » devint sa litanie.

Ils ne tirèrent d'elle aucun renseignement.

14

Au camp de concentration de Grini, une sorte de téléphone arabe tenait les prisonniers informés des affaires du monde extérieur. En avril 1945, Johanna se trouvait dans la section des femmes depuis plus de sept mois quand elle apprit la mort du président Roosevelt. La nouvelle l'attrista. Le président américain avait été un ami loyal de la Norvège. Quand la princesse héritière et les enfants royaux avaient cherché refuge en Suède, au début de l'Occupation, il avait envoyé un navire de guerre pour les mettre en sûreté sur le sol américain. Plus tard, il avait donné la Norvège en exemple au monde entier pour le courage dont elle faisait preuve dans l'adversité. Johanna aurait aimé qu'il connaisse la fin de la guerre.

Presque tous les pays occupés venaient d'être libérés par l'avance des Alliés sur Berlin : les Russes à l'Est, les Anglais et les Américains à l'Ouest. Mais les nazis tenaient toujours la Norvège. Tout au nord du pays, les Russes, après avoir traversé la Finlande, forçaient les défenses allemandes. Au cours de leur retraite, tout au long du rude hiver arctique, les Allemands mirent la région entière à feu et à sang, laissant la population sans abri et sans nourriture. Il y eut beaucoup de morts. Les Allemands se glorifiaient toujours d'être équipés pour pouvoir se battre indéfiniment...

Chaque matin, Johanna prenait son balai, sa brosse et son seau pour expédier les tâches domestiques qui lui étaient imparties, à elle comme aux autres femmes de son groupe. Il y avait dans le camp vingt-cinq longs baraquements, gris et bas, les bâtiments de l'administration, les quartiers du commandant, les baraques des gardes et huit tours de guet dont les projecteurs et les mitrailleuses veillaient en permanence sur les clôtures de barbelés qui étaient elles-mêmes entourées de fils électrifiés et d'un champ de mines. Chaque fois qu'elle le pouvait, Johanna se rendait à proximité de ces clôtures : elle contemplait la campagne boisée qui s'étendait jusqu'aux collines ondoyantes. Au-delà de cet horizon, il y avait Oslo et la vie « normale », si douce comparée à l'existence misérable du camp, quels que fussent les aléas de l'Occupation. Le commandant était un homme brutal et cruel qui gouvernait son domaine d'une poigne de fer. Les femmes, même souffrantes, n'étaient pas dispensées des corvées les plus dures, sauf si elles n'étaient plus capables de tenir debout. Les chaussures aux semelles de bois étaient fabriquées par les prisonniers.

Les ongles de Johanna avaient repoussé et ses blessures s'étaient refermées. Mais elle en porterait toujours les cicatrices. Elle avait échappé aux tortures les plus raffinées en convainquant ceux qui l'interrogeaient qu'elle n'avait rien d'autre à dire. Elle avait effectivement pu abriter un agent secret, mais elle ne connaissait pas son nom. Cela paraissait tout à fait logique. Les Allemands savaient bien que les résistants ne donnaient pas leurs noms. Ritcher et son acolyte avaient jugé impossible qu'elle se taise après tout ce qu'elle avait subi. Quand tout avait été fini, on l'avait parquée dans un camion à bestiaux avec d'autres prisonniers et conduite au sud d'Oslo, et, enfin, ici, à Grini.

Elle avait constamment faim. Son estomac n'était que douleur. La nourriture était atroce. L'odeur en était si écœurante que, malgré la faim qui la tenaillait, elle aurait bien échangé son bol contre une aiguille et un peu de fil. La couture aidait à passer le temps; les femmes du camp utilisaient le moindre bout de tissu. Parfois, Johanna réussissait à échanger l'une de ses créations contre un bout de crayon ou une feuille de papier. Elle y écrivait alors d'interminables lettres d'amour à Steffen. C'était ainsi qu'elle gardait le contact avec lui. Quelquefois, Steffen emplissait ses rêves d'une façon si intense que, à son réveil, elle ne comprenait pas pourquoi elle ne se trouvait pas dans ses bras. Bien sûr, dans ces moments-là, elle ne faisait part de sa détresse à personne. Elle n'était pas la seule dans ce cas et il était banal, le matin, de voir des femmes sangloter.

Même si Johanna avait su où Steffen se trouvait, elle n'aurait pu lui faire parvenir aucune de ces lettres. Tout courrier était interdit. Mais elle sentait qu'il était toujours vivant. Elle fixait ses pensées pleines d'amour sur ces morceaux de papier. Elle les cachait derrière une planche disjointe sur le côté de sa couchette, tout en haut d'une des interminables rangées qui s'étiraient sur toute la longueur du baraquement.

La plupart de ses compagnes étaient norvégiennes. Parmi elles se trouvaient aussi une demi-douzaine de prostituées françaises : elles avaient refusé de travailler sur l'un de ces navires qui servaient de bordels aux Allemands. Elles avaient continuellement le mal de mer, même dans les ports. Les Françaises avaient donc tenté de faire grève; et c'est ainsi qu'elles s'étaient retrouvées à Grini. Elles formaient une joyeuse bande, bien que toutes un peu souillons. Quelques conflits éclatèrent même lorsqu'on voulut les plier aux rigoureuses habitudes de propreté des Scandinaves; mais au bout de quelque temps, elles s'y étaient conformées. Elles aéraient désormais chaque jour leurs couvertures et ne refusaient plus de participer au tour de nettoyage pour tenir le baraquement dans un état impeccable.

La nuit venue, les gardes verrouillaient les portes. Un soir, la plus jeune des Françaises avait oublié sa couverture dehors sur les cordes à linge. Elle se glissa à l'extérieur par la fenêtre pour aller la chercher. Elle devait faire attention d'éviter les projecteurs qui balayaient en permanence l'enceinte du camp. Au retour, elle jeta sa couverture à l'intérieur et tenta d'atteindre la fenêtre, mais celle-ci était trop haute. Johanna et deux de ses compagnes essayèrent de la hisser, mais elles n'y parvinrent pas. La lumière des projecteurs approchait. Si elle se faisait prendre dans leurs rayons, elle aurait immédiatement droit à une rafale de mitrailleuse. Sa panique était extrême.

– Plonge au travers du panneau de verre de la porte, lui cria Johanna.

La fille monta les marches quatre à quatre et

plongea la tête la première dans la vitre...

Quelques secondes plus tard, les projecteurs atteignaient la porte. Les sirènes commencèrent à beugler et des gardes apparurent en courant. À l'intérieur du baraquement, tout le monde s'était enfoui dans son lit. Johanna resta debout juste le temps nécessaire pour jeter à l'extérieur quelques morceaux de verre afin de brouiller les pistes. Les gardes ne fouillèrent l'intérieur qu'après avoir inspecté chaque centimètre carré du camp. En vain. Ils comptèrent les prisonnières : aucune ne manquait. Le panneau de verre cassé devait rester pour eux un mystère ! Jamais il ne leur vint à l'idée qu'on avait brisé la porte pour rentrer dans le baraquement et non pour en sortir. Quand les gardes s'éloignèrent, toute la chambrée se tordait de rire.

Toutes ces femmes, il est vrai, n'avaient pas souvent l'occasion de rire. Avec la permission du commandant, les gardes se délectaient d'un jeu étrange et horrible. De temps en temps, ils entraient dans le baraquement avec une chaussette blanche qu'ils jetaient à une femme pour qu'elle la mette à son pied. À l'appel, plus tard, on la faisait sortir du rang et on l'emmenait. Personne ne pouvait dire ce qu'il advenait des porteuses de chaussettes blanches, mais on ne les revoyait jamais.

Le quartier des femmes était complètement coupé de celui des hommes, tout contact entre eux était formellement interdit. À l'occasion, les femmes pouvaient apercevoir les hommes, derrière les barbelés. Ils étaient vêtus de vestes noires et de pantalons rayés. Quelques-uns portaient un triangle au dos de leur veste : cela permettait de les repérer facilement afin de leur faire subir les plus durs traitements. Quand un groupe de travailleurs passait dans les environs, les Françaises essayaient de se glisser entre les gardes pour leur faire des signes. Elles leur criaient des choses en français – elles n'avaient jamais réussi à apprendre le norvégien. Mais ceux-là mêmes qui ne comprenaient pas ce qu'elles disaient en saisissaient le sens. Cela les réjouissait.

Si la vie du camp était sinistre pour les femmes, elle l'était plus encore pour les hommes. Ils devaient supporter des châtiments impitoyables à la limite de leur endurance. L'une des tâches de Johanna consistait à nettoyer la baraque aux barreaux de fer dans laquelle les condamnés passaient leurs dernières heures. Les murs étaient couverts de leurs ultimes messages, parfois au crayon, mais le plus souvent grattés à même le mur avec un caillou pointu ou le bord du bol de métal dans lequel on leur servait quelque nourriture : *S'il vous plaît, dites à ma femme... Prévenez mes parents... Tout mon amour à... Dernières affections à ...*

Au début, Johanna décida de faire ce qu'elle pourrait pour satisfaire ces derniers vœux. Chaque fois qu'elle allait là-bas, elle notait les messages et les noms sur des bouts de papier...

Il y avait quand même quelques moyens de faire sortir des messages du camp, même si cela demandait des semaines d'attente. À l'époque où elle apprit le décès du président Roosevelt, elle avait déjà envoyé plus de quarante messages, dissimulés dans les recoins de caisses de poissons au cours de livraisons.

L'atmosphère commençait à changer. Les gardes se montraient nerveux. Certains tentaient des ouvertures qui, selon eux, auraient dû déboucher sur une sorte de camaraderie; les autres, au contraire, devenaient de plus en plus agressifs. On sentait bien qu'il se passait quelque chose... Des rumeurs circulaient, tant parmi les soldats que parmi les prisonniers. La vérité commençait à se faire jour : la Wehrmacht se retirait de partout dans le plus grand désordre. Le 1er mai, une rumeur circula dans le camp : Hitler était mort. Avant que la nouvelle ne soit confirmée, l'un des gardes s'était suicidé et un autre l'imita dès le lendemain.

Le commandant ne relâcha pas pour autant ses mesures de discipline, au contraire. Les châtiments devinrent plus fréquents. On punissait maintenant sans aucune raison. Une même terreur, inavouée, tenaillait chacun; comment se comporterait le commandant quand la défaite complète des Allemands serait confirmée ?

Johanna se trouva de nouveau envoyée en corvée dans la cellule des condamnés. La nuit précédente, un homme y avait passé ses dernières heures... Elle entra et posa son balai et son seau pour regarder la signature. Chaque mur lui était une carte familière et elle pouvait en général repérer tout nouveau message d'un seul coup d'œil. Celui-ci la pénétra comme une flèche en plein cœur. Elle s'approcha du mur en trébuchant, les mains tendues : *Pour Johanna de Ryendal, mon amour dans l'éternité. Steffen Larsen. 5 mai 1945.*

Elle poussa un cri de bête et se jeta contre la paroi, pressant son visage sur l'écriture de Steffen, secouée de terribles sanglots. Ainsi, il avait été à Grini en même temps qu'elle et elle ne l'avait même pas su ! Il s'était tenu dans ce baraquement, en avait respiré l'air, avait foulé ce sol et elle ne l'avait pas su ! Tout ce qu'elle avait souffert ne l'avait pas sauvé. En fin de compte, les Allemands l'avaient assassiné.

Ce fut l'une des Françaises qui la trouva là. Elle ignorait la raison de sa soudaine et terrible douleur; mais elle s'arrangea pour évacuer Johanna avant qu'un garde ne la questionne.

Johanna, en état de choc, ne put trouver le sommeil de toute la nuit qui suivit : elle fixait obstinément l'obscurité et, le lendemain, elle se déplaça comme une somnambule. Elle ne s'effondra qu'au matin du 7 mai alors qu'elle faisait la lessive. Des femmes la transportèrent sur sa couchette où une Française la berça jusqu'à ce qu'elle s'endorme.

Johanna, épuisée, fut la dernière à se réveiller cette nuit-là. Il y avait du mouvement dans le camp. Elle s'assit sur sa couchette et observa que ses camarades, folles de terreur, se serraient les unes contre les autres. Elle sauta à terre et se joignit à elles. Inutile de demander ce qui se passait. Les gardes déverrouillèrent les portes et leur ordonnèrent de sortir. Elles avaient toutes la même pensée : c'était leur tour ! Exactement comme elles l'avaient redouté. Le jour fatal venait d'arriver : les Allemands, vaincus, allaient les exécuter.

– Dehors ! Tout le monde ! Allez, avancez ! Avancez !

De toute évidence, les gardiens étaient de sombre humeur.

Quelques femmes commencèrent à pleurer. Johanna passa un bras autour de la taille de l'une d'elles, blessée à une jambe, et l'aida à descendre les marches. Le camp tout entier était illuminé. C'était un curieux spectacle que ce rassemblement de femmes amaigries, clopinant dans l'extraordinaire diversité de leurs vêtements de nuit. Quelques-unes se serraient dans des couvertures, d'autres relevaient bravement une tête couverte de papillotes de chiffons miteux. Beaucoup étaient pieds nus. Tous les projecteurs avaient été allumés. Curieusement, la panique n'avait encore gagné personne. Les femmes se tenaient simplement serrées les unes contre les autres, pour se réconforter. Soudain, leur parvint un martèlement de pas.

Une femme s'écria en tremblant :

– Ils arrivent !

Elles retenaient toutes leur souffle. On entendit quelques sanglots vite réprimés. Johanna se prépara à l'inéluctable, tout en s'efforçant de calmer sa compagne blessée. Pendant un bref moment, elle ferma les yeux pour rassembler tout son courage.

Un homme dans un uniforme que ni elle ni ses compagnes ne reconnurent de prime abord pénétrait à grandes enjambées dans le camp, suivi de plusieurs autres. Il escalada rapidement les marches d'accès à un des bâtiments et se retourna pour parler. Il dit d'une voix forte en ouvrant les bras :

– Mesdames ! Nous sommes la Croix-Rouge suédoise et nous allons prendre soin de vous. Vous êtes libres !

Le silence qui suivit fut si long que le responsable de la Croix-Rouge suédoise commença à se demander si ce n'était pas son accent qui avait rendu son message inintelligible. Puis, tout à coup, une explosion de joie délirante se fit entendre. Les femmes criaient, riaient, dansaient, pleuraient de bonheur. Certaines, incapables de percevoir dans toute sa signification une nouvelle si soudaine après tant de jours et de nuits de désespoir, s'étaient laissées tomber à terre, hébétées. Quant à Johanna, elle se tenait immobile, les bras pendants, tandis qu'autour d'elle on continuait à s'embrasser et à délirer. Elle ne pouvait penser qu'à Steffen. Si seulement on lui avait donné quarante-huit heures de plus ! Il serait là, lui aussi, de l'autre côté des barbelés à se réjouir avec ses compagnons dont l'immense clameur avait dû s'entendre jusqu'aux collines.

Peu à peu, elles retournèrent toutes à leur baraquement, pour s'habiller, rassembler leurs maigres affaires. Les transports de la Croix-Rouge attendaient à la porte. Celles qui habitaient dans la région d'Oslo seraient immédiatement ramenées chez elles. Les autres seraient hébergées pour la nuit dans les écoles et les hôpitaux de la capitale. Les hôtels pourvoiraient à leur nourriture. Ces dernières semaines, la Résistance avait secrètement fait transporter des vivres à Oslo en prévision de cette libération des prisonniers et des prisonnières. Johanna ramassa les petits trésors qui l'avaient tenue occupée pendant l'éternité de ces heures sombres : une poupée de chiffons, cousue de ses mains, un foulard en patchwork et une ceinture tressée. Enfin, elle prit derrière la planche les lettres qu'elle avait écrites à Steffen.

– Êtes-vous prête ?

Une femme de la Croix-Rouge se tenait à côté d'elle.

– Bien. Où habitez-vous ?

– Sur la côte ouest. Mais j'aimerais être déposée dans une maison, à Grefsen, dans la banlieue d'Oslo, qui fut mon second foyer pendant longtemps.

– Est-ce qu'on vous y attend ?

– Je m'arrangerai.

Johanna se joignit aux femmes qui quittaient déjà le baraquement. Quand elles franchirent les portes du camp, désormais grandes ouvertes, elles ne purent s'empêcher de le faire en courant et en criant de joie. Johanna s'arrêta pour respirer à pleins poumons l'air frais de la liberté. Au lointain la cloche d'une église carillonnait.

On les aida à monter dans les cars. Elles s'y assirent, tassées les unes contre les autres pour se faire de la place... Personne ne voulait rester un instant de plus à Grini. Il y avait foule autour des cars, une foule disciplinée quoique en liesse. Des éclats de rire fusaient de toutes parts et l'on chantait l'hymne national.

Quand le bus eut démarré, Johanna regarda défiler la campagne sous la lueur de l'aube qui pointait. Le bus traversa Oslo, s'arrêtant çà et là pour laisser descendre les femmes arrivées chez elles. Les familles sortaient des maisons en courant, dans leurs vêtements de nuit, pour les accueillir; et c'étaient de nouveau des cris de joie, des pleurs et des embrassades. Le drapeau norvégien flottait partout dans la ville, comme une éclosion soudaine de fleurs rouges, blanches et bleues. On retirait les svastikas des façades des bâtiments; deux hommes grimpés sur des échelles étaient en train de s'attaquer aux aigles allemandes qui trônaient sur l'entrée d'un immeuble. Tous les bâtiments du gouvernement ainsi que les quartiers des armées étaient gardés par des membres de la Résistance portant des brassards blancs.

La situation était extrêmement délicate. En Norvège, les Allemands ne constituaient pas une armée de fuyards en débandade : au contraire, ils étaient toujours parfaitement équipés alors qu'ils devaient déposer les armes. Une saute d'humeur du Reichskommissar Terboven pouvait engendrer des conséquences catastrophiques.

Johanna, en ce qui la concernait, avait une bataille personnelle à livrer chez les Alsteen. Elle avait l'intention d'en expulser l'officier allemand qui y logeait.

Il n'y avait plus qu'elle dans le car quand on la déposa devant la barrière. La porte d'entrée était ouverte et la maison éclairée. Le car repartit et elle agita la main pour remercier ses sauveteurs. Elle traversa la pelouse et les souvenirs l'assaillirent. Elle pénétra dans la maison et devina que son occupant avait fui en toute hâte. Elle alla de pièce en pièce et s'aperçut qu'il avait raflé les objets qui se trouvaient dans le bureau, dans les placards et dans les tiroirs. Dans la cuisine, la cafetière était encore tiède et sur la table des miettes indiquaient qu'il avait pris son petit déjeuner.

Elle monta à l'étage. C'était le même abandon : le lit était défait et l'édredon traînait à terre. On avait dû annoncer par téléphone à l'officier la reddition de son pays. L'homme, dans sa précipitation, avait oublié sa capote de cuir gris dans la penderie.

Prise d'une rage incontrôlable, Johanna tira le vêtement du cintre sur lequel il était suspendu, le jeta par terre, le piétina avec frénésie et lui fit descendre l'escalier à coups de pied comme si son propriétaire se trouvait à l'intérieur. D'un dernier coup de pied, elle l'expédia dehors et claqua la porte. C'est alors qu'elle se sentit faiblir et qu'elle s'appuya au chambranle.

Quand elle eut repris un peu son souffle, elle décida d'appeler chez elle. Ce fut son père qui répondit; il était déjà debout, pour aller traire les vaches.

– Bonjour, père. C'est Johanna. Ça y est ! je suis libre...

Ce fut le coup de téléphone le plus émouvant de toute sa vie. Elle eut ses parents tour à tour, mais le bonheur les rendait presque muets. Après quoi, advint le moment le plus triste. Elle appela Astrid. Elles parlèrent calmement ensemble pendant quelques minutes. Astrid fut très courageuse et ne se laissa pas aller...

– Viens me voir dès que tu le pourras, dit-elle simplement pour finir.

Johanna se sentait beaucoup moins brave. Dès qu'elle eut raccroché, elle sombra dans le désespoir. Elle s'effondra sur une chaise, dans l'entrée, et resta là, tête baissée, pendant un très long moment. Quand elle se leva enfin, elle éteignit les lumières et monta l'escalier pour aller se faire couler un bain. L'officier nazi avait laissé savon et shampooing. Pour la première fois depuis des mois, elle se vit nue dans un miroir. Elle était si maigre que tous ses os saillaient. Ce lui fut un grand bonheur que de se plonger dans l'eau chaude. Pendant des mois, elle n'avait eu droit qu'à des douches glacées, debout sur des caillebotis de bois, au milieu de centaines de femmes épuisées. Certaines étaient détenues depuis si longtemps qu'elles étaient absolument squelettiques.

Johanna lava ses cheveux en les faisant abondamment mousser. Jamais plus une gardienne nazie ne lui raclerait vicieusement la peau du crâne. Quand elle sortit du bain, elle s'enroula dans des serviettes moelleuses. Tout cela lui paraissait quelque peu irréel.

Drapée dans sa serviette, elle se demanda si elle ne trouverait pas dans la maison quelque chose à se mettre sur le dos jusqu'à ce qu'elle puisse laver les vêtements qu'elle portait au camp. Elle ouvrit placards et tiroirs mais ne trouva rien. Ce ne fut qu'en sortant de son ancienne chambre qu'elle se rappela le carton de vêtements qu'elle avait déposé dans la cave. Serait-il possible qu'il se trouve toujours sous l'armoire, là où elle l'avait caché ?

Pieds nus, elle se précipita en bas. Au premier coup d'œil, elle pensa qu'il n'y avait aucun espoir. Tous les trésors d'Anna s'étaient envolés. La vieille armoire était toujours fixée au mur, mais les portes en avaient été arrachées. Probablement pour faire du feu... Elle s'agenouilla et passa la main. Elle rencontra d'abord une masse de toiles d'araignées. Le carton n'était plus là. Elle insista, enfonça la main plus loin sous le meuble et rencontra soudain un des coins du carton. Elle le tira à elle non sans difficulté. Enfin, il était là ! Le couvercle se déchira à la première pression et quand Johanna le souleva, elle fut émerveillée : au-dessus de ses robes du soir se trouvaient nombre de pièces de lingerie de satin... et, tout au fond, deux robes, des jupes, des vestes et même une paire de chaussures pour le soir.

Elle était en train de s'habiller dans sa chambre quand il lui sembla entendre un véhicule qui s'arrêtait devant la barrière, puis qui démarrait de nouveau. Elle n'y prêta pas grande attention. Une fois sa robe boutonnée, elle enfilait ses escarpins du soir, quand elle entendit que s'ouvrait la porte d'entrée.

Les Alsteen étaient-ils déjà de retour ? Étonnée, elle s'avança sur le palier.

Un homme de haute taille se tenait dans le hall. Son imperméable ouvert découvrait la tenue des prisonniers porteurs du triangle maudit : la marque qui désignait ceux qui devaient subir des traitements « spéciaux ». L'homme avait entendu son pas et il leva la tête. Son visage s'éclaira. Il était maigre et affreusement pâle, les tempes et les joues creuses, les os saillants.

Elle ne put que dire, puis répéter son nom, indéfiniment, avec ravissement.

– Steffen ! Steffen ! Oh Steffen !

– Jo chérie !

Elle vola jusqu'en bas de l'escalier alors qu'il laissait tomber son paquetage pour lui ouvrir les bras.

Ils s'étreignirent follement et restèrent ainsi, dans les bras l'un de l'autre, sans pouvoir prononcer d'autre parole...

Alors, Johanna lui passa les doigts sur le visage, tout en l'implorant :

– Dis-moi que je ne rêve pas ! Dis-le-moi !

– Non, ce n'est pas un rêve, Jo. Nous sommes ensemble et nous ne nous séparerons plus jamais.

Johanna suffoquait. C'était à peine si elle pouvait parler.

– J'ai vu ton message à Grini. Il faut appeler Astrid. Elle croit que...

– Je viens de le faire. C'est elle qui m'a dit que tu étais ici. Elle venait juste de te parler quand j'ai téléphoné.

– Mais comment t'en es-tu tiré ?

– Ce qui m'attendait était pire que le peloton d'exécution. Des centaines de prisonniers dans mon genre, ceux que les Allemands n'avaient pas réussi à faire parler, ou ceux contre lesquels ils avaient des griefs particuliers, ont été transférés hâtivement à Mysen, un camp en bordure de la frontière suédoise. Ils ont miné l'endroit... Et, à la libération, nous devions tous être désintégrés dans nos baraquements. Par un heureux hasard, le commandant responsable du camp s'est absenté. Il avait des problèmes avec ses yeux... Il est parti se faire soigner. Son suppléant s'est dégonflé à la dernière minute. Des membres de la Résistance de cette région nous ont délivrés. Ils nous ont remis un paquet avec des vêtements, que je n'ai pas encore eu le temps de passer. Ma seule pensée, mon obsession, c'était de te retrouver...

Johanna se sentait comme anéantie par tant de bonheur.

Une folie joyeuse s'était emparée de la ville. Le commandant en chef allemand s'était officiellement rendu à la Résistance. Les magasins et les bureaux avaient fermé. C'était jour d'allégresse nationale. Steffen brûla son uniforme de prisonnier et Johanna fit de même des vêtements qu'elle portait au camp. Ils déposèrent la capote du nazi dans la poubelle et se rendirent ensuite en ville pour prendre part à la fête. La ville d'Oslo était noyée sous les drapeaux. L'*Union Jack*[1], le *Stars and Stripes*[2] et le drapeau norvégien ondulaient partout, aux fenêtres, sur les balcons, sur les toits. Dans la vitrine d'un grand magasin, un panneau résumait bien la situation : *Fermé pour cause de joie.*

Les policiers qui avaient refusé de collaborer – ou ceux qui avaient travaillé dans les rangs de Quisling pour la Résistance – avaient ressorti leurs uniformes bleus. Ils dirigeaient la circulation, canalisaient la foule qui les applaudissait avec enthousiasme. Des orchestres jouaient un peu partout; les gens dansaient, chantaient dans les rues. Les petits enfants ouvraient grands leurs yeux : ils n'avaient jamais connu rien de tel. Les membres de la Résistance, qui pouvaient se déplacer enfin au grand jour, assuraient leur service partout. On les fêtait en leur jetant des fleurs.

Quelques incidents mineurs se produisirent que personne ne fut en mesure d'éviter. Ainsi, les vitres de plusieurs sièges du parti nazi furent brisées. En banlieue comme un peu partout dans le pays, les maisons des partisans de Quisling subirent le même traitement. Mais on ne s'en prit que très exceptionnellement aux personnes.

En ces heures de libération, les gens se montrèrent remarquablement tolérants. C'est l'une des caractéristiques norvégiennes que de savoir pardonner sans pouvoir oublier. Chaque partisan de Quisling vivrait jusqu'à la fin de ses jours marqué du sceau des traîtres.

Par devoir, Steffen se rendit à un centre de mobilisation de la Résistance. L'officier du Milorg, avec son brassard sur sa veste de tweed, observa le visage émacié du visiteur, puis examina ses mains.

– Vous sortez tout droit d'un camp, n'est-ce pas ? Lequel ?

1. *Union Jack :* drapeau anglais.
2. *Stars and Stripes :* drapeau américain.

– Grini.

L'officier émit un sifflement.

– Vraiment ! Alors, ici, ce n'est pas un endroit pour vous... Vous avez bien le droit de récupérer... Nous garderons les principaux bâtiments jusqu'au retour du gouvernement auquel nous les remettrons. Le prince héritier est déjà en chemin. Le roi le suivra le mois prochain. Pendant ce temps-là, retapez-vous et amusez-vous. Vous l'avez bien gagné !

La fête dura toute la nuit. Mais Johanna et Steffen rentrèrent tôt chez eux. Ils voulaient savourer la douceur de s'être retrouvés dans la quiétude de la maison. Des feux de joie, que l'on entretenait en y jetant les rideaux du black-out, flambaient un peu partout. Leur lueur vacillait au plafond de la pièce où Johanna et Steffen reposaient dans les bras l'un de l'autre.

En dehors des festivités de la ville, les choses évoluaient. Quisling avait été arrêté et le Reichskommissar Terboven s'était suicidé. Les prisons regorgeaient de collaborateurs, de trafiquants du marché noir, d'informateurs, d'agents de la police secrète de Quisling. Tous les membres de la Gestapo s'étaient envolés de leurs quartiers au Victoria Terrasse, déguisés en officiers de la Wehrmacht. Mais beaucoup d'entre eux étaient fort connus. Ils se retrouvèrent enfermés dans ces mêmes cellules où ils avaient torturé tant d'hommes et de femmes.

... Le téléphone éveilla Johanna durant la matinée. Steffen dormait toujours. Elle quitta le lit étroit qu'ils avaient partagé pour aller répondre sur le nouveau combiné que le nazi avait fait installer dans l'autre chambre. C'était sa mère qui appelait. Elle était très excitée. Elle venait de recevoir un câble de Rolf. *Sain et sauf. Je rentre bientôt. Wendy et votre petit-fils suivront. Affections à tous. Rolf.*

– Quelle merveilleuse nouvelle ! dit Johanna. Vous n'avez encore rien reçu d'Erik ?

– ... Rien.

Johanna et Steffen décidèrent ensuite de passer

la semaine ensemble avant de rentrer chez eux. Ils en avaient besoin. Pas seulement pour le bonheur d'être seuls tous les deux, mais aussi pour se réadapter à la vie normale après la sinistre routine des camps.

On exigea d'eux cependant qu'ils aillent se faire examiner à l'hôpital où on leur administra les soins appropriés. Avec, en prime, des vitamines distribuées par la Croix-Rouge afin de leur donner des forces. La malnutrition, l'angoisse avaient perturbé le cycle menstruel de Johanna. Elle n'avait pratiquement plus de règles. Elle redoutait par-dessus tout de n'avoir plus aucune chance de concevoir un enfant. Les médecins la rassurèrent : avec le temps, tout rentrerait dans l'ordre.

Ils assistèrent au retour triomphal du prince héritier Olav ainsi qu'au défilé des troupes norvégiennes libres, entraînées en Angleterre. Elles descendirent Karl Johans Gate avec d'autres contingents alliés. Couverts de guirlandes de fleurs, ces hommes furent acclamés à en devenir sourds.

Rolf, ce jour-là, se posa avec son Spitfire sur l'aérodrome de Gardermoen, près d'Oslo. Quand il toucha le sol norvégien, il sentit qu'il retrouvait ses racines.

Johanna avait fait disparaître toute trace de la présence du nazi dans la maison des Alsteen. Steffen et elle projetaient déjà de partir sur la côte ouest. Elle se trouvait assise dans le jardin, écrivant à Anna et à Viktor une lettre qu'elle se proposait de laisser dans la maison à leur intention, quand elle entendit un taxi s'arrêter. Elle bondit pour aller voir ce qui se passait.

Une petite femme était en train de payer le chauffeur qui venait de déposer sa valise tout contre la barrière. C'était Anna. Elle aperçut Johanna et émit une exclamation de surprise et de ravissement. Elles coururent l'une vers l'autre.

– Laisse-moi te regarder, dit Anna.

Et elle la repoussa en arrière pour examiner son visage.

– ... Tu es beaucoup trop maigre, dit-elle. Je vais te préparer de bons petits plats. J'ai une caisse de nourriture qui doit arriver de Suède. Il n'y a pas de rationnement là-bas, tu sais.

Elle perçut comme une question dans les yeux de Johanna et elle sourit tristement.

– ... Viktor est mort il y a quatre ans, en arrivant en Suède. Il n'a jamais su que nous étions sauvés.

– J'en suis désolée, Anna.

Anna regarda la maison avec mélancolie.

– C'est bon d'être enfin chez soi. J'ai toujours aimé cette maison. Pendant tout ce temps, je n'ai pas cessé de penser au retour.

– Il y a quelqu'un à l'intérieur que vous connaissez bien... Il est en train de réparer une armoire dans la cave.

– Serait-ce Steffen ?

– Voilà... c'est bien lui. Et c'est l'homme que je vais épouser.

Le visage d'Anna rosit. Elle retrouvait comme un air de jeunesse. Elle embrassa Johanna.

– Mais c'est merveilleux, Johanna ! J'avais toujours voulu vous faire vous rencontrer. Je me rappelle avoir omis de lui dire que Viktor et moi partions en vacances quand il a téléphoné, la veille de notre départ, pour annoncer son arrivée.

Johanna se mit à rire très doucement.

– C'est bien ce que je me suis dit. Il s'est tellement passé de choses depuis ! Entrons... Je vous raconterai tout.

Les retrouvailles avec Steffen furent littéralement exubérantes. Il la fit même sauter en l'air. Anna était comme une enfant retrouvant ses jouets. Elle courait d'une pièce à l'autre, soulagée de reprendre possession d'une maison finalement peu différente de celle qu'elle avait quittée. Elle ne perdit pas de temps à pleurer sur son argenterie et ses bibelots.

Le lendemain matin, avant le départ de Steffen et de Johanna pour la gare, elle faisait déjà des plans pour transformer à leur intention le premier étage. On avait annoncé dans la presse que le manque de logements allait se faire sentir très durement dans tout le pays. La situation risquait de s'aggraver avec les épouses que les combattants norvégiens ramenaient d'Angleterre et du Canada. Il fallait aussi recueillir les sans-abri de la Norvège du Nord. Plusieurs centaines d'entre eux se trouvaient encore sans toit...

– Je ne sais pas encore si je reprendrai mon travail d'avant, dit Steffen. Vous ne devriez pas tenir compte de nous pour organiser votre avenir.

Steffen ne tenait pas à ce qu'Anna se fasse trop d'illusions.

Pour la première fois depuis son retour, une certaine tristesse voila les yeux d'Anna. Johanna, qui l'observait, comprit qu'elle redoutait la solitude dans cette maison, sans Viktor.

Rolf se trouvait déjà à la ferme quand Johanna et Steffen y arrivèrent. Des drapeaux flottaient sur chaque maison de la vallée en l'honneur du pilote. Dans la matinée qui avait suivi son retour, l'orchestre de cuivres du pays était venu sous sa fenêtre lui jouer des airs patriotiques. Hommage qu'il manqua de bout en bout parce qu'il dormait encore profondément. Il avait célébré trop gaiement la victoire au mess des officiers, la veille de son retour chez lui.

Johanna retrouvait enfin des visages accueillants. Les voisins couraient à leur barrière pour lui faire des signes d'amitié; certains s'excusaient de ne pas avoir deviné qu'elle travaillait pour la Résistance. Mais toute cette joie était assombrie par une grande peine. Ce fut Rolf qui apprit la nouvelle à Johanna – mais un seul regard à ses parents l'y avait préparée.

– ... Erik est mort. Il travaillait pour le « Shetland Bus. » Il a risqué sa vie de nombreuses fois avant de se faire prendre. Il a été fusillé au château d'Akershus. J'ai entendu dire que l'on dresserait un monument commémoratif dans la cour où tant de nos hommes ont affronté les pelotons d'exécution nazis. Les Allemands les ont tous mis à la fosse commune. Nous ne saurons jamais où il repose.

Johanna mit un certain temps à accepter la mort de son frère. Elle fut heureuse que ses parents eussent un petit-fils qui comblerait ce vide. Personne, pourtant, ne pourrait jamais prendre la place de leur fils mort...

Quand Steffen et Johanna arrivèrent chez Astrid, elle avait repris l'entière possession de sa maison. Elle l'avait astiquée de la cave au grenier. Des feux de joie l'avaient aidée à se débarrasser de tout ce qui l'encombrait, rideaux du black-out inclus.

– J'ai fait ce que j'avais dit. J'ai flanqué ces femmes à la porte d'un coup de balai et j'ai même jeté un seau d'eau à la figure de l'une d'elles – elle avait toujours été insolente envers moi.

Ils restèrent plusieurs jours chez elle. C'est ainsi qu'ils apprirent l'arrestation de Tom Ryen, qui était passible d'une longue peine de prison.

On disait aussi que, lorsque Vidkun Quisling paraîtrait devant le tribunal, il serait condamné à mort. Mais la peine de mort était abolie en Norvège depuis de longues années. La population s'opposerait à ce qu'elle soit rétablie, même pour punir un traître...

Pendant son séjour chez Astrid, Johanna reçut une lettre qui venait de la ferme. Karen avait téléphoné à Gina qui avait dû lui apprendre la mort d'Erik. À la suite de quoi elle leur avait envoyé une lettre courageuse dans laquelle elle racontait ce qui lui était arrivé. Elle avait eu un enfant qui lui avait été retiré pour être envoyé en Allemagne. C'était un garçon et il n'y avait aucun moyen de retrouver sa trace. De nouveau enceinte, elle avait donné naissance à une fille juste avant la Libération. Elle pensait que si Erik était encore vivant il aurait adopté cet enfant. Elle entendait le garder et l'élever seule. Son beau-frère était rentré d'Allemagne avec d'autres prisonniers et sa sœur était saine et sauve. Ils avaient l'intention d'ouvrir une boulangerie dans une construction neuve et lui avaient demandé de vivre avec eux. Mais elle avait besoin d'indépendance pour se construire une vie nouvelle, pour elle-même et pour son enfant. Johanna aurait-elle entendu parler d'un logement qui conviendrait à une mère célibataire ?

Tout en lisant, Johanna s'exclama :

– Mais oui ! bien sûr !

Elle imaginait déjà combien Anna serait heureuse d'avoir un bébé chez elle. C'était la solution idéale. Karen pourrait facilement trouver du travail à Oslo et Anna s'occuperait du bébé pendant la journée. Anna avait un cœur généreux et Karen était d'une nature charmante. L'arrangement serait satisfaisant. Mais maintenant Johanna devait penser à son propre mariage et à la venue de la femme de Rolf et de leur enfant.

Wendy était la nièce d'un diplomate influent. C'est ainsi qu'elle put rejoindre la Norvège en compagnie du personnel d'ambassade, bien avant toutes les autres femmes dans son cas. Au terme de la traversée, elle se leva à quatre heures du matin pour ne pas manquer la première vision du fjord d'Oslo... Le soleil s'était levé bien avant elle. Il ne se couchait pratiquement pas en été. La beauté du paysage la stupéfia. Des îles flottaient comme des bijoux, au large. Sur la côte rocheuse étaient perchées des maisons de poupée peintes de toutes les couleurs, tranchant sur le vert luxuriant des prairies, qui s'adossaient à la masse sombre des forêts. Des voiliers glissaient sur l'eau... Tout le monde, ici, était debout avec le soleil. On entendait le sourd ronronnement des moteurs des bateaux de pêche... Des mouettes gris et blanc déployaient leur vol sur un ciel absolument bleu.

C'était bien là son nouveau pays; et elle l'aimait déjà.

Le bâtiment pénétra enfin dans le port. Wendy se tenait au bastingage, son bébé dans les bras. La capitale tout entière semblait lui sourire. Elle aperçut sur le quai un pavillon entouré de fleurs. On l'informa qu'il venait d'être érigé pour le retour du roi Haakon dans quelques jours. Les armes royales étincelaient sur la façade de l'hôtel de ville. La vieille forteresse d'Akershus semblait surgir des eaux. Dans la foule, sur le quai, elle reconnut enfin Rolf, en uniforme, un bouquet de roses rouges à la main. Elle fit des signes de la main dans sa direction. Il lui répondit de la même façon.

Puis elle dit doucement à son bébé :

– Nous sommes arrivés, Paul. Je te conduis à ta maison.

Elle avait appris, juste au moment de son départ, qu'elle allait rencontrer les membres de sa belle-famille au grand complet à l'occasion du mariage de la sœur de Rolf. Elle en était tout intimidée. Quand le moment arriva, elle comprit qu'elle avait eu tort de s'inquiéter : personne au monde ne fut accueilli avec plus de chaleur. La vallée et ses fermes lui apparurent comme l'univers qui lui avait toujours manqué.

Johanna et Steffen se marièrent dans l'église du hameau, sur le fjord. Ce fut pour Wendy l'occasion de découvrir les costumes nationaux norvégiens – ceux que l'on ne sort qu'exceptionnellement, en des circonstances très précises. Johanna portait une robe de soie ornée de dentelles précieuses, au col montant, aux manches longues et à la ligne très pure. La grand-mère d'Astrid l'avait portée avant elle. Et cette parure lui allait merveilleusement. Quand les mariés sortirent de l'église, sur le parvis inondé de soleil, il n'y eut pas d'envolée de cloches. On les avait sonnées avec tant d'enthousiasme le jour de la Libération qu'elles étaient fêlées.

Le temps était doux. La réception de la noce avait été organisée sur de longues tables, à l'ombre des arbres de la ferme. La pièce montée traditionnelle (on n'en avait plus vu de telle depuis l'Occupation) trônait glorieusement en une pyramide de sucre :

Anna avait fait venir de Suède les amandes et le sucre, l'avait confectionnée elle-même et l'avait apportée d'Oslo.

Il y eut aussi des tas de chansons et de discours. Rolf était garçon d'honneur. Il parla avec les mariés du temps où il luttait dans la Résistance, mais il ne donna aucun détail sur ses activités... C'était devenu une règle. Par une décision tacite et spontanée, chacun voulait tirer le voile sur ses actions, bien souvent héroïques, pour ne pas faire d'ombre aux autres... Beaucoup de membres de la Résistance allaient être décorés par le roi, dont Steffen. Mais il ne parla jamais de ce qu'il avait fait pendant la guerre, pas même à Johanna. Et elle respecta toujours cette discrétion.

Ils revinrent à Oslo pour assister à l'arrivée du roi. C'était le 7 juin, exactement cinq ans, jour pour jour, après son embarquement pour l'exil. La capitale éclata de nouveau en démonstrations de liesse qui dépassèrent même celles du jour de la Libération. Il plut dans la matinée. Le soleil se montra enfin pour accueillir le roi dans son uniforme de la marine ainsi que la princesse héritière et les trois enfants royaux. Le roi remonta Karl Johans Gate dans une voiture découverte. Puis il parut au balcon du palais et salua ceux de la Résistance qui défilaient par milliers, vêtus de l'anorak et portant sac au dos : leur uniforme pendant les cinq années qu'ils avaient passées à se cacher dans les montagnes. Steffen et Johanna se trouvaient parmi eux. Marchaient aussi avec eux un orchestre de cuivres, les prisonniers relâchés et... un jeune juif – l'un des vingt-quatre juifs norvégiens qui revinrent des camps d'extermination en Allemagne. Ce fut le défilé le plus important que la cité ait jamais connu et Johanna devait se le rappeler toute sa vie.

En 1984, Johanna se trouvait à Londres peu avant Noël. Steffen, qui possédait des intérêts dans une société norvégienne de pétrole, avait pris un rendez-vous d'affaires avec son homologue anglais. Johanna avait donc quitté sa maison d'Olso pour accompagner son mari, sautant sur l'occasion de faire quelques achats dans ses magasins favoris de la capitale britannique. Leurs deux fils étaient mariés et avaient déjà chacun trois enfants. C'est dire si la liste des cadeaux à faire pour Noël était longue. À la fin d'une journée chargée, elle rentra à son hôtel en taxi. La voiture tourna dans Trafalgar Square. Elle se pencha en avant et frappa avec insistance à la glace qui la séparait du chauffeur.

– Arrêtez-moi ici, s'il vous plaît !

– Mais votre hôtel ne se trouve pas là.

– Je sais. Mais je viens de changer d'avis...

Elle paya sa course et descendit, les sacs verts de chez Harrod's pleins à craquer de paquets enrubannés au bout des bras. Le taxi disparut dans le flot de la circulation. Alors, elle se retourna pour contempler l'arbre de Noël norvégien auprès des fontaines, comme abrité par la colonne Nelson. Elle était vêtue d'une façon à la fois coûteuse et décontractée, et son élégance attirait les regards. Elle traversa lentement la place et s'approcha de l'arbre que l'on avait abattu peu de temps auparavant, sûrement, dans une forêt des environs d'Oslo. Elle le parcourut du regard sur toute sa hauteur : au moins deux mètres cinquante, jusqu'à l'étoile qui le couronnait.

Ses branches touffues étincelaient de lumières blanches, elles oscillaient dans l'air glacé comme si l'arbre venu de Norvège goûtait l'air anglais. Johanna se tint là un moment, le visage levé.

Chaque année, ainsi, un arbre norvégien était envoyé à Londres pour Noël, exactement comme on l'avait fait durant toute la guerre pour rappeler son pays à un roi exilé. L'arbre était aujourd'hui le lien symbolique de l'amitié passée et future des deux pays. Des souvenirs resurgirent en Johanna; des visages aimés, depuis longtemps disparus, défilèrent dans sa mémoire. Elle se sentait aussi émue qu'à sa première visite au musée de la Résistance du château d'Akershus – elle y avait retrouvé l'histoire qui avait été la sienne et celle de quarante mille autres de ses compatriotes. Aucun nom n'était gravé sur le monument, pas même ceux des hommes et des femmes dont l'exceptionnel courage avait pu changer le cours de l'histoire.

Un chœur de jeunes garçons venait de se mettre en place. Ils étaient nets et bien coiffés. Il y eut quelques raclements de pied, quelques envolées de notes, puis, le maître de chœur leva les bras, et ils ouvrirent le concert avec *Douce Nuit.* Leurs voix hautes et claires s'élevèrent contre les murs sombres de la National Gallery.

Johanna en perdit jusqu'à la notion du temps.

Quelque part une horloge sonna, lui rappelant que Steffen devait déjà l'attendre à l'hôtel. Ils étaient toujours amants. Il n'y avait jamais eu personne d'autre ni pour l'un ni pour l'autre... Elle héla un taxi. Elle s'arrêta un moment avant d'y monter et tourna la tête. L'arbre offrait une vision si douce...

Ses lumières étaient aussi blanches et étincelantes que les neiges de Norvège.

Littérature

extrait du catalogue

Cette collection est d'abord marquée par sa diversité : classiques, grands romans contemporains ou même des livres d'auteurs réputés plus difficiles, comme Borges, Soupault, Goes. En fait, c'est tout le roman qui est proposé ici, Henri Troyat, Bernard Clavel, Guy des Cars, Alain Robbe-Grillet, mais aussi des écrivains tels que Moravia, Colleen McCullough ou Konsalik.

Les classiques tels que Stendhal, Maupassant, Flaubert, Zola, Balzac, etc. sont publiés en texte intégral au prix le plus bas de toute l'édition. Chaque volume est complété par un cahier photos illustrant la biographie de l'auteur.

ADAMS Richard	**Les garennes de Watership Down** 2078/**6***
ADLER Philippe	**C'est peut-être ça l'amour** 2284/**3***
	Les amies de ma femme 2439/**3***
AMADOU Jean	**Heureux les convaincus** 2110/**3***
AMADOU J. et KANTOF A.	**La belle anglaise** 2684/**4*** (Novembre 89)
ANDREWS Virginia C.	Fleurs captives :
	-Fleurs captives 1165/**4***
	-Pétales au vent 1237/**4***
	-Bouquet d'épines 1350/**4***
	-Les racines du passé 1818/**4***
	-Le jardin des ombres 2526/**4***
ANGER Henri	**La mille et unième rue** 2564/**4***
ARCHER Jeffrey	**Kane et Abel** 2109/**6***
	Faut-il le dire à la Présidente ? 2376/**4***
ARTUR José	**Parlons de moi, y a que ça qui m'intéresse** 2542/**4***
AUEL Jean M.	**Les chasseurs de mammouths** 2213/**5*** et 2214/**5***
AURIOL H. et NEVEU C.	**Une histoire d'hommes / Paris-Dakar** 2423/**4***
AVRIL Nicole	**Monsieur de Lyon** 1049/**3***
	La disgrâce 1344/**3***
	Jeanne 1879/**3***
	L'été de la Saint-Valentin 2038/**2***
	La première alliance 2168/**3***
AZNAVOUR-GARVARENTZ	**Aïda Petit frère** 2358/**3***
BACH Richard	**Jonathan Livingston le goéland** 1562/**1*** Illustré
	Illusions / Le Messie récalcitrant 2111/**2***
	Un pont sur l'infini 2270/**4***
BALZAC Honoré de	**Le père Goriot** 1988/**2***
BARBER Noël	**Tanamera** 1804/**4*** & 1805/**4***
BARRET André	**La Cocagne** 2682/**6*** (Novembre 89)
BATS Joël	**Gardien de ma vie** 2238/**3*** Illustré
BAUDELAIRE Charles	**Les Fleurs du mal** 1939/**2***
BEART Guy	**L'espérance folle** 2695/**5*** (Décembre 89)
BEAULIEU PRESLEY Priscilla	**Elvis et moi** 2157/**4*** Illustré
BECKER Stephen	**Le bandit chinois** 2624/**5***

BELLONCI Maria	**Renaissance privée** 2637/**6★** Inédit
BENZONI Juliette	**Un aussi long chemin** 1872/**4★**
	Le Gerfaut des Brumes :
	-Le Gerfaut 2206/**6★**
	-Un collier pour le diable 2207/**6★**
	-Le trésor 2208/**5★**
	-Haute-Savane 2209/**5★**
BEYALA Calixthe	**C'est le soleil qui m'a brûlée** 2512/**2★**
BINCHY Maeve	**Nos rêves de Castlebay** 2444/**6★**
BISIAUX M. et JAJOLET C.	**Chat plume - 60 écrivains parlent de leurs chats** 2545/**5★**
	Chat huppé - 60 personnalités parlent de leurs chats 2646/**6★**
BLIER Bertrand	**Les valseuses** 543/**5★**
BOMSEL Marie-Claude	**Pas si bêtes** 2331/**3★** Illustré
BORGES et BIOY CASARES	**Nouveaux contes de Bustos Domecq** 1908/**3★**
BOURGEADE Pierre	**Le lac d'Orta** 2410/**2★**
BRADFORD Sarah	**Grace** 2002/**4★**
BROCHIER Jean-Jacques	**Un cauchemar** 2046/**2★**
	L'hallali 2541/**2★**
BRUNELIN André	**Gabin** 2680/**5★** & 2681/**5★** (Novembre 89) Illustré
BURON Nicole de	**Vas-y maman** 1031/**2★**
	Dix-jours-de-rêve 1481/**3★**
	Qui c'est, ce garçon ? 2043/**3★**
CALDWELL Erskine	**Le bâtard** 1757/**2★**
CARS Guy des	**La brute** 47/**3★**
	Le château de la juive 97/**4★**
	La tricheuse 125/**3★**
	L'impure 173/**4★**
	La corruptrice 229/**3★**
	La demoiselle d'Opéra 246/**3★**
	Les filles de joie 265/**3★**
	La dame du cirque 295/**2★**
	Cette étrange tendresse 303/**3★**
	L'officier sans nom 331/**3★**
	Les sept femmes 347/**4★**
	La maudite 361/**3★**
	L'habitude d'amour 376/**3★**
	La révoltée 492/**4★**
	Amour de ma vie 516/**3★**
	La vipère 615/**4★**
	L'entremetteuse 639/**4★**
	Une certaine dame 696/**4★**
	L'insolence de sa beauté 736/**3★**
	Le donneur 809/**2★**
	J'ose 858/**2★**

	La justicière 1163/2*
	La vie secrète de Dorothée Gindt 1236/2*
	La femme qui en savait trop 1293/2*
	Le château du clown 1357/4*
	La femme sans frontières 1518/3*
	Les reines de coeur 1783/3*
	La coupable 1880/3*
	L'envoûteuse 2016/5*
	Le faiseur de morts 2063/3*
	La vengeresse 2253/3*
	Sang d'Afrique 2291/5*
	Le crime de Mathilde 2375/4*
	La voleuse 2660/3*
CARS Jean des	Elisabeth d'Autriche ou la fatalité 1692/4*
CASSAR Jacques	Dossier Camille Claudel 2615/5*
CATO Nancy	L'Australienne 1969/4* & 1970/4*
	Les étoiles du Pacifique 2183/4* & 2184/4*
	Lady F. 2603/4*
CESBRON Gilbert	Chiens perdus sans collier 6/2*
	C'est Mozart qu'on assassine 379/3*
CHABAN-DELMAS Jacques	La dame d'Aquitaine 2409/2*
CHAVELET J. et DANNE E. de	Avenue Foch / Derrière les façades... 1949/3*
CHEDID Andrée	La maison sans racines 2065/2*
	Le sixième jour 2529/3*
	Le sommeil délivré 2636/3*
CHOW CHING LIE	Le palanquin des larmes 859/4*
	Concerto du fleuve Jaune 1202/3*
CHRIS Long	Johnny 2380/4* Illustré
CLANCIER Georges-Emmanuel	Le pain noir :
	1-Le pain noir 651/3*
	2-La fabrique du roi 652/3*
	3-Les drapeaux de la ville 653/4*
	4-La dernière saison 654/4*
CLAUDE Madame	Le meilleur c'est l'autre 2170/3*
CLAVEL Bernard	Le tonnerre de Dieu qui m'emporte 290/1*
	Le voyage du père 300/1*
	L'Espagnol 309/4*
	Malataverne 324/1*
	L'hercule sur la place 333/3*
	Le tambour du bief 457/2*
	L'espion aux yeux verts 499/3*
	La grande patience :
	1-La maison des autres 522/4*
	2-Celui qui voulait voir la mer 523/4*
	3-Le cœur des vivants 524/4*
	4-Les fruits de l'hiver 525/4*

	Le Seigneur du Fleuve 590/3*
	Pirates du Rhône 658/2*
	Le silence des armes 742/3*
	Tiennot 1099/2*
	Les colonnes du ciel :
	1-La saison des loups 1235/3*
	2-La lumière du lac 1306/4*
	3-La femme de guerre 1356/3*
	4-Marie Bon Pain 1422/3*
	5-Compagnons du Nouveau-Monde 1503/3*
	Terres de mémoire 1729/2*
	Bernard Clavel Qui êtes-vous ? 1895/2*
	Le Royaume du Nord :
	-Harricana 2153/4*
	-L'Or de la terre 2328/4*
	-Miséréré 2540/4*
CLERC Christine	L'Arpeggione 2513/3*
CLERC Michel	Les hommes mariés 2141/3*
COCTEAU Jean	Orphée 2172/2*
COLETTE	Le blé en herbe 2/1*
COLLINS Jackie	Les dessous de Hollywood 2234/4* & 2235/4*
COMPANEEZ Nina	La grande cabriole 2696/4* (Décembre 89)
CONROY Pat	Le Prince des marées 2641/5* & 2642/5*
CONTRUCCI Jean	Un jour, tu verras... 2478/3*
CORMAN Avery	Kramer contre Kramer 1044/3*
CUNY Jean-Pierre	L'aventure des plantes 2659/4*
DANA Jacqueline	Les noces de Camille 2477/3*
DAUDET Alphonse	Tartarin de Tarascon 34/1*
	Lettres de mon moulin 844/1*
DAVENAT Colette	Les émigrés du roi 2227/6*
	Daisy Rose 2597/6*
DEFLANDRE Bernard	La soupe aux doryphores ou dix ans en 40 2185/4*
DHOTEL André	Le pays où l'on n'arrive jamais 61/2*
DICKENS Charles	Espoir et passion (Un conte de deux villes) 2643/5*
DIDEROT Denis	Jacques le fataliste et son maître 2023/3*
DJIAN Philippe	37°2 le matin 1951/4*
	Bleu comme l'enfer 1971/4*
	Zone érogène 2062/4*
	Maudit manège 2167/5*
	50 contre 1 2363/3*
	Echine 2658/5*
DORIN Françoise	Les lits à une place 1369/4*
	Les miroirs truqués 1519/4*
	Les jupes-culottes 1893/4*

Composition Communication à Champforgeuil
Impression Brodard et Taupin
à La Flèche (Sarthe) le 10 octobre 1989
6372B-5 Dépôt légal octobre 1989
ISBN 2-277-22687-4
Imprimé en France
Editions J'ai lu
27, rue Cassette, 75006 Paris
diffusion France et étranger : Flammarion